Jenny Colgan

Jenny Colgan est une romancière britannique auteur de nombreuses comédies romantiques, et d'autant de délicieuses recettes de cuisine. Après *La Petite Boulangerie du bout du monde* (2015), Jenny Colgan a publié, chez Prisma, *Une saison à la petite boulangerie* (2016), puis *Noël à la petite boulangerie* (2017). En 2017, elle a entamé une nouvelle série avec la parution de *Rendez-vous au Cupcake Café* chez le même éditeur. Le second tome, *Le Cupcake Café sous la neige*, a paru en 2018, de même qu'*Une saison au bord de l'eau*.

Retrouvez toute l'actualité de l'auteur sur :
www.jennycolgan.com

NOËL À LA PETITE BOULANGERIE

DU MÊME AUTEUR CHEZ POCKET

LA PETITE BOULANGERIE DU BOUT DU MONDE

UNE SAISON À LA PETITE BOULANGERIE

NOËL À LA PETITE BOULANGERIE

–

RENDEZ-VOUS AU CUPCAKE CAFÉ

JENNY COLGAN

NOËL À LA PETITE BOULANGERIE

Traduit de l'anglais
par Anne Rémond

ÉDITIONS PRISMA

Titre de l'édition originale :
CHRISTMAS AT LITTLE BEACH STREET BAKERY

Pocket, une marque d'Univers Poche,
est un éditeur qui s'engage pour la préservation
de l'environnement et qui utilise du papier fabriqué
à partir de bois provenant de forêts gérées
de manière responsable.

First published in Great Britain in 2016 by Sphere

ISBN : 978-2-266-29018-0
Dépôt légal : novembre 2018

Aux rêveurs et à leurs rêves,
qu'ils soient grands ou petits.
Même s'ils ne sont pas
plus grands qu'un macareux !

« Vous ne trouverez jamais la paix par la haine, mon ami. Elle ne vous exclut que davantage du monde. Et cette ville est maudite uniquement parce que vous la voyez comme telle. Pour nous autres, c'est un endroit béni ! »

(Extrait du film *Brigadoon*)

Chers lecteurs,

Merci infiniment d'avoir choisi ce livre, le dernier (sans doute) de la trilogie de *La Petite Boulangerie*. J'ai sincèrement adoré écrire les aventures de Polly, de Huckle et d'un facétieux macareux dénommé Neil.

Si vous n'avez pas lu les tomes précédents, honnêtement, il vous suffit de connaître quelques informations : Polly s'est installée sur la petite île de Mount Polbearne après la faillite de son entreprise, afin de commencer une nouvelle vie. Elle réside dans un phare, car cette idée lui semblait romantique (N.B. : mais c'est une vraie quadrature du cercle), avec Huckle, son petit ami américain au tempérament très calme, et son macareux, bien évidemment. Elle prépare du pain tous les jours pour les habitants de Mount Polbearne et leurs hôtes.

Voilà, vous savez tout ce qu'il faut !

Une remarque par ailleurs sur le cadre de ce roman : les Cornouailles constituent, pour moi, un lieu féerique autant qu'elles sont le foyer de nombreuses personnes, car j'y ai passé énormément de temps pendant mon enfance. Elles m'apparaissaient tel un pays imaginaire que j'aimais visiter.

Nous séjournions dans des cottages d'anciens miniers, près de Polperro. Ma mère, grande amatrice de Daphné Du Maurier, avait pour habitude de nous coucher mes deux frères et moi dans de petits lits étroits et de nous raconter des histoires à glacer le sang de naufrages, de sabotages, de pirates et d'or. Nous étions à la fois captivés et effrayés, et l'un de nous trois, sans doute mon plus jeune frère (qui dirait sans doute que c'était plutôt moi), faisait des cauchemars durant la moitié de la nuit.

Comparées à notre Écosse glaciale, les Cornouailles ensoleillées représentaient un paradis à mes yeux. Tous les ans, on nous offrait ces grandes planches en mousse et nous partions nous baigner dès le saut du lit pour faire du *bodyboard* encore et encore, jusqu'à ce que nos parents nous sortent de l'eau, tout bronzés avec les marques du maillot de bain, pour manger un sandwich plein de sable malgré la cellophane.

Plus tard dans la journée, mon père faisait griller du poisson sur le petit barbecue qu'il confectionnait chaque année avec des briques et une grille, et je m'asseyais dans les herbes hautes pour lire, tout en me faisant dévorer par les insectes.

Ensuite (parce que les vacances sont le moment où l'on peut veiller tard), nous nous rendions en voiture à Mousehole ou St Ives, où nous mangions une glace en nous promenant sur le port et en admirant les galeries d'art ; ou des frites, des bonbons au caramel – des saveurs dont je raffolais, même si le caramel me rendait systématiquement malade.

Ce fut un tel délice, lorsque j'ai commencé l'écriture de cette trilogie, de retourner dans ces endroits où j'avais vécu des instants de pur bonheur. Nous sommes partis pour la journée sur l'île de St Michael's Mount (comme la loi l'exige, je crois, pour tous ceux qui visitent les Cornouailles !) ; je me souviens d'avoir été saisie et fascinée par cette vieille route pavée qui disparaît sous les vagues. Je ne peux rien imaginer de plus romantique, de plus magique. Ce fut donc un vrai plaisir de situer mes romans dans ces lieux. Si je peux transmettre à travers mes livres ne serait-ce qu'une fraction du bonheur que les Cornouailles m'ont procuré dans ma vie, j'en serai absolument ravie.

Jenny

Chapitre 1

Cette histoire se déroule au moment de Noël, mais elle trouve en réalité ses racines au printemps précédent, avec un « événement très fâcheux ».

C'est un peu dommage que celui-ci soit survenu à cette saison et que nous allions peu nous y intéresser, car Mount Polbearne, cette petite île des Cornouailles, est magnifique en cette période de l'année.

Une chaussée mène à ce village typique, qui était autrefois rattaché au continent avant que le niveau de la mer ne monte. Aujourd'hui, la marée recouvre la vieille route pavée deux fois par jour, ce qui en fait un lieu de résidence à la fois très romantique et extrêmement peu pratique.

Un méli-mélo de cottages et d'échoppes s'étend le long du quai et de la plage, parmi lesquels *La Petite Boulangerie de Beach Street* de Polly Waterford, appelée ainsi pour la distinguer de la première boulangerie. Vous vous demandez peut-être comment un village aussi minuscule peut posséder deux boulangeries, mais de toute évidence vous n'avez pas goûté à leurs délices, car Polly est à la boulangerie ce que Phil Collins est à la batterie. Bon d'accord, ce n'est peut-être pas l'exemple le plus judicieux.

Enfin, soyez assuré qu'elle est excellemment douée pour la boulangerie. Elle expérimente des recettes dans sa cuisine, chez elle dans le phare, ou dans la boulangerie, équipée de grands fours et d'un exceptionnel poêle à bois. Son pain au levain est ferme, avec un goût de noisette et une croûte craquante ; ses baguettes sont plus légères que l'air ; ses focaccias sont denses et exquises, et ses *scones* au fromage délicats. L'odeur de ses gourmandises flotte à travers le village et attire les affamés et les curieux depuis des kilomètres à la ronde.

Outre la boulangerie sur le port, on trouve le pub d'Andy, le *Red Lion*, où l'on se soucie assez peu de la réglementation, en particulier par les chaudes soirées d'été dans la cour décorée de lampions et baignée d'un parfum iodé. Andy est un homme très affairé, car il tient également juste à côté un excellent *fish and chips* hors de prix. Dans le port, les bateaux de pêche clapotent sur les vagues ; la pêche, qui faisait vivre autrefois Mount Polbearne, est désormais la deuxième activité de cette minuscule bourgade, après le tourisme. On peut apercevoir des pêcheurs aux doigts rougis qui réparent leurs filets ou, plus couramment ces jours-ci, qui étudient les relevés des mouvements de bancs de poissons et estiment la quantité de leur pêche.

Plusieurs ruelles pavées arpentent les flancs de la colline, où vivent les mêmes familles depuis plusieurs générations. On avait craint que le village ne dépérisse, mais le renouveau de la boulangerie, reprise par Polly après le lamentable échec de son atelier de graphisme, coïncida avec de nouvelles arrivées (ou, d'après certains, les « généra »). Il s'est même ouvert un restaurant de poissons et de fruits de mer. Des bébés sont nés et le village semble à nouveau florissant.

L'enjeu dorénavant est d'entretenir cette tendance sans que tous les charmants cottages délabrés deviennent des maisons de vacances rachetées par les fortunes de Londres et d'Exeter, qui ne viendraient que le week-end et feraient augmenter de manière prohibitive le coût de la vie pour les locaux. Mais à une ou deux exceptions près, du fait d'une connexion wifi instable et des horaires de marée constamment changeants, cet endroit reste peu ou prou isolé, comme il l'est depuis des centaines et des centaines d'années.

L'été, l'île est toujours prise d'assaut par les touristes. C'est alors un peu la folie, car tous les insulaires essaient de gagner suffisamment d'argent pour tenir durant l'hiver interminable et glacial. Cette saison rime avec des enfants armés d'épuisettes ; des adultes rêvant de leurs vacances d'enfance, avec de grandes plages dorées et la liberté de pouvoir courir partout (ce qui était parfaitement acceptable dans les années 1980, mais qui aujourd'hui paraîtrait un peu scandaleux).

Au printemps cependant, la saison touristique n'a pas encore tout à fait commencé, avec seulement quelques visiteurs à Pâques : ceux-ci croisent les doigts pour avoir beau temps et font mine de ne pas être déçus lorsque le vent, qui autrefois faisait échouer les navires sur cette côte dangereuse du sud des Cornouailles, emporte leur barbe à papa, ou lorsque les bateaux de pêche alignés dans le petit port ne tanguent pas pour embellir leurs vidéos de vacances, mais simplement à cause des vagues.

Cependant, une fois partis les vacanciers de Pâques un brin déçus (et ceux que je devrais qualifier d'incroyablement arrogants qui prolongent leur séjour de quelques jours et sont récompensés par une belle journée ensoleillée, si bien qu'ils ne cesseront de narguer leurs amis durant les cinq années à venir), Mount Polbearne jouit d'un court répit avant l'affluence estivale.

Ainsi, en avril, Mount Polbearne fait une pause. Si l'on regarde vers les terres, on aperçoit les arbres commencer à fleurir, formant de grandes guirlandes de rose et de blanc. Les journées, très fraîches et changeantes au petit matin, se parent soudain d'un rayon de soleil ; la brume de l'aurore s'évapore, et la chaleur monte et libère ce merveilleux parfum de jeunes pousses, avec les oiseaux qui préparent leur nid et babillent, le vert tendre des arbres qui bourgeonnent, et ce charme doux et bourdonnant qui caractérise l'Angleterre aux prémices du printemps, dans ce qu'elle a de plus beau.

Notre récit ne s'attarde pas là.

Mais il commence là. Cette période de l'année devrait être celle de nouveaux départs ; du plaisir d'oublier les doudounes de l'hiver, la télévision et les clignements d'yeux devant la lumière éblouissante du matin.

Au lieu de cela, la blonde et très chic Kerensa, la meilleure amie de Polly et l'épouse du meilleur ami de Huckle, peste au téléphone.

— Arrête de jurer, lui suggéra sagement Polly en se frottant les yeux. Je ne comprends pas un mot de ce que tu dis.

Comme souvent, la communication se coupa entre l'île et le continent, où Kerensa vivait dans une énorme demeure, ridiculement opulente, avec son petit génie de mari, Reuben, un Américain plutôt bruyant.

— Qui était-ce ? demanda Huckle, qui surveillait sa tartine au-dessus du grille-pain, dans la cuisine ensoleillée du phare qu'ils habitaient, vêtu d'un tee-shirt gris délavé et d'un boxer.

Cette tenue était un peu légère pour la température ambiante, mais elle n'était pas du tout pour déplaire à Polly. C'était un dimanche matin, son unique jour de congé ; il y avait du beurre salé de la région qui attendait d'être tartiné, un peu de miel récolté par Huckle, ou de la marmelade pour accompagner cette douce matinée.

— Kerensa, répondit Polly. Elle avait plein de gros mots à dire.

— Ça lui ressemble bien. À propos de quoi ?

Polly tenta de la rappeler, en vain.

— Avec Kerensa, ça peut être pour n'importe quoi. Sans doute parce que Reuben a encore joué les crétins.

— Ça, c'est une certitude, affirma gravement Huckle tout en guettant intensément le grille-pain. Oh, il faut que quelqu'un invente un grille-pain express, se plaignit-il.

— Un grille-pain express ? Quoi ?

— C'est trop long, expliqua Huckle.

— Mais qu'est-ce que tu racontes ?

— J'ai vraiment envie d'une tartine, alors je mets ton pain au levain dans le grille-pain – c'est d'ailleurs la meilleure tartine au monde…

— Je savais bien que tu vivais avec moi pour une bonne raison !

— … et puis, oh ! la la ! Ça sent tellement bon, donc impossible d'attendre, il faut manger tout de suite cette délicieuse tartine.

Huckle appuya sur le bouton et deux tartines de pain légèrement dorées, à peine grillées, sautèrent.

— Tu vois ? dit-il en les attaquant férocement avec un couteau à tartiner.

Comme le beurre sortait tout juste du réfrigérateur, Huckle perça la mie tendre. Il jeta un regard dépité à son assiette.

— Chaque fois ! Je panique, je retire le pain trop tôt et, après, je le regrette. Tout le plaisir de manger une tartine s'en trouve gâché.

— Fais-en d'autres.

— Ça ne marche pas, j'ai déjà essayé.

Huckle plaça néanmoins deux autres tranches dans le grille-pain.

— Le souci, c'est que j'aurai mangé les deux premières avant que les autres ne soient grillées. C'est un cercle vicieux. La même histoire ne cessera de se répéter.

— Peut-être, lui suggéra Polly, que tu devrais rester à côté du grille-pain, la bouche ouverte, pour être paré quand les tartines sauteront.

— Ouais, j'y ai déjà pensé. Avec une machine qui pulvériserait le beurre pour que ce soit prêt tout de suite ; plus besoin de tartiner en vitesse, parce qu'il ne faut pas faire attendre cette délicieuse tartine.

— Je pensais impossible que quelqu'un soit plus obsédé par le pain que moi ! ironisa Polly. Mais je crois – et je n'en reviens pas de dire ça – que tu as peut-être trop réfléchi à cette histoire de tartines.

— Si seulement je pouvais inventer l'« express-grille-pain », nous serions plus riches que Reuben.

Les tartines s'éjectèrent à cet instant.

— Vite, vite, vite !!!

Ils retournèrent ensuite au lit, car la boulangère qu'était Polly devait se coucher extrêmement tôt les autres jours de la semaine, et le vendeur de miel qu'était Huckle ne se couchait pas particulièrement tôt ; ils n'avaient donc jamais les mêmes horaires. Polly envoya un message à Kerensa pour lui dire de ne pas s'inquiéter, que tout irait bien et qu'elle l'appellerait plus tard, avant d'éteindre son portable.

Cela se révélerait une très grave erreur.

Chapitre 2

Laissez-moi clarifier les choses : rien de ce qui arriva n'était réellement imputable à Polly, ou à Huckle. C'était manifestement la faute de Kerensa, comme vous le verrez, et un peu celle de Selina, qui ne l'admettrait pour rien au monde, mais aimait vraiment encourager ce type d'événements (certaines personnes sont ainsi, n'est-ce pas ? De vrais fauteurs de troubles).

C'était un tout petit peu aussi la faute de Reuben car – et je ne peux suffisamment insister sur ce point –, même d'après lui, il s'était comporté comme le pire crétin ce jour-là.

Il avait oublié que c'était leur anniversaire de mariage – leur premier. Quand Kerensa le lui avait fait remarquer, il avait répondu que eh bien, il avait fait beaucoup de choses à l'eau de rose par le passé et que désormais ils étaient mariés, il avait donc assez donné, non ? Il avait fait ce qu'il fallait, ils formaient un couple génial et, de toute façon, elle avait déjà une douzaine de sacs à main, et puis il devait prendre l'avion pour San Francisco, pour une réunion concernant sa cotation en Bourse. Kerensa lui avait rétorqué qu'elle n'était pas au courant, ce à quoi il avait répondu qu'elle devrait consulter l'emploi du temps que son assistante lui avait envoyé par e-mail, qu'il partait dans deux heures. Kerensa lui proposa de l'accompagner, car elle avait entendu dire que San Francisco était une ville superbe au printemps, mais Reuben refusa car il serait, « ma douce », hyper occupé. Il l'avait ensuite embrassée pour lui dire au revoir et lui avait suggéré que, puisqu'ils avaient fait installer une salle de gym dans la maison, pourquoi ne s'en servirait-elle pas ?

Donc bon. Vous voyez ce que je veux dire. Il n'avait pas dit cela par méchanceté ; c'était simplement le caractère de Reuben : quand il travaille, il se transforme en Steve Jobs et ne pense qu'à lui. C'est pour cette raison que c'est un nabab presque aussi riche que Steve Jobs.

Aussi, Kerensa resta plantée dans l'énorme vestibule complètement vide de leur impressionnante maison, avec plage privée, de la côte nord des Cornouailles. Elle eut envie de pleurer. Mais elle préféra plutôt se fâcher, car ce genre de situation devenait de plus en plus courant. Reuben ne semblait pas comprendre qu'elle n'aimait pas du tout être contactée par son assistante, qui était froide, américaine, portait des vêtements luxueux et intimidait un peu Kerensa (alors qu'elle ne se laissait pas facilement intimider). De plus, depuis qu'il avait relancé sa carrière l'an passé, après avoir frôlé la faillite, elle ne l'avait quasiment pas vu ; il passait son temps dans l'avion.

Kerensa avait donc choisi de se révolter et, dans un accès de colère, elle téléphona à Polly, qui était apparemment occupée à discuter tartines avec Huckle lors de son unique jour de congé et ne fut pas du tout aussi compréhensive qu'une amie devrait l'être en de telles circonstances. Polly le regretterait amèrement par la suite.

Alors, Kerensa appela leur autre amie, Selina, qui avait traversé une période très difficile après avoir perdu son mari deux ans plus tôt et à qui il arrivait encore d'être parfois un peu émotive. Selina, qui, avant de tomber amoureuse d'un pêcheur, avait vécu sur le continent et avait toujours mené une carrière dynamique, lui répondit qu'elle avait une super idée : elle s'ennuyait à mourir, alors pourquoi n'iraient-elles pas à Plymouth, elles mangeraient dans le restaurant le plus chic qu'elles trouveraient et commanderaient la bouteille la plus chère du menu, puis utiliseraient la carte de Reuben et le remercieraient pour ce joli cadeau ?

Cette suggestion séduisit fortement Kerensa et elles la suivirent à la lettre. Ce qui avait commencé par un dîner – et de nombreuses lamentations à propos des hommes de leur vie (passée ou présente) – dégénéra un peu, et les deux amies rencontrèrent un groupe de femmes qui enterraient la vie de jeune fille de l'une d'entre elles et qui les invitèrent immédiatement à les rejoindre. Ensemble, elles se rendirent à un « spectacle de danse » ; je vous laisse imaginer ce que ce terme implique, mais je peux vous confier qu'il y eut beaucoup d'huile corporelle, des hommes très grands à l'accent brésilien et de la sambuca à brûler la gorge. Ensuite, les souvenirs de Kerensa devinrent un peu confus, mais lorsqu'elle se réveilla le lendemain matin dans un hôtel luxueux, elle se rappelait vaguement être arrivée en brandissant une carte de crédit *platinum* à une heure indue et avait suffisamment de souvenirs pour savoir que si elle pouvait se faire ouvrir le crâne pour les faire retirer, elle n'hésiterait pas une seule seconde.

Il était déjà parti. Mais il restait un long cheveu noir dans la douche.

Je sais. Je vous avais bien dit que c'était un événement fâcheux.

Oh, et ce n'est pas tout ! Songez à une bêtise quelque peu regrettable que vous avez commise un soir, puis multipliez-la par un million.

Lorsque Kerensa rentra chez elle – en compagnie d'une Selina qui ricanait, jugeant la situation terriblement hilarante et qui n'avait presque pas la gueule de bois car elle avait veillé à boire beaucoup d'eau (elle est aussi ce genre d'amie) –, elle découvrit que Polly avait tellement culpabilisé que Huckle avait téléphoné à Reuben et lui avait ordonné de rentrer chez lui pour être gentil avec sa femme.

De ce fait, Reuben avait remis à plus tard ses affaires à San Francisco et pris un vol pour rentrer, les bras chargés de tous les parfums du magasin *duty free* parce qu'il fut incapable de se rappeler celui qu'aimait Kerensa. En franchissant la porte, il trouva une Kerensa pitoyable qui avait vomi toute la matinée et s'était traînée à quatre pattes sur le carrelage, à se tordre de culpabilité, de tristesse et de migraine. Il l'avait prise dans ses bras et lui avait déclaré son amour éternel. Il tenta ensuite de la porter à l'étage de façon théâtrale, cependant il échoua car il avait passé la nuit dans l'avion, mais aussi car Kerensa mesurait cinq centimètres de plus que lui et qu'elle avait envie de mourir. Toutefois, ils firent chacun un effort pour gagner leur gigantesque chambre ronde, avec son lit rond ridicule/spectaculaire (*rayez le terme selon votre préférence*), où la lumière précoce d'avril traversait les baies vitrées démesurées. Durant les six mois qui suivirent, Reuben emmena Kerensa avec lui partout où il allait.

***

Voilà donc cet événement affreux qui se produisit au printemps.

S'il s'agissait d'un film, vous entendriez à cet instant une musique inquiétante et le générique débuterait…

Chapitre 3

Cinq semaines avant Noël

— Cette année, déclara énergiquement Polly en se redressant sous la couette, je fais une liste ! Un plan ! Cette année, Noël ne sera pas un vrai désastre.

— Quand est-ce que Noël a été un désastre ? l'interrogea Huckle en se retournant, encore endormi et pas du tout enclin à renoncer à la couette.

Polly se leva dans l'obscurité totale, comme elle le faisait durant les mois d'hiver. Leur dernière facture de chauffage les avait effrayés, alors même que la maison n'était quasiment jamais chaude.

Polly avait pensé – et espéré – que chauffer un phare serait comme chauffer une énorme cheminée : il suffirait d'allumer le fourneau en bas pour que la chaleur se diffuse dans toute la maisonnée. Or, ce n'était pas du tout ce qui se produisait. Loin de là même. Il faisait seulement bon dans la cuisine. Ils devaient donc allumer le système de chauffage vétuste, cliquetant et capricieux, et essayer d'ignorer le fait qu'ils vivaient dans un bâtiment classé, non isolé et non destiné à l'habitation. Parcourir les étages était une torture qui faisait l'objet de défis et de négociations entre Polly et Huckle.

Quelquefois, Huckle songeait avec nostalgie au petit cottage d'apiculteur qu'il louait autrefois de l'autre côté de la chaussée, où il faisait bien plus chaud tout simplement parce qu'il ne se trouvait pas perché au milieu de la mer. Cette maison aux plafonds bas et aux petites ouvertures, avec ses jetés, coussins et rideaux doux et ses deux petites chambres, était douillette tout l'hiver grâce à son poêle à bois et ses quatre radiateurs.

Huckle repensa même à sa maison d'enfance en Virginie, aux États-Unis, où il faisait bon la plupart de l'année (il y faisait même parfois trop chaud). Quand le froid arrivait, son père mettait simplement en route la grande chaudière au sous-sol et toute la maison se réchauffait instantanément. La première chose que celui-ci lui avait dite lorsqu'il lui avait annoncé son départ pour l'Angleterre fut : « Tu es au courant qu'ils ne chauffent pas leurs maisons ? »

À l'époque, Huckle avait cru qu'il s'agissait d'un vieux cliché dépassé, comme le fait que les Anglais ne boivent pas de bière fraîche ou ne vont pas chez le dentiste. Mais à présent, il commençait à comprendre son père et se demandait quels autres de ses conseils il aurait dû suivre, tant qu'il en était encore temps, avant que l'hypothermie n'ait raison de lui et n'empêche son cerveau de fonctionner.

Polly enfilait un troisième pull-over.

— C'est mon pull préféré, lui dit Huckle. Il est encore plus difforme que les autres et te donne une silhouette de Bibendum sexy.

Elle lui jeta une chaussette à la figure.

— Ça reste plus sexy que la chair de poule ! Je vois que tu n'écoutes pas mon excellente idée de liste.

— Il est cinq heures du matin. Tu n'aurais même pas dû me réveiller. C'est vicieux et cruel de ta part et je vais devoir me venger.

Huckle attrapa la cheville de Polly pour l'attirer vers lui et tenter de l'amener sous les draps chauds. Il aimait, il fallait dire, se frayer un chemin sous les épaisses couches de vêtements de Polly, sachant que, quelque part, tout en dessous, se trouvaient ses douces courbes moelleuses, qui attendaient d'être découvertes tel un trésor caché et dont Huckle avait seul le privilège. Il imaginait déjà le frisson provoqué par sa main froide sur sa peau chaude.

Polly gloussa et poussa de petits cris.

— Non ! Hors de question ! J'ai un million de choses à faire et tout le monde me commande du pain d'épice.

— Tu sens le pain d'épice, affirma Huckle en passant la tête sous le pull de Polly. J'adore. Cela m'excite et me donne faim en même temps. À cause de toi, je vais me faire bannir des supermarchés !

Polly grimaça.

— Oh non, Huck, je ne peux pas. C'est impossible. Maintenant que je suis debout et que je suis lancée… Si je ne pars pas tout de suite, je vais me recoucher et ne repartirai jamais.

— Recouche-toi et ne pars jamais. C'est un ordre.

— Et nous allons mourir de faim.
— Non, nous vivrons de pain d'épice.
— Et nous mourrons jeunes.
— Ça en vaut tellement la peine. Où est Neil ?

Neil était le macareux que Polly avait adopté après avoir soigné son aile cassée lorsqu'il était encore jeune. Au dire de tous, il aurait dû rapidement reprendre son envol pour rejoindre ses congénères. Or, cela ne s'était pas encore produit.

— Dehors.

Polly et Huckle se regardèrent. Comme à l'accoutumée, Huckle avait cette expression amusée dans le regard, comme si le monde était un jeu divertissant ; cet éternel tempérament enjoué l'amenait toujours à penser que tout irait pour le mieux. Ses cheveux blonds étaient en bataille. Il dormait avec son vieux tee-shirt de l'université et avait l'odeur à la fois du foin et du miel.

Polly jeta un coup d'œil au radio-réveil, que Huckle s'empressa de cacher avec sa main. Elle avait des livraisons à faire, des factures, des papiers, des pains à préparer, à vendre…

***

— Est-ce qu'un jour, déclara Polly, qui se rhabillait à toute allure tout en essayant d'envoyer un message à son employé Jayden pour l'avertir de son retard, lorsque ça fera des années que nous serons en couple, on ne couchera plus ensemble ?
— Ça n'arrivera pas.
— Mais si.
— Pas à nous.

Huckle jeta un regard réprobateur à Polly. Ils s'étaient fiancés l'été dernier et, chaque fois qu'il évoquait l'avenir, elle changeait de sujet ou s'inquiétait d'avoir trop de travail. Il savait qu'ils devraient s'asseoir et parler sérieusement de tout cela ; il savait qu'elle était occupée, mais il ne comprenait pas quel pouvait être le problème. Pour Huckle, les choses ne pouvaient être plus simples : ils s'aimaient, ils voulaient passer leur vie ensemble et fonder une famille. Bien entendu, pensait-il parfois, il aimait Polly parce qu'elle ne ressemblait pas aux autres filles. Mais il ne pouvait s'empêcher de se dire qu'à la place de Polly la plupart des autres filles seraient certainement ravies.

Il décida, une fois de plus, que ce n'était pas le bon moment. Il adressa à Polly un large sourire.

— Tu ne pourrais pas profiter du moment cinq minutes ?

Polly lui sourit à son tour.

— Si. Et je crois que ça a duré plus de cinq minutes ! (Elle fronça les sourcils.) Remarque, j'ai plus ou moins perdu la notion du temps.

— D'accord. Ne te fais pas de souci. Aie l'esprit tranquille. Tout dure pour la vie. Bon, je vais dormir encore un peu.

Et Huckle se rendormit, avant même que Polly n'ait enfilé ses chaussettes chaudes en laine, le visage complètement serein et détendu. Polly l'aimait tellement qu'elle avait l'impression que son cœur allait exploser. Mais elle était terrifiée par l'amour qu'elle éprouvait pour cet homme. Et toutes les étapes à venir lui donnaient une peur bleue.

***

Au rez-de-chaussée, Polly alimenta le fourneau pour Huckle, attrapa en vitesse un café et courut vers la porte du phare. La pluie s'abattit violemment sur son visage. Elle pouvait prédire le mauvais temps au vent qui sifflait à travers les fenêtres ; il fallait s'y préparer et, avec l'arrivée imminente du mois de décembre, il était assurément là, et pour une durée indéterminée.

Il fallait bien s'y attendre, songea Polly, quand on vivait sur un bout de rocher au milieu de la mer, avec ses maisons et ses rues sinueuses et escarpées en ardoise grise, qui serpentaient jusqu'à la grande église en ruine au sommet de la colline. La traversée de l'ancienne chaussée qui reliait l'île à la côte était dangereuse, bien que possible. En général, les nombreux touristes se garaient sur le parking et franchissaient la route pavée à pied en poussant des cris s'ils avaient mal calculé les marées et que la mer montait de plus en plus. Les pêcheurs de Mount Polbearne proposaient un service de bateau-taxi extrêmement cher pour les personnes piégées sur l'île.

Un an plus tôt, un projet de pont avait été évoqué, mais il avait été rejeté par les villageois, qui aimaient le caractère unique de Mount Polbearne ; ils refusaient que leur île n'ait plus le visage qu'elle avait depuis des siècles, quand bien même ce n'était pas commode.

La boutique de sandwichs que Polly tenait en haut de la route était fermée pour l'hiver, mais la boulangerie était toujours ouverte, aussi animée qu'à l'accoutumée, car les villageois et les touristes de hors saison faisaient la queue pour acheter les pains sortant tout juste du four. Sans parler des délicieux friands chauds que les pêcheurs emportaient sur leur bateau ; des croissants que Patrick, le vétérinaire, dévorait dans son cabinet ensoleillé en attendant ses clients à quatre pattes ; des brownies dont raffolait Muriel, l'épicière chez qui l'on trouvait de tout ; des beignets pour les artisans qui réalisaient les extensions cossues des maisons secondaires, avec leurs balcons en verre et leurs filins d'acier ; ou encore des tartelettes pour les vieilles dames qui avaient passé toute leur vie sur l'île, dont la voix avait l'intonation grave et chantante de la région, dont les grands-parents parlaient cornouaillais et qui se souvenaient du temps où il n'y avait ni électricité ni télévision sur Mount Polbearne.

Polly brava les vents violents sur les marches du phare incrustées de coquillages, puis suivit péniblement le quai, avec sa digue en pierre, légèrement effritée à cause de décennies de lames brisantes, avant de se diriger vers Beach Street, la rue pavée qui faisait face à la mer.

Polly en était consciente : acheter le phare avait été un acte de folie passagère, déclenché par sa mise en vente inattendue. Il y avait bien trop de travaux à effectuer, et Polly et Huckle n'en avaient absolument pas les moyens, mais tout de même, elle n'en revenait pas à quel point elle l'adorait, ni de la grande fierté qu'elle éprouvait chaque fois qu'elle le voyait briller dans l'obscurité (la lanterne, tout en haut, était toujours la propriété de l'État), avec ses rayures blanches et rouges qui formaient un rempart joyeux au bout du village. Le faisceau n'était pas visible dans la maison (c'était le seul endroit de Mount Polbearne qui en était épargné) et, du côté donnant sur la mer, la vue était complètement dégagée sur la Manche. Pour Polly, ce panorama toujours changeant – parfois colérique et spectaculaire, parfois remarquablement paisible et, parfois, quand le soleil brillait, la plus belle chose qui soit sur Terre – valait chaque centime de son effroyable prêt ainsi que tous les réveils matinaux glacés.

Les seules lumières à ces premières heures de la journée, à part un ou deux phares sur la côte, étaient, bien entendu, celles de la boulangerie. Polly courut jusqu'à la porte de service et la fit claquer en entrant.

Le fournil était merveilleusement, divinement chaud. Polly ôta son énorme anorak en poussant un soupir de soulagement. Jayden la regarda d'un air interrogateur. Polly rougit, la chaleur de la pièce n'en fut pas l'unique raison ; elle sourit en se rappelant la cause de son terrible retard.

— Euh, salut !

— Les tortillons au fromage sont dans le four, annonça Jayden d'un ton solennel.

Il s'était laissé pousser la moustache pour le « Movember » l'année précédente, en signe de solidarité avec les hommes atteints de cancers ; cela lui allait tellement bien qu'il ne l'avait pas rasée. Cette moustache, ajoutée à son tablier blanc et à l'embonpoint qu'il prenait à vue d'œil en goûtant aux produits de la boutique en bien plus grande quantité que ne le recommanderait Polly, lui donnait l'apparence d'un commerçant jovial des années 1930, ce qui lui seyait plutôt bien. Jayden était follement amoureux de Flora, une fille du coin maigre comme un clou, dotée d'un talent incroyable pour la pâtisserie. Elle aussi l'engraissait. Ils faisaient penser à un couple tout droit sorti d'une comptine.

Cependant, durant la fermeture hivernale, Flora était partie à l'université dans le Devon, afin de suivre une formation en pâtisserie (c'était la première fois qu'elle passait autant de temps dans les terres). Son absence attristait profondément Jayden ; il ne supportait pas leur éloignement et se traînait comme une âme en peine. Polly trouvait leur histoire d'amour très touchante, mais elle aurait préféré que Jayden ne paraisse pas aussi malheureux devant les clients. Habituellement, il était du genre à badiner avec eux et à leur remonter le moral.

— Merci, Jayden, dit Polly en remplissant sa tasse de café à la cafetière.

Ils proposaient depuis peu des boissons chaudes ; Polly avait passé une journée très longue et surcaféinée à un salon professionnel, afin de trouver une machine capable de préparer des boissons qui n'aient pas toutes le même goût insipide. Elle avait fini par en dénicher une (aidée par la foule agglutinée autour du stand qui testait les produits offerts en dégustation, parmi laquelle se trouvaient d'ailleurs des vendeurs d'autres machines à café), mais, bien entendu, c'était de loin la plus chère d'entre toutes. Avec un peu de chance, Polly l'amortirait en trente ans. Il y avait une limite au prix qu'on pouvait demander à un pêcheur frigorifié qui venait de passer dix-huit heures en mer pour un bouillon chaud ; aussi Polly avait-elle fixé un prix qui couvrait à peine ses frais. Mais c'était agréable d'avoir cette machine.

Sauf pour le chocolat chaud. Il était impossible de faire un chocolat chaud correct avec une machine. Un jour, Reuben, leur ami américain tapageur (certains le qualifieraient de « casse-pieds », mais Polly avait appris à devenir tolérante au cours des deux dernières années), était entré en criant « Je fais les meilleurs chocolats chauds au monde. Ne songe même pas à en faire avec cette machine, sinon c'est la fin de notre amitié », et il lui avait acheté plusieurs boîtes du chocolat qu'il faisait importer de Suisse.

Plutôt débrouillard en cuisine, Reuben avait montré à Polly comment le préparer, avec du lait tiédi à feu doux, de la crème fouettée et du chocolat afin d'obtenir un sirop épais – un pur plaisir, surmonté de petites guimauves américaines « spéciales », d'une pointe de chantilly et de quelques copeaux de chocolat.

Polly avait fixé un prix plus élevé pour les chocolats chauds et ne les servait que l'hiver, mais absolument tout le monde sur l'île – et même à plusieurs kilomètres à la ronde – estimait qu'ils en valaient la peine, pour la plus grande fierté de Reuben. En réalité, le début de la saison des chocolats chauds à *La Petite Boulangerie de Beach Street* annonçait, selon de nombreux villageois, les fêtes de Noël.

— Le vent vient du sud-ouest, fit tristement remarquer Jayden. J'espère que Flora va bien.

— Elle est dans une cité universitaire avec le chauffage central, dans un campus, sur le continent, et elle ne va très probablement pas se lever avant trois heures, rétorqua Polly. Alors je pense que ça va aller pour elle.

Jayden soupira.

— Cette nana me manque.

— Tu lui manques aussi ! Sinon, pourquoi est-ce que tu recevrais autant de courrier ?

Comme si elle s'inquiétait que Jayden ne mange pas assez à la boulangerie, Flora lui envoyait les fruits de ses études par courrier tous les deux jours. Certains arrivaient en assez bon état (les pâtisseries individuelles s'en sortaient le mieux), mais pour d'autres, comme les pièces montées, c'était un désastre. Dawson, le facteur, menaçait de les poursuivre en justice car ses pantalons en étaient tout tachés. Il était déjà furieux parce qu'il se faisait souvent piéger par la marée. Il fallait reconnaître que Mount Polbearne n'était pas un cadeau dans la tournée d'un facteur. Le point positif, c'était que tous les habitants étaient d'accord pour qu'il jette les publicités au centre de tri sur la côte, ce qui rendait service à tout le monde. Jusqu'à ce que Flora poste ses gâteaux. Jayden avait proposé à Dawson qu'ils se les partagent, mais celui-ci avait refusé la première fois et était trop fier pour revenir sur sa décision. S'ils arrivaient en très bon état (les cornets à la crème étaient étonnamment intacts), Polly les mettait en vente et en postait la recette à Flora. Cela ennuyait également Dawson, d'autant plus si Polly glissait des pièces dans l'enveloppe.

— Bonjour, Dawson, le salua Polly en se présentant à la porte de service et en lui prenant des mains une pile de factures et une enveloppe à bulles un peu humide. Vous voulez un café ?

Dawson marmonna dans sa barbe ; manifestement, il avait dû venir très tôt ce matin, à vélo, dans la nuit noire, pour ne pas manquer la marée basse, ce qui ne le rendait pas du tout heureux. Son passage sur l'île pouvait osciller entre six et quatorze heures.

— C'est offert par la maison, insista Polly.

Elle s'inquiétait du fait que, si Dawson attrapait un gros rhume et était trop contrarié, il cesserait de venir et jetterait tout leur courrier à la mer. Remarque, pensa-t-elle en feuilletant la ribambelle habituelle de factures, il y avait des jours où ce ne serait pas une mauvaise idée.

Dawson grommela une fois de plus et se retira dans l'obscurité totale. Polly haussa les épaules et referma la porte.

— Je suis étonnée de m'être aussi bien intégrée ici en deux petites années. Tout le monde m'accepte.

Jayden renifla.

— Oh, Dawson a toujours été comme ça. J'étais à l'école avec lui et il se mettait à pleurer si on l'obligeait à saucer son assiette. Alors, on lui refilait tous notre sauce. Quand on y repense aujourd'hui, cela paraît méchant, j'imagine. On le surnommait Dawson Mange-ta-sauce. Ouais, à la réflexion, c'était carrément méchant.

— Oh ! fit Polly en sortant une lettre d'une enveloppe kraft avec le cachet de Mount Polbearne (ce qui signifiait que Dawson avait dû la relever dans la vieille boîte aux lettres rouge de la petite rue principale du village, l'emporter jusqu'à Looe, avant de la rapporter ici). C'est drôle que tu parles d'école parce que justement…

Jayden et ses camarades, âgés d'une petite vingtaine, étaient la dernière génération d'enfants à avoir usé leurs culottes sur les bancs de la minuscule école de Mount Polbearne, située sur le versant abrité de l'île.

Elle servait désormais pour les fêtes et les réunions du village. Les tableaux noirs et les bureaux en bois attendaient toujours les écoliers d'un air dépité, et les vieux panneaux fixés dans les linteaux de chaque côté du bâtiment, indiquant l'entrée des « Garçons » et celle des « Filles », étaient encore visibles, même si, comme tout sur cet îlot, les années, la mer et les intempéries les érodaient peu à peu.

La lettre était de Samantha, qui aimait toujours courir plusieurs lièvres à la fois, bien qu'elle ne possédât qu'une maison de vacances à Mount Polbearne avec son mari, Henry. Elle aussi avait eu un bébé l'an passé et avait commencé à se plaindre des écoles de Londres, des tarifs des crèches, des enfants de la capitale trop désabusés et raffinés (même si, de l'avis de Polly et Kerensa, être désabusé et raffiné était ce que Samantha préférait par-dessus tout). La lettre était une circulaire dactylographiée, annonçant une réunion pour discuter de la demande de réouverture de l'école du village auprès des autorités locales, étant donné que plus d'une douzaine d'enfants prenaient tous les jours le bus pour le continent (ce qui coûtait cher) et que de nombreux autres bébés étaient attendus.

Jayden sourit à la lecture de la lettre.

— Ah, c'était sympa d'aller à l'école ici. Enfin, sauf pour Dawson, sans doute.

— Cela réglerait sûrement le problème de l'absentéisme l'hiver, commenta Polly.

En effet, les enfants ne pouvaient souvent pas aller à l'école à cause du mauvais temps, car la traversée était trop périlleuse.

— Eh bien, va à la réunion alors.

— Hors de question, dit Polly, qui considérait comme un sacrilège de devoir renoncer à une soirée d'hiver emmitouflée près du feu, dans les bras de Huckle, avant de s'endormir à vingt heures trente.

— Tu devrais, insista Jayden. Tu vas avoir des enfants un jour. Bientôt, j'imagine.

Polly regarda son annulaire gauche : il attendait toujours la bague de fiançailles promise par Huckle, celle qu'il avait confectionnée avec des algues l'été précédent n'ayant pas tenu aussi longtemps que ce qu'ils espéraient pour leur mariage.

— Hmm, fit-elle en ressentant une bouffée de panique légèrement familière qui la submergeait dès qu'elle envisageait l'avenir.

Certes, elle ne rajeunissait pas. Mais elle était tellement occupée à faire marcher ses commerces ; et puis, elle ne pouvait pas se permettre d'engager un autre employé pour prendre un congé maternité. Et ce phare ridicule dont ils avaient pensé à l'époque que ce serait une idée vraiment hilarante… Comment pourrait-elle bien s'occuper d'un enfant ? Comment diable les gens se débrouillaient-ils ? Elle n'en avait pas la moindre idée. Et Huckle voudrait sans doute se marier d'abord et, sans mentir, elle avait déjà suffisamment de pain sur la planche…

Même s'il faisait à peine jour, les premiers clients faisaient la queue avec impatience. Les personnes âgées se levaient toujours de bonne heure, après une vie de labeur au fin fond de l'Angleterre, et les bateaux de pêche rentraient au port pour alimenter la criée, afin que les restaurants et les *fish and chips* aient les poissons les plus savoureux et les plus frais de cette mer froide et iodée. L'été, Polly sortait, un pull sur les épaules, admirer le lever du soleil et discuter avec les pêcheurs. Mais dans les tréfonds de l'hiver, ils se réfugiaient hâtivement dans la boulangerie et refermaient la porte derrière eux aussi vite que possible.

Les vieilles femmes entrèrent d'un air affairé avec leur chien, suivies d'Archie, le capitaine du *Trochilus*, qui paraissait frigorifié. D'après un dicton local, le mauvais temps n'existait pas, il n'y avait que de mauvais vêtements. Cependant, tous les pêcheurs possédaient un équipement de la plus grande qualité et, même alors, c'était rude, en particulier quand il fallait utiliser ses doigts gourds et gelés pour démêler des nœuds, vider le poisson ou ouvrir le compartiment à glace. Les mains d'Archie étaient marbrées de rouge et blanc et il leur fallut un moment pour s'ouvrir lorsque Polly lui tendit un thé très corsé dans le mug qu'elle lui réservait dans l'arrière-boutique.

— Bonne pêche ? l'interrogea Jayden, qui travaillait autrefois avec lui et était on ne peut plus content de ne plus devoir prendre la mer.

— Ouais, pas trop mal, répondit Archie, la tête baissée, tout en respirant la vapeur du thé – ce qui, chez lui, signifiait que la situation s'améliorait.

La vieille Mrs Corning, l'une des habituées de Polly, s'avança vers le comptoir.

— Où est votre calendrier ? demanda-t-elle en brandissant sa canne.

Brandy, son chien minuscule, jappait comme pour soutenir sa maîtresse.

— Mon quoi ? fit Polly, confuse.

— Votre calendrier de l'Avent ! L'Avent commence aujourd'hui. N'avez-vous pas été élevée dans une famille chrétienne ?

— Je ne la vois pas à l'église, intervint une autre femme âgée, bien qu'elle soit en pleine discussion avec Jayden.

Polly leva les yeux au ciel. Elle avait espéré que l'avis des gens sur ses allées et venues et ses faits et gestes se serait peut-être calmé avec ses fiançailles, mais cela semblait au contraire avoir empiré. Pour elle, qui avait passé sa jeunesse à Exeter, une assez grande ville, la vie de village était agréable, certes, mais assurément différente.

— Mattie et moi nous entendons très bien, fit-elle remarquer.

Mattie était la femme pasteur qui venait sur l'île toutes les deux semaines pour le culte. Polly avait tendance à ne pas y assister (en pleine saison, elle travaillait, et hors saison, elle dormait à poings fermés), mais Mattie passait souvent prendre un café, car Polly et elle étaient à peu près du même âge et avaient une vision des choses assez proche.

Polly marqua une pause et se figea. Pas étonnant qu'elle ait été si bizarre avec Huckle ce matin. Non, rien d'étonnant.

— On est vraiment le 1er décembre aujourd'hui ? demanda-t-elle.

— Oui. Le premier jour de l'Avent. Vous savez ? Pour fêter la naissance de Notre Seigneur, le Christ-Roi. C'est ça Noël à l'origine.

Mrs Corning, qui était vraiment une femme gentille, mais qui avait le sentiment que le monde lui échappait (même dans la campagne des Cornouailles), fixa Polly à travers les verres épais de ses lunettes.

— Est-ce que vous allez bien, mon chou ?

Polly cligna des yeux.

— Pardon. Je n'avais pas prêté attention à la date. Le mois de novembre a été si gris et si long, c'était comme si les jours se succédaient sans interruption… (Elle tortilla son torchon.) Ce que je dis n'a pas de sens. Excusez-moi, Mrs Corning. Euh… Enfin… C'est… c'est l'anniversaire de mon père.

Cela ne semblait pas juste de l'appeler ainsi. Ce n'était pas son père ; les pères étaient des hommes présents.

— Ah, fit Mrs Corning, qui vivait dans un monde où presque tous les hommes étaient morts.

Son petit bataillon de femmes et elle, avec leurs cheveux fins permanentés et leurs anoraks beiges confortables, achetés lors de leurs excursions occasionnelles à Looe, se serraient les coudes, veillaient les unes sur les autres et passaient bien plus de temps à discuter des maux de leur petit chien que du passé et de leurs beaux rockeurs des années 1960, de retour du service militaire, tout sourire avec une cigarette aux lèvres.

— Cela fait longtemps qu'il est parti ?

— Oh oui, répondit Polly.

Encore aujourd'hui, elle n'avait pas envie de dire la vérité : pour partir, il aurait déjà fallu qu'il soit là. Si elle connaissait sa date de naissance, c'était uniquement parce qu'elle avait dû la renseigner pour sa demande de passeport. C'était littéralement tout ce qu'elle avait eu de lui, selon sa mère, à part une pension alimentaire dérisoire. C'était un bon à rien.

Quelqu'un qui ne manquait à personne. Après tout, ce qu'on n'avait jamais eu ne pouvait pas nous manquer, comme le lui avait fait remarquer sa mère.

Polly n'en était pas convaincue cependant, loin de là.

***

Le froid fit venir les clients par grappes, soulagés d'échapper au vent et de trouver des petits pains chauds à la cannelle et aux noix de pécan. Le chocolat resta à mijoter dans la casserole, devenant plus parfumé et plus épais à chaque nouvelle tasse, et la clochette tinta joyeusement toute la matinée.

Huckle vint faire un tour vers quinze heures. Polly attrapa le courrier pour le rapporter au phare. Elle s'occuperait de ses papiers près du fourneau, tout en testant une nouvelle recette de gâteau de Noël, même si l'idée qu'elle innove pour ces gâteaux traditionnels avait provoqué des haussements de sourcils dans tout le village.

— Salut, dit Polly, ravie de voir Huckle.

Il la regarda, toujours un peu inquiet après leur échange de ce matin.

— Tu vas bien ?

Elle se nicha d'un geste rassurant au creux de son épaule pendant qu'il feuilletait le courrier, tout en caressant doucement ses cheveux.

— Oui, ça va, répondit-elle, d'une voix étouffée. J'avais seulement besoin d'un petit câlin. Mrs Corning a voulu m'en faire un, mais j'ai eu peur qu'elle se brise la hanche.

— Est-ce que tu as appelé ta mère ?

Ils échangèrent un regard.

— Comme d'habitude ?

— Ouais.

Huckle soupira. La mère de Polly n'était pas vraiment du genre à répondre au téléphone. Ni à sortir. Polly n'avait jamais remarqué avant de partir de chez elle à quel point sa mère était solitaire ; elle n'invitait jamais d'amis, ne faisait jamais entrer personne, ne sortait que très rarement, ne fréquentait que ses parents, tous les deux décédés à présent. Polly ayant grandi dans ce contexte, elle ne l'avait jamais remis en question, jusqu'à ce qu'elle découvre le monde et se rende compte que des tas d'autres gens s'amusaient en réalité.

— Dis-lui simplement de venir ici ! Histoire de respirer l'air frais, de se balader, de prendre des couleurs. Cela lui fera le plus grand bien.

— Elle ne peut pas, répondit Polly. (Ce n'était pas la première fois que Huckle et elle avaient cette conversation.) Sérieusement. C'est impossible. La dernière fois que j'ai essayé de la faire sortir, elle ne pouvait pas parce qu'elle allait louper *Doctors*. *Doctors*, expliqua Polly en remarquant l'expression perplexe de Huckle, c'est une série qui passe sur *BBC One* tous les jours de la semaine depuis des décennies. Soit tu regardes *Doctors*, soit tu as une vie, mais c'est compliqué d'avoir les deux à la fois.

— C'est un vrai médecin qu'elle devrait voir, lâcha Huckle, ce qui fit grimacer Polly.

Ils avaient également déjà abordé ce sujet. Sa mère n'était pas malade, elle était simplement… introvertie. C'était tout. C'était une bonne chose d'être calme dans un monde bondé d'extravertis criards accros aux réseaux sociaux, non ?

— Bon, rappelle-la quand tu seras rentrée, lui suggéra Huckle. Oh, fit-il en attrapant la lettre de Samantha. Qu'est-ce que c'est ?

— C'est pour une réunion à propos de la réouverture éventuelle de l'école. Est-ce que tu as vu Neil ?

Huckle ricana.

— Si je l'ai vu ?! Il est pratiquement perché sur le fourneau. Je n'ai jamais vu un oiseau aussi gaga du confort moderne. S'il ne fait pas attention, on va finir par le rôtir un jour.

— Ce n'est pas drôle, rétorqua Polly, qui perdait tout sens de l'humour dès qu'il était question de cette petite canaille de macareux. Toujours aucun signe de Céleste ?

Céleste était la compagne de Neil ; ou plutôt, il s'était accouplé avec un autre macareux et ils avaient niché au pied du phare. Leur premier œuf, pour le plus grand désarroi de Polly, n'avait pas éclos. Comme Céleste s'était montrée dès le début assez grincheuse envers Polly et Huckle, cette tragédie n'avait pas eu d'impact visible sur son attitude. Et un jour, elle était simplement partie. Polly avait été si dévastée par le chagrin que Huckle avait dû la mettre au lit. Il lui avait fallu user de toute sa force de persuasion pour lui faire entendre que les oiseaux n'envisageaient pas réellement l'avenir et que, par conséquent, Neil n'avait absolument aucune idée de ce qu'il allait rater. Toutefois, encore aujourd'hui, Polly n'en était pas entièrement persuadée.

C'était vrai cependant que, dès qu'il faisait frais, Neil se plaisait à piailler jusqu'à ce qu'on lui ouvre la porte, afin de pouvoir entrer et s'installer confortablement devant le poêle pour y faire un petit somme. Son avenir semblait totalement lui indifférer.

— Les macareux ne devraient même pas avoir aussi chaud ! s'était exclamé Huckle en observant l'oiseau s'étirer avec contentement devant le four. Ils ne risquent pas d'être menacés d'extinction !

Polly avait tendrement grattouillé Neil derrière les oreilles, qui avait nargué Huckle du regard.

— Très bien, très bien, déclara celui-ci, qui parvenait assez bien à cacher ses sentiments quant au fait de partager sa vie avec un petit oiseau de mer noir et blanc.

Polly et Huckle fermèrent la boulangerie et sortirent dans l'après-midi à la lumière déjà déclinante. Ils se dépêchèrent de parcourir la promenade en galets et de monter les marches à l'entrée du phare, tandis que les nuages filaient dans le ciel et que des gouttes de pluie et d'eau de mer leur cinglaient le visage.

— Bouah, fit Polly. Sérieusement… Pourquoi on n'a pas plutôt ouvert *La Petite Boulangerie antillaise de Beach Street* ?

Huckle sourit.

— On pourrait encore le faire, poursuivit-elle. On pourrait acheter à Neil un chapeau de paille riquiqui.

Ils fermèrent la porte derrière eux. Polly ôta ses bottes mouillées et alluma la bouilloire.

— Purée ! Bon, je ne sors plus pour aujourd'hui.

Appuyé contre la porte, Huckle étudiait toujours la lettre qu'il avait récupérée à la boulangerie.

— Tu es bien certaine que nous ne devrions pas y aller ?

Polly fronça les sourcils.

— À une réunion de village ?

— Oui, mais il s'agit de *notre* village.

Ils se regardèrent.

— Qu'est-ce qu'il y a ? demanda soudain Polly.

— Eh bien… (Huckle jeta un coup d'œil au livre de comptes sur la petite table de la cuisine.) Le miel… Mon affaire ne se porte pas très bien…

— Ce n'est pas grave. Je ne vais pas enlever ce manteau avant le printemps. Et tu peux me coudre à mes sous-vêtements, si tu penses que ça peut nous faire économiser un peu.

Huckle leur servit du thé et fit signe à Polly qu'elle devrait s'asseoir.

— Écoute, j'ai réfléchi.

— Oh oh, dit Polly, dont le cœur commença à s'accélérer.

« J'ai réfléchi » était l'une de ces phrases, comme « Il faut qu'on parle » ou « Tu ferais mieux de t'asseoir », qui déclenchaient une certaine panique. Cela rappelait à Polly son horrible rupture avec son ex, Chris, et la perte de l'entreprise qu'ils avaient fondée ensemble. Elle détestait ce genre de conversation.

Huckle prit la main de Polly pour la rassurer, mais cela produisit malheureusement l'effet contraire.

— Qu'est-ce qu'il y a ? demanda-t-elle, angoissée.

— Oh. Eh bien…

Huckle n'était jamais pressé. Tel un Américain du sud des États-Unis, il était toujours zen et s'exprimait posément ; il était capable de calmer Polly en toutes circonstances, quel que soit son degré d'agitation. Elle espéra qu'il y parviendrait également dans le cas présent.

— Je pensais seulement à notre mariage.

Après le mariage à thème délirant de Reuben et Kerensa quelques mois plus tôt, Polly et Huckle s'étaient fait la promesse de ne jamais les imiter, préférant une petite cérémonie intime. Mais « petit et intime » devenait de plus en plus compliqué, étant donné que tous les habitants du village pensaient être invités, auxquels s'ajoutaient la famille de Polly et tous ses anciens amis, qui se plaignaient de ne jamais la voir depuis qu'elle était partie vivre au diable vauvert. Elle pourrait leur rétorquer que son île n'était qu'à deux heures de route, mais c'était inutile, car assez souvent ils débarquaient, le coffre chargé de seaux et de pelles, pour passer leurs vacances d'été chez elle, ce qui était très sympa, mais pouvait se révéler un peu éreintant quand elle devait se lever à cinq heures et que ses invités veillaient très tard et la suppliaient de se joindre à eux.

Elle n'aimait pas faire de projets d'avenir. Elle n'avait pas du tout envie de se demander comment les choses pourraient être autrement : autrement que sa mère et son père… qui n'avaient jamais formé une famille. Les seules familles qu'elle connaissait avaient si lamentablement échoué.

— Euh, oui ?

Huckle baissa les yeux comme s'il voulait réfléchir à ses mots. Il avait renoncé à un bon poste pour s'installer au Royaume-Uni, quasiment sur un coup de tête, après avoir rompu avec sa compagne à cause de leur rythme de travail effréné. Son projet initial avait été de décompresser, de s'accorder un peu de répit quelque part loin de chez lui (il adorait l'apiculture), et la nationalité britannique de son père avait facilité les choses. Puis il était accidentellement tombé fou amoureux de cette tornade blond vénitien de levure chimique et de débrouillardise, et voilà !

Sauf qu'il était coincé dans un coin des Cornouailles extrêmement retiré, bien qu'extrêmement beau, loin de toute connexion haut débit fiable, des transports en commun et des métiers « normaux ». L'an passé, quand Polly avait temporairement perdu son emploi, il avait tenté de retourner travailler aux États-Unis, mais cette initiative avait failli briser leur couple. Il ne pouvait plus être conseiller en gestion, c'était tout bonnement impossible. C'était comme si ce métier rongeait son âme de l'intérieur. Même si Polly était venue vivre aux États-Unis – mais elle s'y était montrée peu disposée –, il y aurait eu peu d'opportunités pour elle à Savannah, il le savait ; il n'y avait sans doute pas de place pour une autre boulangerie dans cette jolie ville surannée.

De toute façon, la place de Polly était à Mount Polbearne, quand bien même elle se plaignait du climat de cette île. Tous deux étaient devenus des membres à part entière de ce village aussi bien dans les bons moments, lorsque les affaires marchaient bien et que l'îlot était un endroit joyeux, que dans les mauvais, comme deux ans plus tôt, quand un bateau de pêche et son jeune capitaine, Tarnie, s'étaient perdus en mer, bouleversant tous les habitants de la région. Huckle et Polly faisaient désormais partie du village.

Mais bon sang, Huckle n'arrivait pas à gagner d'argent. Les quelques pots de son délicieux miel, qu'il vendait à des épiceries biologiques et des instituts de beauté, ne suffisaient pas. C'était loin de permettre de financer un mariage, même un million de fois moins tape-à-l'œil que celui de Reuben et Kerensa.

Huckle tenait la petite main de Polly, musclée à force de pétrir du pain, avec de la farine sous ses ongles soignés non vernis. Elle leva les yeux sur lui, le regard inquiet. Il s'en voulut de penser à la fois que l'argent était important et ne l'était pas. L'argent ne devrait pas entrer en ligne de compte quand il était question de la façon de passer ses journées : de manière libre et créative, en plein air ou à tester des recettes dans une cuisine, au lieu d'être enfermé dix heures par jour dans un affreux bureau climatisé et de devoir écouter des supérieurs ennuyeux et remplir des tableaux.

— Tu sais, à propos du mariage ?

Polly grimaça. Elle avait l'impression qu'en dépit de tous leurs efforts ce mariage serait inévitablement un gros événement.

— Ne fais pas cette tête ! la gronda Huckle. Sérieusement, tu grimaces quand je te parle de m'épouser…

— Je sais. C'est juste que… Tu sais. Faire venir toute ta famille, la mienne, organiser quelque chose de joli et d'unique, cela fait vraiment beaucoup et nous sommes si…

Elle n'avait pas envie de dire « fauchés », mais elle ne savait pas comment éviter ce mot. Elle refusait catégoriquement que Huckle reprenne un poste très bien rémunéré qui le rendait si malheureux. Cela n'en valait pas la peine, pas le moins du monde. Ils se débrouillaient. Ils arrivaient très bien à s'en sortir, ils avaient besoin de si peu. Bon, certes, cela était moins vrai pour le phare, mais il avait tenu presque deux cents ans, il pourrait encore tenir quelques hivers de plus.

— D'accord, dit Polly. Je t'écoute.

— Eh bien, j'ai réfléchi. Tu sais, tu as trente-trois ans…

— Merci.

— … et, euh, j'ai l'impression qu'on se stresse énormément à propos du mariage. De l'argent aussi et d'autres broutilles auxquelles nous n'avons pas réellement envie de penser.

Huckle serra Polly contre lui.

— Tu sais, poursuivit-il doucement, je t'aime à la folie. Je t'aime plus que tout.

Polly le regarda en papillotant des cils.

— Moi aussi, je t'aime. Tellement.

— Super ! Ça semble être un bon début. Alors, écoute-moi. Cela ne veut en aucun cas dire que je ne veux plus t'épouser, d'accord ?

— Hmm…

— Qu'en penserais-tu si… (Huckle agrippa plus fermement la lettre.) Qu'en penserais-tu si je te proposais, par exemple, de faire les choses à l'envers ?

Polly cligna des yeux, incertaine de bien comprendre. Puis, peu à peu, elle saisit.

— Tu veux dire que…

Son cœur se mit à battre très vite. Ce n'était pas qu'elle n'y avait jamais songé ; cela lui paraissait seulement être un avenir très lointain. Après le mariage, peut-être, et tout le reste, quand la boutique serait bien établie et… Elle fut soudain prise de panique. Se sentit bousculée. Elle se rendit compte qu'elle avait repoussé les choses.

— Oui, reprit Huckle, ce n'est pas comme si nous ne faisions jamais ce qu'il faut pour avoir un bébé !

— Je sais bien. Mais…

À l'extérieur, la mer se fracassait contre les rochers et des embruns fouettaient le phare. À l'intérieur, en revanche, tout était chaleureux et douillet, le feu flambait et une bougie brûlait à la fenêtre. Huckle et Polly n'étaient pas superstitieux, mais les pêcheurs si ; Polly savait qu'ils aimaient voir cette petite lueur vaciller quand ils rentraient au port, qui les guidait en toute sécurité vers leur foyer.

Elle observa le visage de Huckle : ses yeux bleus, qui avaient en permanence une expression amusée ; ses lèvres pulpeuses, toujours si prêtes à se fendre d'un sourire. Mais il ne souriait pas en cet instant.

Polly tendit le bras pour lui prendre la main.

— Tu crois que nous sommes prêts ? lui demanda-t-elle.

— Non. Tu ne lui donneras à manger que des gâteaux et en feras un enfant obèse et bougon, comme Céleste.

— Oh.

Huckle caressa la joue de Polly.

— Mais je crois que personne n'est jamais prêt. Je ne crois pas que ça marche comme ça.

Polly ravala ses craintes et ses doutes. Elle devrait être ravie, non ? L'homme qu'elle aimait de tout son cœur, avec lequel elle s'était fiancée, venait de lui demander de porter son enfant.

— Tu peux y réfléchir, suggéra Huckle, qui avait remarqué l'anxiété de Polly et ne voulait pas la brusquer.

— D'accord. OK. Merci. (Elle se tourna vers lui maladroitement.) Bon, nous pourrions monter maintenant et…

Huckle fit non de la tête.

— J'espère que ce n'est pas une ruse pour esquiver la réunion du village.

— Grillée ! dit Polly, même si en réalité elle avait surtout tenté de changer de sujet. Je pensais que peut-être, si je t'emmenais là-haut et faisais ce truc que tu aimes, tu m'interdirais de quitter la maison. Parce que, comme je l'ai dit, je ne vais plus jamais ressortir. Une fois que je suis rentrée pour l'hiver, je suis rentrée. L'été, nous pouvons nous promener sur la plage, pique-niquer et profiter de ce coin de paradis. Mais l'hiver, je vais prendre vingt-cinq kilos, ne jamais enlever mes collants chauds et peut-être arrêter de m'épiler, et tu devras faire avec.

— Mais je ferai avec ! Et je vais aussi m'occuper de vous, jeune femme, sans aucune ambiguïté. Après cette réunion.

— Nooon !

— Mets ton manteau.

— Il est mouillé !

— Je t'emmène au *fish and chips* après.

— Je m'en fiche.

— Allez ! Si tu ne viens pas, je demanderai à Samantha de passer pour t'enrôler dans son association.

— Je n'en reviens pas d'avoir accepté de passer le restant de mes jours avec un homme aussi méchant.

Huckle afficha un grand sourire.

— Que veux-tu, j'ai une force de persuasion sans pareille ! Allez, bouge tes fesses.

Chapitre 4

La salle communale était étonnamment bondée – ou du moins ce n'était pas si étonnant quand on savait à quel point Samantha aimait être organisée et pouvait se montrer insistante tant qu'elle n'obtenait pas ce qu'elle voulait.

Le temps était rude, la pluie semblait danser en tous sens dans le ciel, avec une promesse sérieuse de neige dans l'air. Il neigeait rarement à Mount Polbearne du fait que ce soit une île. Ce n'était pas non plus du jamais vu et le vent glacial qui soufflait paraissait réellement annonciateur de neige. Huckle tenait une boîte sous son bras et passa l'autre autour de Polly, mais cela fut de peu d'aide lorsqu'ils gravirent la colline vers l'ancienne école. Polly avait laissé Jayden préparer quelques chaussons aux pommes supplémentaires cet après-midi, pour prétendre qu'il leur en restait et les donner. Mais beaucoup de gens la houspillèrent, lui conseillant de mieux gérer ses stocks et de ne pas autant gaspiller si elle voulait que son entreprise prospère. Elle regretta de ce fait d'avoir voulu faire plaisir.

Il y avait énormément de discussions et d'agitation dans la salle. Muriel, l'épicière, portait dans ses bras son bébé Cornelius ; Samantha avait amené sa fille Marina, aussi l'endroit était-il plutôt animé. Polly eut l'impression que presque tout le village s'était rassemblé, dont nombre des habitants les plus âgés, à la recherche d'une tasse de thé gratuite et d'un peu de distraction (rien de mal à cela). Étaient aussi présentes Mattie, la femme pasteur à temps partiel, et une femme à l'air sévère que Polly ne reconnut pas – il devait s'agir de la représentante des autorités locales venue du continent. Elle avait l'air acerbe.

Samantha se racla la gorge, prête à ouvrir la séance.

— Bienvenue à la réunion de notre village… Vous trouverez sur votre siège l'ordre du jour et quelques informations…

Les gens firent semblant de regarder les documents.

— Ce soir, nous sommes réunis pour évoquer la réouverture éventuelle de l'école du village. Au 1er janvier prochain, il y aura neuf bébés en âge d'aller à la crèche et un total de quatorze enfants de moins de onze ans. Cela représenterait le plus grand nombre d'enfants scolarisés à Mount Polbearne depuis plus de vingt ans. Le moment nous paraît donc opportun pour que le conseil régional nous alloue des services scolaires.

Samantha poursuivit dans le même esprit plus longtemps qu'il ne fut peut-être nécessaire, en vantant les vertus de Mount Polbearne « qui n'était pas un monument de l'ancienne Angleterre figé dans le temps, mais une communauté vivante, en pleine expansion ». Polly se laissa charmer par son discours.

Mount Polbearne s'était développé et épanoui pendant des centaines d'années, les générations se succédant de père en fils et de mère en fille. Ce ne fut que récemment que l'île avait commencé à dépérir, lorsque les vacanciers l'avaient désertée pour des contrées lointaines et que les habitants avaient favorisé le confort. Était-ce possible, songea Polly, pour eux de renverser la vapeur ? Garder en vie ce petit coin, avec son accès difficile, ses routes sinueuses, son climat peu clément, son haut débit de mauvaise qualité et l'inexistence des livraisons à domicile ?

Polly s'était levée tôt ce matin, et il faisait chaud dans cette salle. La voix apaisante de Samantha la berça et elle se blottit sous le bras puissant de Huckle, les paupières lourdes. Celui-ci lui adressa un petit coup de coude en souriant.

— C'est là que nos enfants iront un jour, lui murmura-t-il à l'oreille, et Polly sourit d'un air assoupi.

Puis, brusquement, Samantha cessa de parler et, après une courte pause, une autre voix s'éleva. Celle-ci était dure et agressive. Polly se réveilla en sursaut et cligna des yeux.

— Nous avons le devoir de garantir la santé et la sécurité de tous nos citoyens, affirma la voix nasale énervante. Quand on sait que Mount Polbearne s'est farouchement opposé, il y a deux ans, au projet de pont qui aurait permis aux ambulances et aux autres véhicules de passer à tout moment… Je ne vois absolument pas comment quiconque pourrait autoriser une école dans cet endroit.

Et c'est entièrement votre faute, insinua la voix, sans le prononcer tout haut.

Des protestations et une ribambelle de questions se firent entendre, mais la femme (qui se prénommait Xanthe) se contenta de fermer sa bouche très mince et de hausser les épaules. La réunion ne se déroulait pas bien du tout.

Polly se rendit compte soudain qu'en réalité elle se sentait concernée, plus que ce qu'elle soupçonnait. Elle se redressa vivement sur sa chaise et se demanda comment défendre le fait qu'un enfant qui tomberait dans la cour de récréation ne pourrait pas être conduit à l'hôpital si la mer était haute. Une possibilité serait que le médecin généraliste soit plus souvent présent, mais lui non plus ne raffolait pas de Mount Polbearne – encore et toujours cette question de marées.

Polly eut le sentiment que Xanthe les jugeait tous parfaitement ridicules, à s'accrocher à un caillou au milieu de l'océan et à refuser d'aller vivre sur le continent, dans ces cubes modernes, tous identiques – propres, bien ordonnés et tirés au cordeau pour faciliter le travail des services de secours, de la municipalité, du facteur et des éboueurs. Cela donnait envie à Polly de faire tout le contraire. L'Angleterre était bien un pays libre, non ? Pourquoi devraient-ils rentrer dans le moule uniquement pour qu'un costard-cravate puisse valider des formulaires concernant des règles de santé et de sécurité ? Polly se redressa encore plus sur sa chaise.

— Ne pourrions-nous pas simplement ouvrir l'école quand les marées le permettent ? suggéra-t-elle.

Huckle regarda Polly avec un grand sourire. Elle était incapable de contenir son enthousiasme naturel bien longtemps.

— Je ne crois pas que les écoles puissent moduler leurs horaires, rétorqua Xanthe, avec un rictus.

— Bien sûr que si. Ce n'est pas gravé dans le marbre que les écoles sont fermées en août, n'est-ce pas ? Ce n'est pas comme si c'était la loi.

— Mais si. Les horaires d'école, c'est la loi, affirma Xanthe, qui aurait tout aussi bien pu avoir déclaré « La loi, c'est moi ».

Polly commença à se hérisser.

— Les lois, ça se change.

— Alors, d'après vous, nous devrions changer les lois d'Angleterre pour faire plaisir à Mount Polbearne ?

— Dis donc, ça a vite dégénéré, murmura Huckle. C'est un coup d'État ou quoi ?

Polly se renversa sur sa chaise, furieuse.

— Je pense seulement que si vous vouliez réellement trouver une solution, vous le pourriez.

— Nous sommes confrontés à des restrictions budgétaires et nous devons garantir l'emploi de notre personnel, expliqua Xanthe. Mount Polbearne n'est pas le centre du monde. Dont il est coupé d'ailleurs !

— J'espère qu'elle va se faire coincer par la marée ce soir, marmonna Jayden, qui était assis derrière Polly et Huckle.

Des murmures d'acquiescement et des bruits laissèrent entendre qu'un grand nombre de gens étaient désormais fatigués et avaient envie de rentrer chez eux ou d'aller au pub. Quand, soudain, la porte de la salle s'ouvrit brusquement. Toute l'assistance se retourna et dévisagea Reuben et Kerensa. Reuben paraissait, comme à son habitude, extrêmement sûr de lui.

— Hé ! cria-t-il, comme si toute l'assistance n'avait pas déjà les yeux braqués sur lui.

Sur ses talons, Kerensa paraissait inhabituellement abattue et un peu pâle, remarqua Polly. Elle n'avait pas vu son amie depuis un certain temps : Kerensa travaillait de façon ponctuelle et Polly, de son propre aveu, était entrée en hibernation depuis un mois environ. L'idée de s'habiller pour sortir, quand il fallait auparavant ôter sept couches de vêtements, était plutôt rebutante. Bien entendu, elles avaient échangé des textos, mais, à cause de l'irrégularité du signal à Mount Polbearne, elles s'étaient à peine parlé au téléphone.

Polly se redressa pour la voir, mais elle ne put s'empêcher d'être légèrement inquiète.

— Hé ?

Elle remua les sourcils en direction de Kerensa, mais n'obtint aucune réaction.

— Salut, tout le monde, claironna Reuben. Oyez, oyez ! J'ai une bonne nouvelle ! Alors voilà, nous allons avoir un bébé !

Polly bondit de sa chaise. Huckle leva les yeux au ciel. Il n'y avait que son ami fanfaron pour profiter d'une réunion publique afin de faire une telle annonce. Toutefois, tous les gens les applaudirent et les acclamèrent, ravis d'apprendre cet heureux événement. Reuben et Kerensa vivaient peut-être dans une énorme demeure sur une plage privée, un bébé n'en restait pas moins un bébé – qui était en outre, à cet instant précis, extrêmement bienvenu.

Polly se précipita pour aller serrer son amie dans ses bras.

— Je vais te tuer de ne m'avoir rien dit ! lui reprocha-t-elle avec tendresse. Sérieusement. Je vais vraiment te tuer.

— Je ne voulais le dire à personne, lui répondit Kerensa, d'un ton horrifié. Je ne me suis pas encore faite à l'idée.

— Tu es enceinte de combien ?

— De huit mois à peu près apparemment.

— C'est pas vrai ?!

— Si. Je sais… Ne me tue pas, s'il te plaît.

— Mais ce n'est pas possible, se vexa fortement Polly. Pourquoi est-ce que tu ne m'as rien dit ?

Kerensa haussa les épaules.

— Je ne le savais pas. Je ne m'en étais pas rendu compte.

— Tu ne t'en étais pas rendu compte ?! Tu es bête ou quoi ? Reuben n'avait rien remarqué ?

— Pas avant ce soir.

Quelque chose dans l'attitude de Kerensa était étrange. Polly la dévisagea, avant de jeter un coup d'œil à Reuben.

— Est-ce qu'il est en train d'offrir des cigares aux gens ?

— Oh, je lui avais dit de ne pas le faire.

— Est-ce que tu te sens patraque ?

— Patraque… grosse… Tout.

Polly eut un mouvement de recul. Cela ne ressemblait pas du tout à Kerensa.

— Sérieusement, Kez. Pourquoi… Pourquoi tu ne m'as rien dit ?

Mais Kerensa se contenta de hausser les épaules. Polly, blessée, lui promit de revenir la voir plus tard, car Reuben insistait pour que tout le monde aille au pub. La soirée s'annonçait animée.

— Donc, en conclusion, déclara Xanthe, manifestement agacée que l'attention se soit détournée d'elle, je dois dire que les arguments en faveur d'une école à Mount Polbearne ne sont pas recevables.

Reuben leva la main pour faire taire le brouhaha et se retourna.

— Ah oui, vous devriez avoir une école ici. C'est une excellente idée. J'y mettrai mes gosses. Sympa. Génial. C'est bon, c'est réglé.

— Eh bien, d'après la commission d'hygiène et de sécurité, le conseil municipal ne peut pas approuver l'ouverture d'une école dans ces lieux, affirma Xanthe sans conviction.

Reuben la fixa un instant.

— On s'en moque, finit-il par dire. Je l'achèterai et ouvrirai ma propre école. Ce n'est pas un souci. Une école privée pour pouvoir faire ce qui nous chante. Ce sera gratuit pour les habitants de l'île, bien entendu. Mais cela coûtera une fortune à ces naïfs de Russes et je finirai encore plus riche qu'aujourd'hui. C'est-à-dire très riche !

La salle applaudit. Xanthe parut scandalisée.

— Mais les heures…

— Mon école, mes heures, l'interrompit Reuben.

Puis, sur cette vague de joie générale, la réunion se conclut et les villageois sortirent en masse dans le froid mordant, pour se diriger vers la chaleur du pub – à l'exception de Jayden, qui dut prendre le bateau-taxi pour reconduire une Xanthe furieuse sur la côte. Elle avait crânement garé sa voiture sur le parvis plutôt que sur le parking et retrouva donc ses essieux dans l'eau.

— Je ne sais pas comment vous faites pour vivre ici, lança-t-elle, après avoir enfin réussi à faire démarrer son véhicule.

Jayden la toisa en clignant des yeux et, tout à son honneur, il se retint de lui rétorquer : « Parce qu'on n'y trouve pas de gens comme vous. »

Chapitre 5

Le lendemain, Polly confia le soin à Jayden de vendre les beignets aux clients souffrant d'une gueule de bois et d'yeux rougis, puis elle s'engagea sur la chaussée pour aller rendre visite à Kerensa.

La demeure de Reuben et Kerensa avait récemment été rénovée de fond en comble et affichait une toute nouvelle décoration. Comme Reuben avait traversé une phase *Game of Thrones*, la maison était passée de dorures à tout-va à un méli-mélo médiéval assez étrange, avec des tapisseries à foison et de gigantesques fauteuils-trônes en bois. Des rideaux en tissu écossais étaient suspendus à des tringles en fer forgé et de grandes peintures à l'huile avaient été accrochées. Il y avait aussi une quantité inouïe de bougies. Polly jugeait cette décoration sinistre. Quant à Kerensa, elle était seulement ravie d'avoir réussi à dissuader Reuben de prendre un faucon.

Polly fit tinter la ridicule cloche grave de la porte. Marta, la domestique, la fit entrer.

Kerensa était à moitié allongée sur une méridienne pourpre, devant une belle flambée, qui semblait digne de rôtir un cochon sur une broche. Aujourd'hui encore, Kerensa ne souriait pas ; elle paraissait tout aussi blême.

— On s'est plutôt bien amusé hier soir ! dit Polly, qui avait bu deux verres de vin et s'était imaginée quasiment prête pour les fêtes de Noël. Comment tu vas ? Tu es toujours malade ?

Elle n'avait même pas confié à Huckle combien elle s'était sentie blessée par le fait que Kerensa ne lui avait pas annoncé la nouvelle. Certes, elles s'étaient peu vues, mais… huit mois ? Sans réfléchir, Polly lâcha :

— Quelle femme ne se rend pas compte qu'elle est enceinte pendant huit mois ?

— Des tonnes de femmes, répondit Kerensa sur la défensive, lorsque Marta entra et posa le thé sur une desserte (Polly ne s'habituerait jamais à se faire servir). Certaines découvrent qu'elles sont enceintes en expulsant le bébé dans les toilettes.

— OK. D'accord, d'accord. C'est seulement que cela semblait… D'accord. (Polly observa sa meilleure amie.) C'est que tu… Enfin, est-ce que tu es contente ? Ta mère doit être aux anges.

— Oui, dit Kerensa en remuant son thé.

— Qu'est-ce qu'il y a ? lui demanda Polly, soudain inquiète.

Où était passée son amie exubérante à la langue bien pendue ?

Kerensa laissa échapper un grand soupir, et Polly s'avança sur le rebord du grand canapé moelleux dans lequel elle était assise.

— Qu'est-ce qu'il y a ? répéta-t-elle. Tu n'étais pas prête, Kez ? Tu sais, on ne va pas en rajeunissant…

Polly était consciente de tester certains des arguments de Huckle sur Kerensa. Elle était curieuse de voir si son amie était aussi partagée qu'elle à ce sujet. À sa grande stupeur, Kerensa éclata en sanglots.

— Dis-moi, déclara Polly en se précipitant aux côtés de Kerensa. Qu'est-ce qu'il y a ? Il est arrivé quelque chose ? Tu ne veux pas du bébé ? Qu'est-ce qui se passe ?

Kerensa parvenait à peine à articuler.

— Est-ce que tu te souviens au printemps… quand Reuben s'est comporté comme un vrai crétin ?

Polly fouilla dans sa mémoire. Le souci, c'était que Reuben était si souvent imbuvable qu'il était difficile de se rappeler une occasion particulière.

— Tu veux parler de son anniversaire où il a demandé à un groupe de jouer dans le jardin et qu'il a insisté pour chanter toutes les chansons ? Et comme il chantait très faux, il s'est mis à crier sur les gens parce qu'ils n'appréciaient pas ?

Kerensa secoua la tête.

— Non, pas ça.

— Alors, la fois où il a engagé quatre-vingt-quinze personnes pour couper les câbles du siège de la compagnie de téléphone après s'être fâché avec eux, que les services secrets ont cru qu'il préparait un attentat terroriste et qu'il a dû engager un avocat qui lui a coûté les yeux de la tête ?

— Non, pas ça non plus. (Kerensa soupira.) Tu te souviens de notre anniversaire de mariage ?

— Quand il est rentré de San Francisco parce qu'il culpabilisait ?

— Oui, répondit Kerensa, la tête basse.

— Et qu'il t'a emmenée aux quatre coins des États-Unis, et que c'était romantique et adorable ?

— Oui, c'est ça. Mais avant, il avait été vraiment horrible.

— Et… ?

— Selina et moi sommes sorties un soir.

Polly chercha dans ses souvenirs.

— Ah oui, elle m'avait dit que tu étais vraiment bourrée. Je n'aime pas les gens qui racontent partout que quelqu'un s'est saoulé.

— Elle ne t'avait rien dit d'autre ?

Polly se rappela que Selina avait eu une expression excitée et cancanière, mais elle n'avait pas eu envie de connaître les exploits absurdes des autres (elle en avait déjà pas mal de son côté) et avait continué à travailler.

— Non.

— Franchement ? insista Kerensa. J'étais trop… Bon… Je n'avais pas l'intention de…

— Est-ce que c'est pour ça que tu ne m'as pas contactée ? Je croyais que c'était parce que je travaillais trop et que je ne te consacrais pas assez de temps.

— Oh non. Non. Non. Ce n'était pas à cause de ça.

Il y eut un long silence.

— J'ai en quelque sorte… Et ce n'est arrivé que cette fois-là. J'étais vraiment en colère et un peu saoule et… Bon. Je… Enfin… J'ai peut-être… couché avec quelqu'un d'autre.

Kerensa laissa tomber sa tête. Polly se recula, trop choquée pour s'exprimer.

— Tu as fait quoi ?!

— J'étais vraiment contrariée.

— Tellement contrariée que tu as trébuché sur une bite ? (Polly regretta immédiatement ses paroles.) Pardon, pardon, pardon. Excuse-moi.

Kerensa n'écoutait pas ; son visage trahissait toute sa peine.

— Je ne sais pas à quoi je pensais. J'étais tellement agacée, je suis sortie dans un bar, j'ai bu quelques verres et puis il s'est trouvé là…

Polly secouait la tête.

— Pourquoi est-ce que tu n'es tout simplement pas venue me voir pour vider ton sac ?

— À cause de ça précisément ! Parce que j'ai essayé et tu étais du genre bla-bla-bla, la personne la plus amoureuse au monde ; parce que tu m'aurais jugée aussi, du style à me dire : « Oh, Reuben t'a acheté une nouvelle voiture et une grande baraque, tu devrais être reconnaissante que quelqu'un d'autre prenne toutes les décisions à ta place, comme une femme des années 1950, alors que moi, j'ai ma petite vie parfaite, une entreprise et un copain dévoué qui me respecte ! »

Les larmes ruisselaient sur les joues de Kerensa. Polly ferma les yeux.

— Mais tout va bien maintenant, non ? C'était une erreur stupide et tu ne recommenceras pas. Cela n'a aucune signification. Tu as réussi à oublier cette histoire et tu n'as pas refait cette bêtise, n'est-ce pas ? Tu ne vas pas me dire que…

Leurs yeux se braquèrent simultanément sur le ventre arrondi.

— Oh non, dit Polly.

— Ce n'est arrivé qu'une seule fois. Enfin… rien qu'une nuit.

— Ah oui ?

— Je… Pff, je me suis réveillée et me suis sentie très mal. Je suis rentrée et Reuben et moi nous sommes réconciliés dès le lendemain. Il est revenu. Tout allait bien. Tout va bien entre nous.

Kerensa sanglota de plus belle. Polly la prit dans ses bras.

— Oh, bon sang ! s'exclama Polly.

Elle était surprise d'éprouver autant de tristesse ; autant de colère. Égoïstement, elle avait espéré que la joie de Kerensa – sa joie présumée d'attendre un enfant – déteindrait sur elle, l'inciterait à se sentir prête.

— Je sais, dit Kerensa. Est-ce que nous ne pouvons pas simplement accepter le fait que je suis une horrible et affreuse personne et passer à autre chose ?

Polly eut la gorge nouée. Kerensa avait toujours été présente pour elle ; elle lui avait ouvert sa porte, Dieu merci, quand son entreprise avait fait faillite et qu'elle n'avait eu nulle part où aller. Elle lui devait tout. C'était sa meilleure amie. Mais ça… c'était tellement gros. Énorme.

— Dis-moi… parvint enfin à prononcer Polly. Dis-moi qu'il était petit et roux.

Kerensa fit non de la tête, des larmes roulant sur ses joues.

— Nooonnn. C'était un Brésilien. D'un mètre quatre-vingt-quinze. Plutôt poilu. Très poilu même. Et très brun.

— Oh, merde. Et il n'y a aucun moyen de savoir ?

— Pas avant la naissance…

Le silence s'abattit sur elles.

— Est-ce que le bébé avait l'air poilu à l'échographie ? demanda enfin Polly.

— C'est assez difficile à dire.

Les deux amies restèrent assises là, laissant leur thé refroidir.

***

— Tu es très silencieuse, fit remarquer plus tard Huckle. Comment va Kerensa ? On devrait les inviter, Reuben et elle.

— Non, on ne devrait pas, lui répondit Polly.

Elle préparait un *Christstollen*, ce pain de Noël traditionnel d'Allemagne, en le pétrissant bien plus que nécessaire, rien que pour le bruit satisfaisant de la pâte sur le bois, ce qui allégeait un peu son humeur.

— Qu'est-ce qui ne va pas ?

Polly ne semblait pas tout à fait dans son assiette depuis que Huckle avait reparlé de ce stupide mariage et du bébé. Il n'avait pas pour habitude de précipiter les choses ; il ne trouvait pas ces projets précipités. Il avait eu une petite vision de Polly enceinte, ronde et rayonnante telle la lune ; à quel point elle serait belle… Et là, elle martelait le plan de travail comme si elle cherchait à le casser en deux, tel un karatéka.

— Rien. Je suis débordée. Le boulot…

Elle savait que ce n'était pas juste et que ce n'était pas gentil de s'adresser de la sorte à Huckle, mais elle ne pouvait pas faire autrement. Kerensa lui avait fait jurer de ne jamais trahir son lourd et inavouable secret, en particulier auprès de Huckle. Ce serait plus qu'horrible s'il ressentait l'obligation de le raconter à Reuben.

Cette façon de penser manichéenne était typiquement masculine, se dit Polly : ce serait trop injuste si un homme devait élever un enfant qui n'était peut-être pas le sien, même si les statistiques suggéraient que c'était le cas d'un assez grand nombre de bébés.

Toute cette histoire était toutefois une véritable catastrophe. Bien que Polly ne soit pas directement concernée, bizarrement, c'était comme si ce drame était aussi le sien : dans son petit monde douillet et sûr, un loup était arrivé à pas feutrés sur la neige, depuis les bois sombres de l'hiver, pour venir se coucher au pied de sa porte.

Chapitre 6

Une semaine plus tard, Huckle se faisait encore du souci pour Polly. Elle semblait renfermée et avait un comportement un peu étrange. Il espérait que ce n'était pas à cause de lui. Elle s'était jetée à corps perdu dans le travail. Peut-être était-ce parce qu'il avait suggéré qu'ils aient un bébé. Il avait cru que ce serait une formidable idée. Après tout, n'était-ce pas l'étape suivante logique ? Il avait pris sa décision ; il avait traversé le monde et décidé de s'installer ici – ce phare était un peu froid et plein de courants d'air, mais c'était supportable. Huckle adorait leur vie, et il adorerait avoir un bébé. Pour lui, la vie était assez simple. Il ne comprenait pas pourquoi Polly était si perdue.

Quant à Polly, elle se sentait très mal, avait l'estomac noué. Elle n'imaginait pas ce que Kerensa devait traverser. Elle avait envie de lui téléphoner, de lui envoyer un message, mais elle ne trouvait pas les mots. Elle avait du mal à dormir, ce qui ne lui ressemblait pas du tout – Polly dormait comme un bébé habituellement, comme Huckle le lui faisait remarquer à juste titre. Et puis, elle pouvait comprendre, non ? Les gens commettaient des erreurs. La vie n'était qu'une succession d'erreurs.

Mais elle pensait à Reuben, et à ses gentillesses infinies envers elle : il lui avait offert le four pour lancer sa toute première boulangerie, il l'avait soutenue quand elle avait pris le risque d'acheter un van ; même quand il s'était retrouvé sans argent, il avait continué à être là pour eux, peu importait à quel point il pouvait se montrer parfois agaçant.

Comment pouvait-elle le regarder s'occuper d'un bébé qui n'était peut-être pas le sien ; qui n'allait peut-être pas du tout lui ressembler ? Être complice de toute cette tromperie ? Et cette situation était susceptible de durer des années. Dans un sens, Polly regretta que Kerensa lui en ait parlé.

Mais elle s'était confiée à elle parce qu'elle avait eu besoin d'une amie – terriblement besoin. C'était une véritable mise à l'épreuve de leur amitié. À laquelle Polly échouait, là, sans même décrocher son téléphone.

— On dirait que tu es tombée de Charybde en Scylla, lui dit Jayden en ensachant une grande quantité de biscuits. Je n'ai aucune idée de ce que signifie cette expression, mais ma grand-mère la dit toujours et je ne crois pas que ce soit positif.

— Oh, j'ai pas mal de soucis, répondit Polly.

— Oui, je sais. Ils s'en sont déjà pris à toi, c'est ça ? Ils te tapent sur le système.

— Qu'est-ce que tu veux dire ? De qui tu parles ?

— Pour la fête de Noël.

— Quelle fête de Noël ?

Jayden fixa Polly.

— Où est-ce que tu étais l'année dernière ?

— Je suis allée chez ma mère. De quoi parles-tu ?

— De la fête de Noël, répéta solennellement Jayden. L'événement de l'année à Mount Polbearne. Relancé, comme tout le reste, par Samantha et son association Tous Cornouaillais.

— J'aurais dû m'en douter. En quoi ça consiste ?

La clochette de la porte retentit et Samantha en personne entra d'un air affairé.

— Ah, Polly ! s'exclama-t-elle, avec un sourire radieux. J'espérais te croiser.

Polly se retint de souligner qu'il n'y avait absolument aucun autre endroit où elle était susceptible de se trouver.

— Salut, Samantha. Bonjour, Marina.

La fillette leva les yeux de sa poussette et gratifia Polly d'un sourire édenté. Elle avait hérité du teint vif de Henry, ce qui lui allait plutôt bien ; c'était une jolie petite fille aux joues roses.

— Alors, voilà, se lança Samantha. Nous remettons au goût du jour la fête de Noël.

— C'est ce que j'ai appris, dit Polly.

— Cela l'a rendue triste toute la matinée, intervint Jayden.

— Mais non ! protesta Polly.

Jayden et Samantha échangèrent des regards.

— Du coup, je me demandais si je pouvais éventuellement compter sur toi pour un stand, déclara Samantha.

— Euh, qu'est-ce que cela impliquerait ?

— Rien de plus que ce que tu fais habituellement, mais dans la salle municipale.

Polly fixa Samantha.

— Et je te reverse toutes les recettes ?

— Euh, oui, c'est tout l'intérêt.

— Et c'est un samedi ?

Samantha acquiesça d'un signe de tête.

— Oui ! Il y aura beaucoup de gens du continent qui seront de passage et ils pourront faire leurs achats de Noël. Intéressant, non ? Nous aurons toutes sortes de stands : de l'artisanat, des livres, de la brocante !

Polly hocha la tête. C'était bien joli tous ces stands, mais elle devrait faire don des bénéfices d'une journée entière, quand cela lui était déjà assez difficile de se maintenir à flot.

— C'est pour soutenir quelle cause ? demanda Polly.

— Ce devait être l'ouverture de l'école. Mais la question semble avoir été réglée par votre merveilleux ami exubérant. N'est-ce pas formidable ? Nous allons devoir réfléchir à une nouvelle cause.

Samantha se retourna et se dirigea vers la sortie avant que Polly n'ait le temps de lui répondre.

— J'imagine que c'est un oui, affirma Jayden à Polly.

— Hmm. On dirait bien.

— Tu sais, tu pourrais organiser un concours de gâteaux. Sur ton stand. Mais sans que tu y participes, bien entendu.

Polly sourit.

— Ni Flora. Elle ridiculiserait tout le monde.

— Carrément, approuva Jayden, qui sembla avoir les larmes aux yeux. Mais les habitants pourraient jouer le jeu.

— Tu ne crois pas que ça risque de provoquer les pires querelles et de créer une ambiance détestable ?

— Complètement ! Ça va être tordant.

Polly consulta son téléphone, sans se soucier de la qualité de la réception. Aucune nouvelle de Kerensa. Elle se sentait atrocement coupable, quel que soit l'angle sous lequel elle envisageait la situation, mais plus le temps passait, plus les choses empiraient. Elle eut soudain une idée.

Selina, qui était sortie avec Kerensa lors de cette soirée fatidique, vivait au-dessus de la boulangerie, dans l'ancien appartement de Polly. C'était la veuve de Tarnie ; elle donnait un coup de main à Polly de temps en temps. Elle était nouvelle dans le village (plus nouvelle que Polly) et connaissait encore peu les amis de celle-ci. Elle avait eu du mal à se remettre du décès de son mari à un si jeune âge, mais vivre sur l'île semblait lui avoir apporté un peu de la sérénité à laquelle elle aspirait. D'après Polly, Selina ne resterait pas là éternellement, mais pour le moment, cela semblait la réconforter d'être près de la famille et des amis de Tarnie, bien qu'elle soit une vraie citadine dans l'âme. Ce n'était pas étonnant qu'elle ait sauté sur l'occasion de sortir avec Kerensa.

Selina avait tendance à faire la grasse matinée, donc Polly attendit dix heures pour préparer un grand café viennois (le genre de boissons pour lesquelles les « vrais » insulaires n'avaient pas le temps). Elle l'agrémenta de sirop de noisette et grimpa les escaliers.

Selina traînait en tenue d'intérieur légère. Elle avait retapé le vieil appartement miteux, avec son parquet déformé et ses trous dans la toiture qui laissaient passer la pluie. Dorénavant, au lieu des coussins moelleux et des tapis chauds que Polly avait disposés un peu partout, c'était une oasis calme de bois épuré et de murs blancs, sur lesquels était accroché ce qui paraissait être, pour l'œil non averti de Polly, des œuvres d'art onéreuses. Le matou de Selina, Lucas, dont Polly se méfiait depuis qu'il avait lacéré Neil l'an passé, dormait tel un pacha sur un coussin.

Selina n'avait pas de soucis d'argent et suivait une sorte de cours par correspondance pour apprendre à fabriquer des bijoux. Par chance, Tarnie avait une très bonne assurance vie et, même si celle-ci ne compensait nullement son absence, pas une seule seconde, le fait qu'il ait veillé à ce qu'elle ait de quoi vivre reflétait bien sa prévenance. La pêche restait l'un des métiers les plus dangereux au monde, même à notre époque.

Tarnie manquait encore terriblement à Polly. Elle n'imaginait pas ce que Selina devait ressentir.

— Salut, fit Selina. C'est pour moi ? Ouah, merci !

— Et… dit Polly en sortant un tortillon au fromage encore chaud de sa poche de tablier, telle une magicienne. N'en donne pas à Lucas ; il me paraît de plus en plus gros.

— Sans façon ! Tu sais, je dois me pincer le nez chaque fois que je passe devant la boulangerie pour m'empêcher d'entrer et de tout engloutir. Je pensais que je m'y habituerais, mais non. Du pain frais, tous les matins. Ce n'est pas juste !

Selina était toute fluette et veillait très sérieusement à garder cette silhouette. La théorie de Polly était que, dès qu'elle avait une envie de gourmandise, elle gavait Lucas.

— Je devrais dire qu'étant donné ta volonté, tu es la personne la mieux placée au monde pour vivre ici. C'est pourquoi tu as le droit de temps à autre à un tortillon au fromage.

Selina le considéra d'un air sévère.

— J'en prends la moitié avec toi.

— D'accord.

— Est-ce qu'il y a du lait écrémé dans le…

— Oui !

— Alors, qu'est-ce que tu veux ? demanda Selina lorsqu'elles s'assirent sur le canapé d'angle blanc.

Polly se mordit la lèvre.

— C'est si évident que ça que je viens pour quelque chose ?

Selina hocha la tête.

— Oui. Sinon, tu viendrais ici tout le temps.

— J'aimerais venir plus souvent. C'est juste que… je suis très occupée.

— Je sais, dit Selina. Pas moi.

— J'adorerais que tu retravailles pour nous cet été, tu le sais.

Selina opina du chef.

— Enfin, bref. Qu'est-ce qu'il y a ? Si c'est pour cette fichue fête de Noël, ne compte pas sur moi.

— Mais tes bijoux…

— Je sais. J'envisage de prendre un ton assez dur pour tenir tête à Samantha, mais ça ne fonctionnera pas, hein ?

Polly fit non de la tête.

— Tu sais qu'elle veut toutes mes recettes de la journée, ajouta Selina.

— Les miennes aussi.

— Je voulais en faire mon métier, moi.

— Ça permet de se faire connaître ? suggéra timidement Polly.

— Oui, c'est ce qu'elle a dit, se renfrogna Selina. Mais toi, tu n'as pas besoin de te faire connaître. Tu es la seule boulangère du village ! Comme si les gens allaient se faire livrer leur pain par drone !

— Ça me plaît bien que quelqu'un dans le coin soit autoritaire, concéda Polly. Pour dire, même Mrs Manse me manque. (C'était la propriétaire d'origine de *La Petite Boulangerie de Beach Street* – un vrai dragon.) Ça me plaît que quelqu'un sache exactement ce qu'il faut faire et se démène pour concrétiser les choses. Je me mets vraiment à flipper quand j'ai l'impression que personne n'est aux commandes.

Selina approuva d'un signe de tête.

— Je vois ce que tu veux dire. Qu'est-ce que tu fais pour Noël ?

Polly leva les yeux au ciel.

— Rien heureusement.

L'an passé, Huckle et elle étaient allés chez la mère de Polly, dans sa petite maison d'Exeter. Cette dernière avait peur de tout ce qui sortait de l'ordinaire (la rupture de Polly avec son fiancé, son départ pour une île et son lancement à son compte avaient été une gageure pour elle), aussi avaient-ils passé un Noël tranquille. Par chance, cependant, elle s'était prise d'amitié pour Huckle, qui était de compagnie très facile et se moquait de ne pas faire grand-chose, ce qui était parfait compte tenu du caractère solitaire de la mère de Polly. Polly devrait la convaincre de venir passer quelques jours à Mount Polbearne, mais elle savait que sa mère trouverait cette situation éprouvante, et elle détestait la contrarier.

— Et toi, qu'est-ce que tu fais ? Tu retournes encore dans la famille de Tarnie ?

Selina acquiesça. La gêne qu'elle ressentait à cette occasion était largement compensée par le plaisir que sa présence procurait à la mère de Tarnie : celle-ci retrouvait dans sa maison un peu de son fils. Ils boiraient trop pendant le dîner, regarderaient ensuite de vieilles vidéos de son enfance, puis celle du mariage, et tout le monde pleurerait pendant des heures.

— Le pire jour imaginable qui soit, commenta Selina. Mais je vais te dire : si le paradis existe, j'y mérite ma place. (Elle but une autre gorgée de café.) Hmm, il est bon. C'est sympa de boire du vrai lait de temps à autre. Même si je suis sans doute intolérante au lactose.

— Sans doute, oui.

— Oh ! la la ! Tu es d'accord avec moi, alors que tu n'y crois pas une seule seconde ! Ça craint tant que ça, le truc dont tu veux me parler ?

— Bon, dit Polly en s'armant de courage. J'ai vraiment besoin de parler à quelqu'un. Et Kerensa est occupée. Enfin, je t'apprécie autant… Euh… Enfin bref. Voilà. J'aimerais connaître ton avis. J'ai une amie à Exeter. On était à l'école ensemble. Tu ne la connais pas ; je ne la vois pas souvent. Elle est mariée et tout le tralala. Et maintenant, elle est enceinte. Mais… Mais elle pense que l'enfant est d'un autre homme.

— Oh mon Dieu ! s'écria Selina en se redressant d'un coup. Est-ce qu'il s'agit de Kerensa ? De cette nuit-là ? Oh ! la la ! C'est ça, hein ? Tu parles de Kerensa ! Les dates correspondent totalement.

— Quoi ? Bien sûr que non, il ne s'agit pas de Kerensa. Ne sois pas bête. Je viens de te dire que c'est une fille que tu ne connais pas.

— Ouais, mais tu oublies que j'étais là !

— Quoi ? Non, il n'est pas question d'elle ! Comment ce serait possible ? Elle ne ferait jamais une chose pareille. Ça ne lui ressemble pas du tout !

Polly sentit son visage tourner à l'écarlate. Selina ne pipa mot et se contenta de la dévisager un instant.

— D'accord, reprit Polly. Écoute, c'est ma cousine, d'accord ? Sa famille est en train de se briser. Est-ce que tu pourrais garder cela pour toi, s'il te plaît ? Je sais que certaines familles acceptent ce genre de choses, mais pas la mienne…

Polly baissa le regard tout en observant Selina du coin de l'œil pour s'assurer qu'elle la croyait. Dieu merci, il semblait que oui.

— D'accord, dit enfin Selina, puis elle marqua une pause. Alors, il est question de toi ?

— Mais bien sûr que non !

— Tu as un peu de ventre…

— Ne m'en parle pas, rétorqua sérieusement Polly.

Durant une séparation temporaire entre Selina et Tarnie, celui-ci avait couché avec Polly sans lui avouer qu'il était marié. La situation fut des plus embarrassantes pour tout le monde.

— Écoute, c'est un problème de famille délicat, mais je peux aller voir quelqu'un d'autre si tu ne me prends pas au sérieux…

— D'accord. Pardon, s'excusa Selina, qui n'était pas méchante dans le fond. Il faut que je me prépare à me montrer très attentionnée et gentille avec tout le monde pendant un mois. Mais j'ai encore des restes.

— Très bien. Écoute, c'est seulement que… Voilà, je me sens vraiment mal à propos de cette histoire. Même si ce n'est pas directement mon problème.

— Est-ce que tu connais son mari ?

— Oui… Euh, un petit peu.

Selina lança à Polly un regard pénétrant.

— Est-ce que c'est un abruti ?

— Parfois. Mais est-ce que c'est important ?

— Est-ce qu'il voit d'autres femmes ?

— Non ! Je ne crois pas.

— Hmm, fit Selina. Et ta cousine et toi, vous vous entendez bien ?

— Oui. Je veux être une bonne amie pour elle. Mais cette histoire… C'est vraiment affreux.

Selina se pencha en avant.

— À quoi servent les amis, à ton avis ? dit-elle doucement. À ça justement. As-tu la moindre idée du nombre de personnes qui m'ont laissée tomber à la mort de Tarnie ? J'ai perdu tellement d'amis à ce moment-là. Est-ce que c'est juste ? Les gens… Ils ne savent pas quoi dire, et patati et patata. Et qu'est-ce qu'il y a à dire ? Simplement que c'est la merde. Mais tu leur pardonnes parce qu'il se pourrait qu'un jour tu ne fasses pas mieux qu'eux. Pas besoin d'être un génie pour comprendre ça. Et puis, vous redevenez amis. (Selina avait la mâchoire crispée.) Certaines personnes sont restées. De nouvelles têtes, déclara-t-elle en regardant Polly, sont apparues. Mais d'autres ont complètement disparu de la circulation, comme si mon malheur allait contaminer leur petit univers douillet. Tu comprends ?

Polly hocha la tête.

— C'est là que les amis ont le plus besoin de nous. Dans les mauvais moments. Et point important : même si ce truc horrible est arrivé par ta faute. Encore plus quand c'est ta faute. Tu vois ce que je veux dire ?

Chapitre 7

— Bon allez, monte.

Neil adorait être à bord du van. Certes, il préférait le *side-car* de Huckle, où il profitait du vent qui ébouriffait ses plumes, mais le van lui plaisait bien également.

La pluie s'était arrêtée, laissant dans son sillage un froid mordant, mais Nan le van se réchauffait assez rapidement et Polly voulait partir avant que les gens ne commencent à faire la queue pour un petit friand ou un tortillon au fromage, comme ils avaient l'habitude de le faire.

Lorsqu'elle avait perdu son emploi à la boulangerie l'an passé, elle n'avait pas cessé son activité dans le domaine : elle avait acheté un van qui était devenu son nouveau lieu de travail. Son commerce avait fonctionné au-delà de ses espérances. Elle avait conservé la camionnette, en partie comme moyen de transport (notamment par temps de pluie) et en partie parce qu'elle pouvait s'en servir l'été pour vendre du café et des sandwichs. Le visage des gens s'illuminait quand ils apercevaient la camionnette, et plus d'un lui avait demandé si elle envisageait de faire des livraisons à domicile.

Polly traversa la chaussée en trombe. Elle l'avait si souvent empruntée qu'elle ne craignait plus désormais que le van fasse une embardée et tombe à l'eau, dans les profondeurs – on distinguait toujours, sous les vagues, ondoyant à leur rythme, la cime des arbres qui avaient poussé là quand Mount Polbearne était rattaché à la terre. Quelqu'un s'était un jour assis sous ces arbres, pour méditer sur sa vie et rêvasser. Dorénavant, ils se trouvaient au fond de la mer, comme le serait un jour Mount Polbearne, englouti par l'océan avec tout ce que ses habitants chérissaient.

La fine langue du comté se parcourait rapidement pour atteindre la côte nord des Cornouailles. Au printemps, à l'été et à l'automne, la plage dont Reuben et Kerensa étaient propriétaires était un spot de surf privé idéal, convoité dans toute la région. Reuben laissait souvent les locaux y venir ; en contrepartie, il leur demandait de tenir à l'écart les surfeurs du week-end qui venaient de la ville avec leur voix criarde, leur stupide van de *hipsters*, et qui se croyaient tout permis.

Mais actuellement, en plein cœur de l'hiver, une mince couche de givre recouvrait le sable qui n'avait pas été balayé par la mer, et toute cette belle plage était complètement désertée. La cabine de plage de Reuben (dotée d'une cuisine équipée et d'un bar) était fermée durant cette saison.

L'embranchement de la route privée était encore plus difficile à trouver qu'habituellement. Polly suivit le chemin cahoteux au sommet des dunes qui menait à la maison. La première fois qu'elle était venue ici, cela lui avait paru fou ; ni le temps ni la situation n'avaient modifié cette impression : cet endroit était dément.

La maison était de style très contemporain, avec beaucoup d'acier et de verre. Elle surplombait la côte sauvage et offrait une vue imprenable. Reuben avait commandé la construction d'une tourelle presque entièrement vitrée, après en avoir vu une dans un film d'*Iron Man*. Cela résumait assez bien la folie de son projet. Les sociétés de production demandaient très souvent à utiliser la maison comme décor de film ; Reuben refusait en général, encore qu'il lui arrivait d'accepter lorsque figurait au casting un acteur que Kerensa aimait bien.

Polly se mit à douter du bien-fondé de sa visite. Puis elle s'en voulut de penser cela. Oh ! la la ! Quelle pagaille ! Ce n'était pas comme si elle n'avait jamais commis d'erreur elle-même. Elle avait couché avec Tarnie sans même savoir qu'il était marié. Ils avaient été prudents, mais peut-être avait-elle simplement eu de la chance. Peut-être, à l'heure actuelle, élèverait-elle le bébé de Tarnie… Peut-être, pensa-t-elle, étions-nous tous à un cheveu du désastre, et tout n'était qu'une question de chance, et non de probité.

Polly s'était arrêtée dans le village voisin, qui regorgeait de boutiques de souvenirs kitsch, où l'on trouvait du bois flotté sur lequel était gravé « *HOME* » à des prix très exagérés. Elle était entrée dans la troisième boutique qu'elle avait croisée. Elle avait choisi un jeté en cachemire crème, incroyablement hors de prix, mais très simple, puis avait sélectionné un paquet-cadeau, qui semblait coûter tout aussi cher. Elle avait tendu sa carte de crédit en croisant les doigts. Kerensa oubliait parfois que les autres devaient faire attention à l'argent, mais ce n'était pas le problème. En l'occurrence, Polly devait acheter quelque chose de joli, et ce n'était pas un cadeau, sinon une demande de pardon.

***

Polly appuya sur la sonnette, ne sachant même pas si Kerensa était présente. C'était souvent difficile à dire, étant donné le nombre de voitures garées dans l'allée en gravier autour de la fontaine ornementale d'un goût spécial. Elle n'avait eu aucune nouvelle de sa part (d'ordinaire, elles s'envoyaient des messages et se parlaient plus ou moins tous les jours), mais elle ne lui en voulait pas. Elle n'avait pas souhaité prévenir Kerensa de sa venue, au cas où elle l'en aurait dissuadée. Cela n'aurait pas étonné Polly ; elle l'aurait bien mérité, à vrai dire.

Sur la large porte était déjà suspendue une couronne de houx fournie. En réalité, Reuben et Kerensa engageaient des professionnels pour réaliser leurs décorations de Noël. Polly ne savait même pas que c'était possible, que c'était un métier.

La domestique ne vint pas à la porte ; ce fut Kerensa elle-même qui ouvrit.

Sa mine était encore plus défaite que la dernière fois, tout son entrain naturel avait disparu. Elle était fatiguée, pâle, avec de grands cernes sous les yeux.

Il y eut un silence. Kerensa semblait renfrognée, tel un chien qui attend d'être battu.

— Est-ce que Reuben est là ? lui demanda Polly.

Kerensa fit non de la tête.

— Pourquoi ? dit-elle, d'un air soudain terrifié. C'est lui que tu voulais voir ?

— Non. (Polly tendit son cadeau à son amie.) Est-ce que tu veux bien me pardonner, Kerensa ? Je suis sincèrement désolée.

***

Il y avait une belle flambée dans le salon. Elles prirent place à côté de la cheminée, au pied d'un sapin de Noël qui devait mesurer dix mètres de haut et se dressait dans les trois étages de la tourelle.

— Ce sapin est dingue, déclara Polly.

— C'est exactement ce que j'ai dit. Et du coup, Reuben en a commandé un autre quatre fois plus grand.

Elles sourirent toutes les deux d'un air contrit. Kerensa fixa le sol lorsque Marta leur servit un chocolat chaud.

— Je suis désolée, reprit Polly. Je te demande pardon. J'étais sous le choc, c'est tout. Le fait que tu ne m'aies pas parlé de tout cela pendant aussi longtemps…

— Toi, choquée ? dit Kerensa amèrement en fixant Polly, le regard plein de douleur. Je ne m'attendais pas… Je ne m'attendais pas que tu me tournes le dos.

— J'ai eu tort. Vraiment tort. Kerensa, tu es la meilleure amie que j'aie jamais eue. Je n'aurais pas dû… La seule chose que j'aurais dû faire était de te dire que tout irait bien.

— Comment tout peut aller bien ?

— Je n'en sais rien. Tout va bien. Reuben et toi, vous vous aimez, non ?

— Je pense, se lamenta Kerensa, qu'on le saura quand j'accoucherai d'un bébé à la peau mate, d'un mètre quatre-vingts, avec une tignasse brune.

— Ne sois pas stupide, tu prétexteras un parent éloigné. Pourquoi est-ce que je ne sèmerais pas cette idée dans l'esprit de Reuben ?

— Du genre « Hé, Kerensa, tu te souviens de ce grand-père espagnol dont tu n'as jamais parlé » ?

— Exactement ! Ce grand-oncle marin qui ne rentrait au port que très rarement.

Kerensa se ragaillardit légèrement.

— Ouais… C'est vrai qu'il y a cette branche de la famille… On les voit très peu.

Le père de Kerensa était décédé quatre ans plus tôt, mais ses parents avaient divorcé bien avant.

— Exactement ! répéta Polly. Il suffit de ne pas en parler devant ta mère.

— Je pourrais dire que ça a fait un peu scandale à l'époque… Épouser un étranger…

— Est-ce qu'il va gober cela ?

— Pour Reuben, espagnol et latino, c'est la même chose. Alors oui, il va gober.

— C'est extrêmement raciste.

— Qui est extrêmement raciste ? demanda Reuben qui arriva en sifflant joyeusement. Où est la magnifique mère de mon bébé, hein ? Hein ?

Il caressa le menton de Kerensa, qui fit de son mieux pour lui sourire.

— Elle est tellement malade, expliqua Reuben à Polly. Franchement. Je pensais qu'elle serait trop géniale pour être malade, mais, euh, apparemment non.

Elle dort dans la chambre d'amis parce qu'elle vomit toutes les cinq minutes.

— Ça arrive très souvent. Kerensa me disait que tu es un gros raciste.

— Est-ce que tu m'as apporté du chocolat chaud ?

— Non, lui répondit Polly. En revanche, je t'ai apporté un gâteau au chocolat.

Le visage de Reuben s'illumina.

— Ça fera l'affaire. Oui, je suis raciste. Je déteste tout le monde.

— Pourquoi ?

— Parce que, dans mon école de surdoués, j'en ai pris régulièrement plein la figure par les Noirs, les Chinois, les Asiatiques, les Blancs, les Latinos, les Arabes, les juifs, les catholiques et les hindous. Donc, oui, je hais tout le monde.

— Es-tu sûr à cent pour cent que ce n'était pas, peut-être, éventuellement, un chouia ta faute ?

— Ne dis pas de sottises, répondit Reuben en dévorant tout le gâteau au chocolat sans demander à Polly ni à Kerensa si elles en désiraient. C'était leur faute. À tous. Je déteste tout le monde. Sauf toi, ajouta-t-il en s'adressant directement à Kerensa.

— Hum ! fit Polly.

— Ouais, peu importe. Est-ce que tu m'as apporté autre chose à manger ?

Kerensa et Polly suivirent Reuben dans la vaste cuisine étincelante, inondée de lumière, même par une journée grise et froide comme celle-ci. Elle recelait tous les appareils qui composaient l'histoire de la cuisine – tous luisants, mystérieux et pratiquement neufs. Si incroyable que cela puisse paraître, il y avait une autre cuisine au rez-de-chaussée, où le cuisinier exerçait.

— Toi qui t'y connais en cuisine, qu'est-ce qu'une femme enceinte devrait manger ? Pour qu'elle soit resplendissante. Je veux que mon épouse soit comme ces femmes enceintes resplendissantes, canon, avec d'énormes seins.

Polly sourit.

— J'ai peur de savoir faire uniquement des tartines. Même si cela peut aider un peu.

— Je vais bien, affirma Kerensa. J'ai seulement besoin d'un peu plus de jus de fruits.

— Ce presse-agrumes m'a coûté quatre mille dollars, indiqua Reuben. Alors oui, tu devrais te faire du jus. Mais on pourrait imaginer qu'à ce prix la machine le préparerait toute seule.

— Oh, Kerensa, je me demande si le bébé ressemblera à la famille du côté de ton père, lança Polly.

Sa remarque tombait un peu comme un cheveu sur la soupe, mais Polly faisait de son mieux.

— Non, répondit sèchement Reuben. Il me ressemblera trait pour trait. Je suis le portrait craché de mon père, qui est lui-même le portrait craché de son père. Les Finkel sont riches et épousent de véritables beautés depuis des générations, mais nous faisons toujours des petits roux avec des taches de rousseur. Capables de se taper des canons.

Kerensa parut de nouveau au bord des larmes.

— Montre-moi comment fonctionne ce presse-agrumes, se hâta d'intervenir Polly.

Mais Kerensa n'en avait aucune idée. Elles durent donc renoncer.

Reuben se retira à l'étage pour répondre à ses e-mails, et Polly soutint Kerensa pendant qu'elle pleurait en silence sur le jeté en cachemire.

— Ça va aller, lui promit Polly. Ça va aller. Je serai à tes côtés à chaque instant.

— Super. Parce que je crois que je vais élever ce gigantesque bébé café au lait toute seule.

Reuben descendit les escaliers au pas de charge.

— Merde ! criait-il. Merde, merde, merde !!!

Kerensa papillota des cils, paniquée.

— Qu'est-ce qu'il y a ?

Reuben grommela.

— Oh, toute ma famille a décidé de venir passer Noël ici. Oh ! la la ! Ils vont détester ma petite maison minable. (Il soupira.) Punaise, ça craint carrément !

Chapitre 8

— Qu'est-ce que tu viens de dire ? demanda Huckle à Polly.

— Euh…

— Je le pense vraiment, je suis sérieux. Et tu n'as pas cru bon de me demander mon avis ?

— Euh, répéta Polly.

— Tu ne penses pas que j'ai mon mot à dire ?

— Si, mais…

— Pff, je sais que tu ne connais pas ces gens, mais moi oui. Et…

— Et quoi ? Ce ne sont pas des gens bien ?

— Ce sont des gens riches, rétorqua Huckle. Il n'y a pas de bien ou pas bien avec ces gens-là. De toute façon, ils ont des avocats pour ces questions de morale, donc c'est hors de propos.

— Quel est le propos alors ?

— Le propos est qu'ils passent leur temps à se vanter de leur richesse. Bon sang, à côté d'eux, Reuben passe pour Mère Teresa ! Avec l'humour en prime. Oh, Polly, comment as-tu pu faire ça ?

Polly était consciente d'avoir tort. Mais le regard que lui avait lancé Kerensa était si empreint d'envie et de tristesse qu'elle n'avait même pas envisagé de ne pas proposer son aide. À vrai dire, cela n'avait même pas été une proposition, pas vraiment ; comme Reuben savait si bien le faire, il s'était simplement retourné et avait annoncé : « Hé, Huckle et toi pouvez venir.

— Je crois… Je crois que nous avons quelque chose de prévu, avait bredouillé Polly, et Kerensa avait toussoté bruyamment.

— Quoi donc ? Rester tous les deux dans une tour glacée à regarder un oiseau voler en rond ? avait répliqué Reuben, qui avait vu plutôt juste. Ce sera vraiment naze. Alors que j'aurai un cuisinier et la plus grosse dinde, ou la plus grosse oie, quoi que vous mangiez, vous les Anglais… Tu n'auras pas à lever le petit doigt. Sauf que tu devras parler avec mon père, pour que je n'aie pas à le faire. C'est tout. C'est la seule chose que tu auras à faire de tout Noël.

— Bon, avait dit Polly.

— Super. C'est réglé. Et j'aurais aussi besoin que tu…

— Quoi ?

— Non, je t'en parlerai plus tard.

— Je suis tellement contente que vous veniez », s'était réjouie Kerensa, qui avait eu l'air si ravie et soulagée que Polly n'avait pas eu le courage de protester.

À présent, c'était Huckle qui paraissait triste, ce qui arrivait rarement ; Polly détestait cela. Ses yeux bleus trahissaient sa déception.

— C'est que je nous voyais…

Polly vint s'asseoir à côté de Huckle en tendant la main vers lui.

— … faire la grasse matinée, tu vois. Pour une fois. Ne pas se lever avant qu'il fasse jour.

— Qu'il fasse jour ! s'exclama Polly.

— Ouais. Et peut-être même plus tard. Pas de four, pas de pâte, pas de pain.

— Pas de pain frais le matin de Noël ?

— Non. Parce qu'il nous resterait du pain complet, tu vois ? Celui avec la mie tendre ? On le tartinerait de beurre salé et on mettrait des tranches de saumon fumé. On mangerait tout ça au lit… Avec une bouteille de champagne. Rien que toi et moi.

— Et ensuite ? l'interrogea Polly.

— Que veux-tu dire ? C'est tout. Que demander de plus le jour de Noël ? Je t'offrirais un petit cadeau…

— Du miel ?

Huckle eut un grand sourire.

— Euh… Ça se pourrait que ce soit du miel, oui. D'une variété ou d'une autre.

— Super, dit Polly. J'adore le miel.

— Et peut-être que tu pourrais m'offrir…

— Un croissant ?

— C'est parfait. C'est exactement ce que je voulais comme cadeau.

— Sérieusement, de quoi as-tu envie ?

— Sérieusement, j'ai tout ce que je veux, répondit Huckle. Sauf…

Il attrapa Polly avec un air malicieux. Elle ricana et fit semblant de le repousser, ce qui fut sans effet.

— Eh bien, pourquoi est-ce que nous ne ferions pas toutes ces choses et irions ensuite chez Reuben ?

— Parce que après tout ça, répondit Huckle en caressant doucement les épaules de Polly, nous ouvririons ces grands sachets de pièces en chocolat que vous avez ici en Angleterre, nous allumerions la télé et regarderions des films toute la journée en mangeant des bonbons.

— Et le repas de Noël ?

— On ne peut pas remanger du saumon fumé ? Et un peu de fromage ? Et puis finir les pièces en chocolat ?

— Ça me paraît bien ! s'enthousiasma Polly en y pensant.

Préparer la fête de Noël – de mauvais gré –, avec la compagnie agréable de Selina qui fabriquait de son côté ses bijoux ; remplir le congélateur en prévision des intempéries ; devoir penser aux soucis de Kerensa, à la famille de Reuben, à Noël – tous ces tracas avaient semblé s'abattre subitement sur Polly.

— À mon avis, nous aurons peut-être besoin de deux bouteilles de champagne. Quand nous nous réveillerons de notre sieste l'après-midi, nous aurons de nouveau envie de champagne, de films et de pièces en chocolat. Et si nous nous sentons très en forme, d'un long bain chaud. Suivi d'une autre sieste.

Polly, qui n'avait jamais été matinale de sa vie, poussa un soupir.

— Impossible d'aller chez Reuben après cela, fit remarquer Huckle. Je serai trop ivre pour conduire la moto, et toi pour sortir du bain. Et nous nous endormirons tous les deux. Nous avons un programme très, très chargé pour Noël. Dis ça à Reuben.

— Toi, dis-le-lui.

— C'est toi qui as accepté.

Polly ferma les yeux.

— Tu sais comment il est. Avec lui, il n'y a pas de non qui tienne. Il est tellement têtu.

— Toi aussi, fit remarquer Huckle en se rapprochant un peu de Polly.

Polly tourna la tête et s'abandonna joyeusement à lui. Peut-être pourraient-ils remettre cette décision à un autre moment. Peut-être pourrait-elle remettre toutes les décisions à un autre moment…

Chapitre 9

Polly examina le document et poussa un grognement. C'était un emploi du temps bien rempli et serré pour la journée de Noël que l'assistante de Reuben lui avait fait parvenir. Il comprenait deux heures de jeu de mimes, des chants en canon (sérieusement ?), quatre-vingt-dix minutes d'échange de cadeaux, une promenade à pied jusqu'à l'église (ce qui était ridicule, puisque Reuben n'avait jamais mis les pieds dans une église de toute sa vie et avait été marié par un rabbin), ainsi que divers éléments mystérieux tels que « Reconstitution historique des Finkel » et « L'arrivée des animaux » – Polly ne voulait même pas imaginer ce dont il pouvait s'agir.

Toutes ces choses semblaient représenter une telle somme de travail. Oui, de *travail*. Figurait également dans l'e-mail une liste d'une quinzaine de convives, que Polly savait tous extrêmement riches. Toutefois, elle n'était pas certaine de la conduite à tenir : aimaient-ils les cadeaux raffinés, ou bien avaient-ils déjà tout et remarquaient à peine quand on leur offrait quelque chose ? Bon, quoi qu'il en soit, elle avait un budget minuscule. En réalité, elle envisageait sérieusement d'offrir simplement une vingtaine de cakes. Tout le monde appréciait les cakes, non ? Cela dit, comme il s'agissait de la famille de Reuben, quelqu'un devait bien être allergique à quelque chose. Polly n'avait jamais rencontré personne plus dépendante aux anti-histaminiques.

Elle soupira et servit la vieille Mrs Larson, qui achetait un demi-pain tous les jours, en mangeait quatre tranches avec sa soupe et donnait le reste aux oiseaux, quand bien même les oiseaux du coin étaient des goélands de la taille d'un tigre, capables de dévorer un lapin si celui-ci restait suffisamment longtemps immobile. Polly s'inquiétait qu'un jour l'un d'entre eux s'abatte sur la frêle et minuscule Mrs Larson, dont la vue déclinait et qui était tout à fait susceptible de confondre un énorme goéland avec une jolie alouette. Ce fut à cet instant précis que Reuben franchit la porte d'un air enjoué.

— Salut ! Bon, j'ai la liste.

— Quelle liste ?

— Une liste de… tu sais, ce que nous voulons manger pour Noël.

Polly lui prit le papier des mains et la parcourut. Des baguettes chaudes… des bonshommes en pain d'épice… une maison en pain d'épice, grandeur nature… seize pains de seigle… quatorze pains complets… soixante galettes de pommes de terre…

Elle planta son regard dans celui de Reuben.

— Je croyais que nous étions invités chez toi pour Noël ?

— Oui, bien sûr, répondit Reuben, nullement décontenancé. Ça va être génial !

— Mais je ne veux pas faire le traiteur pour Noël ! Je n'ai pas du tout envie de travailler. C'est Noël. Je veux prendre quelques vacances, traîner au lit et ne pas bosser !

— Mais, Polly, dit Reuben, dont le visage se plissa d'incrédulité, nous allons avoir besoin de pain. Et c'est toi qui fais les meilleurs pains. Je ne sais pas comment être plus explicite. (Son visage s'illumina soudain.) Mince, je me demande bien à quel point tu vas saler ta facture si les dates ne te conviennent pas du tout.

— Non, Reuben.

— À mon avis, ça va être faramineux. Enfin, étant donné que ma seule autre option serait de faire venir de Paris par hélicoptère des produits de chez Poilâne… Par conséquent, ta facture sera sûrement révoltante. Bon sang, ça va vraiment me faire mal au porte-monnaie. Aïe, aïe, aïe, ça pique sérieusement. Même pour moi. Ouille !

— Arrête ça, Reuben !

— Bon, bien entendu, si tu n'as pas réellement besoin de cet argent…

— Arrête ! J'ai seulement envie de passer un Noël tranquille, sans avoir les mains dans la farine !

— Je croyais que tu aimais faire du pain.

— Mais oui, j'aime ça ! Comme métier ! C'est *un métier* qui me plaît.

Reuben haussa les sourcils et recula vers la porte.

— Tu sais, on dit que les gens qui aiment leur métier ne considèrent jamais qu'ils travaillent.

— Du balai, dit Polly. Fiche le camp ! Je suis sérieuse !

— Ne te fais pas trop de souci pour les quatre-vingt-seize *bagels*, ajouta Reuben. Je pense que je les ferai livrer de New York. Ne te vexe pas, Polly, mais tes *bagels* ne sont pas terribles.

— Va-t'en !!!

La file de vieilles dames lança un regard désapprobateur à Polly.

— N'est-ce pas le jeune homme qui va financer l'école ? demanda l'une d'elles.

— Si, c'est lui, répondit Polly, fâchée et tiraillée.

— Et il va être papa, commenta Mrs Larson d'un air dédaigneux. On pourrait s'attendre à un peu de considération à son égard.

Polly remplit un peu moins les sachets de beignets que d'ordinaire.

Comment allait-elle bien pouvoir annoncer cette nouvelle à Huckle ? D'un autre côté, il ne faisait absolument aucun doute qu'ils étaient complètement fauchés. Son miel ne suffisait pas. Ils n'avaient pas besoin de grand-chose, mais l'emprunt pour le phare était important et…

Polly poussa un soupir de frustration. Elle était consciente que son souci était bien peu de chose par rapport aux problèmes des autres (comme Kerensa par exemple). Mais elle avait tellement envie de calme pour Noël cette année. Celui de l'an passé, avec sa mère, avait été légèrement pesant (ce n'était pas la faute de sa mère, elle le savait bien). Et celui d'il y a deux ans avait été déchirant, car Huckle était parti aux États-Unis et l'avenir de Polly lui avait paru remis en question. Tout ce à quoi elle aspirait était un peu de répit. Rien que Huckle et elle, fêtant l'étape majeure qu'ils s'apprêtaient à franchir.

Elle savait qu'elle devrait se sentir heureuse et reconnaissante. Que c'était réellement égoïste de souhaiter plus que ce qu'elle avait, alors qu'elle avait déjà tant. Mais elle avait imaginé que sa vie se poursuivrait de façon agréable et détendue encore un petit moment, à l'image de ce qu'elle était actuellement. Puis, un jour, où tout ne serait pas aussi mouvementé, elle profiterait de ce moment, des bébés et du reste, mais plus tard.

C'était ridicule au plus haut point, elle en était consciente. Huckle et elle étaient fiancés. Il était très attaché à elle. Il était incontestablement l'amour de sa vie.

C'était stupide de se faire du souci. Et puis, elle ne s'était jamais vraiment imaginée en mariée ; ce n'était pas le genre de rêve qu'elle caressait. Tout ce dont elle rêvait se trouvait là, à *La Petite Boulangerie de Beach Street* : le tintement de la clochette à l'entrée des clients ; le plaisir sans fin de l'odeur du pain frais ; la satisfaction de régaler sa clientèle. C'était cela son rêve.

De toute façon, ce n'était pas le plus urgent. Premièrement, elle devait annoncer à Huckle qu'elle avait gâché son Noël de rêve. Sinon, elle devrait décliner l'argent de Reuben. Ce qui représentait une coquette somme, elle le savait. Suffisamment pour faire isoler les fenêtres contre les tempêtes de janvier, ou pour… Non. Elle n'en avait toujours pas envie.

Mais d'un autre côté, Polly n'imaginait pas passer Noël chez Reuben où toute la conversation tournerait autour de son comportement égoïste qui l'avait poussée à refuser de préparer le pain et les gâteaux (c'est-à-dire, en gros, de faire toute la cuisine). Ce à quoi Huckle dirait « Super, n'y allons pas du tout » ; quant à Kerensa, elle pousserait ce soupir las et tragique et referait cette tête de chien battu pour souligner à quel point elle était affreusement triste. Et le vent continuerait de s'immiscer par les fenêtres de la chambre…

Les dames âgées s'en étaient allées ; Selina passa une tête hésitante par la porte de service.

— Les vieilles biques sont parties ? Elles m'en font vraiment baver pour savoir si je me suis trouvé un beau et charmant garçon.

Selina avait eu une brève et torride aventure avec le frère de Huckle, Dubose, mais Polly et elle préféraient éviter le sujet.

— Elles ont simplement envie que tout le monde soit heureux, avança faiblement Polly, notamment parce qu'elle venait elle-même de les envoyer promener.

— Non, affirma Selina d'un ton mélancolique. Elles veulent que des trucs se passent pour pouvoir jouer les commères et critiquer.

— Oui, aussi, concéda Polly. Oh ! la la ! Qu'est-ce que je devrais faire ?

Puis elle expliqua à Selina son dilemme concernant Noël, en omettant la partie sur Kerensa.

— N'y va pas, lui conseilla aussitôt Selina. Tu es folle ? Pourquoi tu ferais cela ? Tu ne meurs pas de faim. Bon, d'accord, tu as acheté un stupide phare ; c'est ta faute. Loue-le ou quelque chose. Mais c'est Noël ; pour l'amour de Dieu, amuse-toi. Il faut bien que quelqu'un s'amuse.

La clochette tinta et un homme entra précipitamment. Il avait des épaules larges, des cheveux blond-roux et des yeux d'un bleu azur. Selina se ragaillardit immédiatement.

— Oh, est-ce que je viens de faire un vœu sans m'en rendre compte ? (Elle se retourna et sourit à l'homme.) Bonjour. En quoi puis-je vous aider ?

— Selina ! Tu ne travailles pas ici en ce moment.

— Mais c'est plus ou moins chez moi.

— Enfin, plus moins que plus, commenta vivement Polly.

L'homme paraissait agité.

— Je cherche… Je cherche la dame au macareux.

— Ah, fit Polly. Désolée, Selina. (Elle essuya ses mains pleines de farine sur son tablier.) Bonjour. Je me présente, Polly Waterford.

L'homme lui serra la main. Il avait environ trente-cinq ans, le visage tanné, ce qui lui donnait un certain charme. Ses yeux se plissèrent fortement lorsqu'il sourit. Il avait un accent australien.

— Bonjour. Écoutez… Nous avons besoin d'argent.

Polly le dévisagea un long moment.

— Eh bien, vous avez vraiment frappé à la mauvaise porte.

Chapitre 10

Selina et Polly préparèrent du café et finirent par calmer un peu l'homme. Il leur apprit qu'il s'appelait Bernard, qu'il était le directeur de la réserve ornithologique sur la côte nord, près de la maison de Reuben. Polly avait essayé à deux reprises d'y laisser Neil pour qu'il retourne à l'état sauvage ; ses deux tentatives s'étaient soldées par un échec monumental, à son immense soulagement. Neil, s'avéra-t-il, n'était pas du tout un amoureux de la nature, même si, la dernière fois, il était revenu avec Céleste.

— Nous venons d'apprendre… déclara Bernard, en secouant la tête d'un air désespéré. C'est Kara qui m'en a informé.

Kara était la jeune Néo-Zélandaise fort compétente, se rappela Polly, qui s'était chargée de relâcher Neil.

— De quoi ?

— Ils amputent notre budget. Réductions gouvernementales. Apparemment, les macareux ne sont pas une priorité de notre politique d'austérité.

— Quoi ? fit Polly, choquée jusqu'à la moelle.

— Je sais. Ils sont menacés d'extinction, vous savez.

— Comment cela ? s'étonna Selina. Je croyais que vous en aviez deux millions et quelques.

— Oui. Mais ils sont de moins en moins nombreux. La mer devient trop chaude.

— Ce n'est pas l'impression que j'ai eue ce matin, fit remarquer Selina en regardant dehors, où le vent soufflait toujours.

— Oui, enfin, la météo locale n'a rien à voir là-dedans, non ? dit-il, avec une pointe soudaine de colère.

— Oh. Vous êtes un fougueux. Ça me plaît.

— Et les groupes scolaires ? demanda Polly. J'en vois tout le temps.

— Non, répondit Bernard. Le budget des écoles aussi diminue. C'est fini, ces excursions. Ça n'intéresse plus trop les enfants, de toute façon. Ils préfèrent jouer au *Laser Game*, ou bien… (Bernard parut au bord des larmes) aller voir des faucons, ajouta-t-il, profondément blessé. Il y a une démonstration de fauconnerie, où l'on peut tenir un rapace et le lancer en vol.

— Oh, dit Polly. Ça paraît… Enfin, ça ne paraît pas aussi intéressant que ce que font les macareux.

— Les macareux ne font rien du tout, rétorqua amèrement Bernard. Ils ne font pas de tour. Sauf si on prend en compte le fait qu'ils nagent à quarante kilomètres par heure, qu'ils volent deux fois plus vite, qu'ils ont l'un des meilleurs aérodynamismes du monde animal, qu'ils gardent le même partenaire toute leur vie et…

— Vous en connaissez un paquet sur les macareux, remarqua Selina. Prenez garde, Polly aime ça chez un homme.

Bernard ne sembla pas l'écouter.

— Tout ça parce que je n'ai pas de… macareux cascadeurs.

La clochette retentit et Huckle entra d'un pas traînant ; il voulait proposer à Polly de déjeuner avec lui – espoir qui s'évanouit aussitôt qu'il aperçut son visage. Neil l'accompagnait (comme Huckle avait laissé le feu s'éteindre, il avait jugé que celui-ci pourrait bien sortir un peu). Lorsque le petit oiseau vit Polly, il piailla fortement et se dirigea vers le comptoir. Il grimpa par paliers (il devenait trop paresseux et trop gros pour voler) jusqu'à l'épaule de Polly, où il se frotta affectueusement à ses cheveux, jusqu'à ce qu'elle cède et le caresse distraitement derrière les oreilles.

— Oui ! s'exclama Bernard. Comme ça ! C'est exactement ce dont j'ai besoin ! Comment avez-vous réussi à lui faire faire ça ?

— Je n'ai rien fait, répondit Polly, surprise. Ça lui est venu tout seul.

Sans réfléchir, elle donna à Neil un petit bout de brioche qui était tombé dans la poche de son tablier. Il le mâchonna joyeusement et se frotta de nouveau à ses cheveux.

— Voilà ! Mais comment allons-nous dresser tous ces macareux ?

— De quoi parlez-vous ?

Bernard fixa Polly de son regard bleu.

— Vous ne voulez pas que la réserve ferme, n'est-ce pas ?

— Bien sûr que non.

— Ce serait la fin, sans doute, des macareux en Cornouailles.

— Ce… Ce serait horrible, se lamenta Polly, qui le pensait sincèrement.
— Nous avons besoin d'une attraction.
— Hors de question !
— C'est ça ! intervint Huckle. C'est ça que tu dois apprendre à dire aux gens ! Répète-le encore une fois !
Polly daigna à peine regarder son compagnon.
— Mais votre macareux pourrait inverser la tendance, poursuivit mollement Bernard.
— Vous ne l'aurez pas, protesta Polly. N'y songez même pas.
Neil piailla et se colla davantage aux cheveux de sa maîtresse.
— Polly, est-ce qu'on ne devrait pas faire sortir Neil d'ici ? suggéra Huckle.
— Si, répondit Selina. Je peux rester m'occuper de Bernard. Cela ne me dérange pas.
— Jayden revient dans une minute, précisa Polly, qui jeta un regard noir à Bernard en passant devant lui. Vous ne l'aurez pas ! répéta-t-elle.

***

Alors que Polly pensait que la journée ne pouvait pas être pire, Jayden arriva juste au moment où elle s'apprêtait à partir. Il était tout rouge.
— Euh, fit-il. Est-ce que je peux te parler ?
— Bien sûr.
Jayden se frotta la nuque.
— Hmm, je voulais te demander… Est-ce que je peux avoir une augmentation ?

Polly cligna des yeux. Jayden et elle touchaient le minimum absolu. Elle prévoyait d'augmenter ses tarifs durant l'été ; les vacanciers originaires du continent avaient beaucoup d'argent et avaient tendance à le dépenser. De plus, les personnes qui avaient goûté ses délicieux produits frais lui avaient assuré à maintes reprises qu'ils se vendraient à des prix bien plus élevés à Londres, Brighton ou Cardiff.

Le souci, c'était que les salaires et retraites des habitants de Mount Polbearne étaient bas (c'était le cas des pêcheurs, qui trimaient plus que quiconque et trouvaient néanmoins le temps d'assurer des gardes de sauveteurs en mer). Polly ne pouvait pas avoir deux systèmes de tarification ; c'était interdit par la loi. Par ailleurs, elle refusait de faire un compromis sur la farine, ou le beurre de la région qu'elle utilisait pour ses croissants et ses gâteaux. En cuisine, la qualité de chaque ingrédient comptait, et Polly ne choisissait que le fin du fin. L'inconvénient, c'était qu'il restait très peu d'argent au final.

— Oh, Jayden, dit Polly, déçue.

Jayden hocha la tête.

— Je sais, je sais.

Quand il avait commencé à travailler à la boulangerie, son salaire était plus élevé que celui qu'il touchait en tant que pêcheur, avec des conditions de travail bien plus agréables.

— Pourquoi as-tu besoin d'une augmentation ?

Jayden rougit davantage, si tant est que ce fût possible.

— Euh… C'est que… Flora termine bientôt sa formation… Et je pensais… Je pensais que je pourrais la demander en mariage.

Il marmonna sa dernière phrase, comme s'il était gêné de la prononcer à voix haute, même à Polly, qui afficha une expression des plus étonnées.

— Oh ! la la ! Jayden ! Mais elle n'a que vingt et un ans ! Et toi vingt-trois !

Jayden parut confus devant cette réaction.

— Ce sont des choses qui se font. Mes parents étaient plus jeunes quand ils se sont mariés. Archie aussi.

Polly songea au capitaine fatigué du *Trochilus*, dont les trois jeunes enfants le faisaient paraître beaucoup plus âgé qu'il ne l'était en réalité.

— J'imagine. Mais, Jayden... Tu vois bien ce qu'on gagne tous les jours.

— Je sais. C'est que... Je me demandais. Parce que Flora trouvera un boulot, tu sais, et je me disais... Je me disais qu'il serait peut-être temps que nous nous installions.

— Vous allez rester ici ? lui demanda Polly.

— J'aimerais bien, oui. Mais on verra. On se cherchera une maison...

Polly hocha la tête. Elle comprenait parfaitement. Jayden vivait encore chez sa mère, mais bien entendu un jour, il chercherait un endroit à lui.

Polly avait le sentiment très étrange que tout le monde semblait se réjouir d'avancer dans la vie, alors qu'elle se complaisait dans la situation actuelle et se trouvait poussée contre son gré. Elle en comprenait la raison, d'un côté. Mais cela ne l'aidait pas à se sentir mieux.

— Je ne peux vraiment pas, expliqua Polly à Jayden. Pas pour le moment. Est-ce que tu peux attendre de voir si nous faisons une bonne saison ? Flora peut diriger l'autre boutique et nous ouvrirons le van pour vendre des glaces ; on verra ce que ça donne.

Jayden haussa les épaules.

— Bien sûr.

Il se mit à nettoyer les miettes dans l'arrière-cuisine, redonnant à la pièce une propreté impeccable. Il était un excellent employé. Si elle avait pu, Polly lui aurait accordé son augmentation, et plus encore. Elle avait le sentiment d'être une mauvaise patronne ; une personne méchante. Le fait que Jayden ne se plaignit même pas la fit culpabiliser davantage encore.

***

Polly était furieuse lorsque Huckle la poussa à quitter la boulangerie et l'emmena de force au *Red Lion*, où il lui commanda un grog. Il y avait une belle flambée dans l'âtre. Près de la cheminée, quelques pêcheurs, à moitié assoupis à cause de leur sortie en mer la nuit précédente, jouaient aux dominos. Le pub ne disposait pas d'un *jukebox*, car la plupart des gens du coin aimaient chanter une ou deux chansons après quelques verres ; ainsi, les seuls bruits audibles ce midi-là étaient le tic-tac de la grande horloge de bateau sur la cheminée, décorée de houx, et les reniflements occasionnels de Garbo, l'immense lévrier à poils longs du propriétaire, qui se portait remarquablement bien grâce à son régime composé de poisson, de frites et de bière renversée. Dans l'ensemble, il ressemblait moins à un chien qu'à un poney. Il était couché devant le feu, et ses pattes s'agitaient car il chassait des lapins sur des plaines imaginaires (ou plus probablement, vu sa taille, des gazelles).

— Qu'est-ce qu'il y a ? demanda Huckle.

— Oh ! la la ! fit Polly. Je suis terriblement désolée. Tout est en quelque sorte… totalement parti en vrille.

Elle le regarda et commença à lui relater sa journée. Huckle tenta de se rappeler la période de sa vie où tout ce qui lui importait était que la reine des abeilles fertilise la ruche et qu'il ait suffisamment de pots stérilisés en stock.

— C'est atroce, mon ange, dit-il une fois que Polly eut terminé.

— Crois-tu que Reuben financerait le sanctuaire des macareux ?

— Quoi ?

— À ton avis, est-ce que Reuben financerait le sanctuaire ? répéta Polly. Tous ces gens vont perdre leur travail, il n'y aura plus personne pour s'occuper des macareux et, comme la mer sera trop chaude, ils vont tous mourir !!!

Polly eut la voix un peu tremblante, comme si elle allait éclater en sanglots ; Huckle se fit la promesse de ne plus lui faire boire de grog.

— Écoute. Tu en fais trop. Je te le dis depuis le début. Repose-toi. Nous allons prendre des congés pour Noël, point final.

Chapitre 11

Ce week-end-là, Huckle insista pour qu'ils aillent se promener. Polly n'était pas véritablement sortie à la lumière du jour depuis environ quatre semaines. De plus, il n'y avait rien de tel qu'une promenade pour se vider la tête.

— Et Neil a besoin d'exercice, ajouta Huckle.

— Moi aussi, souligna Polly.

Elle était contente de sortir, surtout car il se pouvait que la promenade se conclue dans un salon de thé. Ou dans un pub.

— Non, tu es très bien, c'est ce macareux qui est gros, déclara Huckle en consultant son téléphone. Est-ce que Reuben peut venir ?

— Non. Je prévoyais de râler contre sa famille et lui pendant plusieurs kilomètres.

Il y eut un blanc. Huckle tapota sur son téléphone. Puis il leva les yeux.

— Ah. Bon, il vient quand même.

— Ne lui dis pas où nous allons !

— Ah, répéta Huckle.

— Huckle !!!
— Trop tard, nous avons déjà mis nos pull-overs.
— Hmm.

***

Le soleil était à peine visible à travers la brume cotonneuse. De grandes nappes de brouillard recouvraient les champs, où les oiseaux s'abattaient allègrement sur les graines tout juste semées dans la terre brune retournée, tandis que les moutons tentaient de brouter l'herbe sous la couche épaisse de givre. Le ciel était d'un rose embrumé ; les journées, fainéantes en cette période, étaient les plus courtes de l'année. Il fallait sortir et en profiter tant qu'il était temps, sinon le vent et la pluie se déchaîneraient de nouveau pour prendre au piège les promeneurs.

Polly et Huckle se dirigeaient vers le nord des Cornouailles en suivant le sentier de Tintagel, qui les conduirait le long des falaises (c'était difficile dans cette région de ne pas avoir vue sur l'océan), puis à la réserve de macareux. Polly souhaitait y passer pour prendre des nouvelles. Neil avait sa bague bleue à la patte au cas où il déciderait de rejoindre ses anciens amis. Cependant, il ne montrait aucune envie de faire quoi que ce soit, si ce n'est de se reposer dans le sachet en papier kraft fourré dans le sac à dos de Polly, ce qui allait à l'encontre de l'objectif de cette promenade : faire faire un peu d'exercice à un macareux grassouillet.

Mais Polly ne s'en souciait pas tandis qu'elle essayait de suivre le rythme des grandes enjambées de Huckle, en respirant l'air frais et vivifiant. L'hiver avait plus à offrir, se rendit-elle compte, que ce qu'elle croyait. Ou du moins, cette période de l'hiver. Février la laissait plus ou moins de marbre. Une fois Noël passé, tout ne devenait qu'un jeu de patience. Mais, dans ce climat rigoureux, avec le soleil qui scintillait sur les champs gelés, les vagues qui martelaient les falaises en contrebas, les cheveux blonds, sales et emmêlés de Huckle qui dépassaient de son bonnet, Polly comprenait pourquoi l'hiver était la saison préférée de certaines personnes.

— J'aime voir le rose sur tes joues, déclara Huckle tout en souriant à Polly. J'ai oublié à quoi tu ressemblais en plein air.

— Moi aussi. C'est sympa. Je devrais prendre l'air plus souvent.

Huckle sourit.

— L'été me manque aussi. Quand les abeilles bourdonnent, au lieu de sommeiller. J'ai l'impression d'être la cinquième roue du carrosse.

— Une roue très sexy alors, sourit Polly.

— Il faut que je gagne plus d'argent. Il faut que je perce dans le circuit des esthéticiennes. Sérieusement. Les produits biologiques peuvent servir de multiples façons.

— Mais qui s'occupera de Neil ? Et de moi ?

Polly et Huckle marchèrent main dans la main, jusqu'à ce qu'un chien coure dans leur direction et les salue joyeusement. Huckle ébouriffa son pelage rêche.

— Salut, mon pote ! Comment tu vas ?

Le chien frétilla vivement de la queue, et Huckle jeta un coup d'œil à Polly.

— Non, lui dit-elle. Sérieusement. On ne prend pas de chien. Neil piquerait une crise.

— Qu'est-ce que tu en sais ?

— Je n'ai pas envie de courir le risque.

Du sac à dos s'échappait ce qui semblait être de petits ronflements d'oiseau. Le chien commença à renifler autour.

— Oust, lui fit Polly. Tu m'as vraiment l'air d'un gentil chien, mais Neil s'est déjà battu une fois ou deux et il ne s'en sort jamais très bien. À mon avis, tu serais capable de le croquer par mégarde.

L'animal décampa pour retrouver des enfants qui arrivaient dans la direction opposée. Ils rirent et sautillèrent avec le chien, puis le garçon le plus âgé courut jusqu'à un arbre et s'y suspendit à l'envers par les genoux. Huckle les observa en silence. Polly le considéra avec inquiétude. Il sentit ses yeux sur lui et détourna le regard. Sincèrement, il ne comprenait pas quel était le problème de Polly, mais il n'avait aucune envie de la bousculer. Il ne voulait pas en faire toute une montagne. Huckle n'aimait pas les problèmes. Certaines choses étaient importantes cependant.

Polly cligna des yeux lorsque les cris et les rires des enfants parvinrent jusqu'à eux.

— Bel endroit pour élever une famille, commenta doucement Huckle.

Polly hocha la tête.

— J'imagine que oui, répondit-elle froidement.

Elle fut soulagée de voir apparaître Reuben et Kerensa, de l'autre côté du sentier.

— Hé ! cria vivement Reuben. Nous sommes venus pour voir si ma femme enceinte, mais toujours aussi canon, pouvait se requinquer un peu.

Kerensa adressa à Polly un sourire crispé. Celle-ci se sentit mal. C'était atroce. Porter un tel fardeau… Bien entendu, c'était encore pire pour Kerensa.

— Salut, les amis ! dit Polly, avec plus de joie qu'elle n'en ressentait, et elle prit Kerensa par le bras. Viens. Dans cinq petits kilomètres, il y a un pub qui fait les meilleurs croque-monsieur de Cornouailles. Tu peux me croire, je les ai tous testés.

— Tu essaies seulement de me remonter le moral parce que je ne peux pas boire de vin, grommela Kerensa.

— Tu pourras en boire une toute petite gorgée.

— Non, intervint Reuben, qui entendit leur conversation. Hors de question. Tu ne vas pas faire de mal à ce bébé. Ce sera le gosse le plus fabuleux au monde. Je ne veux pas qu'il souffre d'alcoolisation fœtale. Tu ne devrais pas non plus manger de fromage.

— Est-ce qu'il est tout le temps comme ça ? demanda Polly (elle pouvait faire cette remarque devant Reuben : il était d'une insensibilité à toute épreuve).

— Ouais, répliqua Reuben. Pour le bien de notre bébé parfait.

Contrairement à son habitude, Kerensa ne fit preuve d'aucune repartie. Au lieu de cela, elle enfonça ses mains dans ses poches et avança péniblement. Reuben regarda Huckle en haussant un sourcil.

Polly laissa les hommes prendre un peu d'avance et resta en retrait avec Kerensa. Le sol était glissant et boueux en raison des tempêtes récentes. Les deux amis formaient un duo amusant : Huckle si grand et large avec son lent hochement de tête ; Reuben un vrai moulin à paroles, avec ses bras qui battaient l'air.

— Comment ça se passe ? s'enquit Polly, même si le langage corporel de Kerensa répondait suffisamment à sa question.

Kerensa secoua la tête.

— C'est comme si quelqu'un m'avait confié un précieux globe de cristal et demandé d'y faire attention. Mais j'ai échoué. Je l'ai fait tomber et il s'est cassé en mille morceaux. Il n'existe absolument aucun moyen de le recoller. J'ai fait quelque chose d'horrible. Et un jour – n'importe quand, mais bientôt sans doute –, il regardera le bébé et découvrira le pot aux roses. Et j'aurai tout gâché. Tout dans ma parfaite jolie petite vie sera brisé et je devrai élever un bébé toute seule. Ma vie sera foutue et j'aurai perdu cet homme brillant, intelligent, sexy et drôle que j'aime vraiment de tout mon cœur…

À ces mots, Kerensa fondit en larmes.

— Est-ce que tu… tu ne pourrais pas le lui expliquer ?

— Comment ? Comment le pourrais-je ? Mais, Polly, je n'ai pas compris pendant des mois que j'étais enceinte ; j'étais dans un tel déni. C'est lui qui a remarqué que mes seins étaient différents et m'a acheté un test de grossesse. Il était tellement excité… Oh, bon sang…

Reuben et Huckle se retournèrent, mais Polly leur fit signe de poursuivre leur chemin. Elle passa son bras autour de l'épaule de Kerensa.

— On ne sait jamais. Après tout, ça pourrait être le sien, non ?

Kerensa hocha la tête.

— Oui, admit-elle en reniflant.

— Mais pourquoi tu ne m'as rien dit, à moi ?

— Parce que tu étais tout heureuse, énamourée, et que tu vivais un conte de fées parfait.

— Je ne vis pas un conte de fées parfait ! se fâcha Polly. Je bosse comme une dingue, je suis complètement fauchée, et…

Sa voix faiblit et elle se rendit compte qu'elle aussi était sur le point de pleurer.

— Quoi ?

— Et je ne sais même pas si nous avons les moyens d'avoir un bébé. Et puis tout le reste…

— Oh non, fit Kerensa, pour qui l'argent n'avait jamais été un souci. Oh, Polly. Ne sois pas idiote. Vous vous en sortez très bien.

— On joint à peine les deux bouts. À condition de ne jamais rien acheter. De ne pas sortir. De ne pas essayer d'avoir un bébé pour lequel je devrai arrêter de travailler. Ou de ne pas chercher à faire de réparations dans cette stupide maison trop grande que j'ai fait la bêtise d'acheter.

— Tu ne serais pas obligée d'arrêter de travailler. Tu pourrais emmener le bébé à la boulangerie. Tu l'installerais sur le comptoir et lui donnerais un croissant à sucer.

— C'est comme ça que ça fonctionne ?

— Je n'en sais rien. Je n'y connais strictement rien.

Les deux amies se regardèrent, puis observèrent l'énorme ventre de Kerensa.

— Oh, bon sang ! s'exclama cette dernière. Comment avons-nous fait pour tout foutre en l'air comme ça ?

Polly éclata de rire.

— Aucune idée.

— Au moins, toi, tu peux encore boire du vin ! ajouta Kerensa d'un ton mélancolique.

***

Le petit pub au bout du chemin était parfait : confortable, chaleureux avec un feu de cheminée, de vieilles gamelles en cuivre étincelant sur les murs. Ils utilisaient du fromage de la région et du pain fait maison pour confectionner de délicieux croque-monsieur, exactement comme Polly l'avait annoncé. Les quatre amis agitèrent leurs orteils congelés et prirent place dans un box douillet. Polly s'installa à côté de Reuben et décida, comme l'avait suggéré Huckle, de lui parler franchement.

— Reuben. J'ai besoin d'argent.

— Eh bien, fais la cuisine à Noël pour ma famille, lui répondit-il calmement.

— Je ne veux pas.

— Nous avons un problème alors.

— Écoute, ce n'est pas pour moi. Mais pour le sanctuaire des macareux.

— Ce truc qui schlingue ? s'étonna Reuben.

— Quoi ? Qu'est-ce que tu entends par là ?

— C'est un peu plus loin sur la côte par rapport à chez nous. Je peux sentir leur foutue odeur de poisson quand le vent souffle en direction de notre maison. Hé, pourquoi ? C'est à vendre ?

— Non, répondit Polly, paniquée. Mais ils ont des difficultés à rester ouverts.

— Eh bien, c'est une excellente nouvelle.

— Non, c'est une très mauvaise nouvelle ! C'est une espèce en voie d'extinction.

— C'est impossible, ces piafs sont des millions. Et ils chient partout sur ma plage.

— Reuben ! Tu ne peux pas être sérieux une minute. Neil pourrait t'entendre.

— Lui, ça va. Les autres peuvent bien se faire dévorer par des chats, je m'en tamponne le coquillard. Hé, je veux un autre croque-monsieur. Ces machins sont délicieux. Servez-m'en un autre !

— Ils ne seront pas meilleurs si tu en manges deux, dit Polly, horrifiée par la gourmandise de Reuben.

— Bien sûr que si, rétorqua-t-il en se frottant les mains avec joie.

— Non, écoute. Est-ce que tu ne peux pas faire un don pour que la réserve reste ouverte ?

— Non. Mais je vais leur faire une offre pour le terrain. Hé, je pourrais y construire une maison de vacances sympa.

— À moins de deux kilomètres de chez toi ?

— Ce serait parfait pour mes parents. Même si cela ne m'empêcherait sans doute pas de continuer à les entendre. En plus, je pourrais avoir les deux plages. Ah ouais, je vois bien le tableau.

— Nooon ! Huckle, explique-lui.

— Je connais Reuben depuis suffisamment longtemps pour savoir qu'il ne faut jamais essayer de lui expliquer quoi que ce soit.

— Bon, pourquoi est-ce que tu ne l'achèterais pas et déplacerais la réserve ailleurs ? suggéra Polly.

— Hein ? Et pourrir la maison de quelqu'un d'autre ? Ouais, eh bien, merci pour les quatre-vingt-quinze années de procès et les vies gâchées.

Le second croque-monsieur de Reuben arriva ; il le dévora sans tarder.

— Tu vois, reprit-il. Un croque, c'est bon, mais deux, c'est encore meilleur.

— Reuben ! s'exclama Polly, totalement consternée.

— Eh bah, quoi ? Je fête l'occasion de pouvoir me débarrasser de ces puanteurs de macareux.

***

Lorsqu'ils eurent terminé leur repas, la lumière déclinait et plus personne ne s'adressait à Reuben. Ils se dirent au revoir en silence, et Polly étreignit Kerensa un long moment. Quand ils empruntèrent le sentier côtier, Huckle regarda Polly avec inquiétude. Ils approchaient de la réserve de macareux et, comme d'un accord tacite, ils se tournèrent tous les deux vers l'entrée.

C'était l'heure de la fermeture. Bernard et Kara faisaient le tour pour contrôler les niveaux d'eau et les clôtures qui protégeaient les oiseaux de la faune locale.

— Salut, dit Bernard.

— Hé, est-ce que c'est Neil ? demanda Kara. Bonjour, petit bonhomme !

Neil, qui avait semblé deviner où ils se trouvaient, avait grimpé d'un bond sur l'épaule de Polly. Il voltigea joyeusement au-dessus de la zone avant de retourner sur son perchoir et de frotter sa tête contre le cou de Polly, au cas où elle envisagerait de nouveau de le laisser ici.

— Ne t'inquiète pas, dit-elle en le rassurant d'une caresse. Tu n'iras nulle part. Tu restes avec moi.

— *Pi-ouit !* fit le petit macareux.

— Comment ça se passe ? demanda Polly à Bernard.

Ce dernier prit une mine morose.

— Nous avons essayé d'organiser des fêtes de Noël. Nous pensions que des entreprises aimeraient peut-être venir ici, vous voyez.

— Venir observer des oiseaux en plein hiver ?

— Ouais. Pour Noël…

— Quand il fait froid et gris ? Regarder des oiseaux voler ?

— Nous avons une cafétéria.

En effet, il y avait une horrible cafétéria, qui proposait un *fish and chips* très gras et tiédasse aux groupes d'enfants sous des néons. Polly examina l'endroit.

— Hmm, fit-elle.

Elle se tourna vers Huckle, qui la regarda.

La pièce elle-même était en réalité assez jolie : avec des proportions classiques, de grandes fenêtres qui surplombaient les rochers et l'océan, depuis lesquelles on voyait les oiseaux voler dans tous les sens. Elle était pourvue d'horribles tables et chaises en Formica. Polly essaya d'imaginer la salle avec de longues tables rustiques et des bancs en bois. Et du pain frais et…

Elle secoua la tête. C'était ridicule. Elle n'avait pas envie de développer son activité. Elle ne le pouvait pas.

Elle pensa à Flora, qui était sur le point de terminer sa formation en pâtisserie. Elle pensa au nombre de jeunes chômeurs en Cornouailles. Elle poussa un soupir.

Huckle lui jeta un coup d'œil. Polly s'ordonna mentalement de se reprendre.

— De combien d'argent avez-vous besoin pour tenir ? demanda-t-elle à Bernard. On pourrait peut-être y réfléchir pour cet été.

Bernard parut momentanément étonné, puis ravi. Polly s'inquiéta qu'il la croie riche. C'était ce que pensaient les gens quand ils voyaient la boulangerie. Elle se mordit la lèvre.

Bernard donna un chiffre.

— Cela nous permettrait de tenir jusqu'à cet été, expliqua-t-il faiblement. Puis, avec un peu de chance, les affaires repartiront à ce moment-là. Surtout si nous changeons de traiteur…

Polly cligna des yeux. C'était une grosse somme d'argent. Une très grosse somme.

Elle balaya du regard le local vide. La lune s'était levée ; elle était encore basse dans le ciel, étant donné la période de l'année. Elle se reflétait sur les vagues par cette soirée claire et fraîche. Sous les étoiles, qui s'allumaient lentement à cette heure, Polly apercevait les oiseaux danser, tournoyer et plonger dans la mer, traverser le ciel, indifférents au froid grâce à leur plumage imperméable. Sur la falaise, des nids occupaient le moindre espace disponible, des milliers d'oiseaux étaient regroupés, à piailler, à plonger, à pêcher du poisson, de jeunes macareux trépignaient avec une démarche amusante qui évoquait à Polly de jeunes enfants marchant avec des bottes.

Elle laissa échapper un grand soupir et sortit son téléphone.

— Qu'est-ce que tu fais ? l'interrogea Huckle.

— J'envoie ma facture en avance à Reuben pour son repas de Noël.

Huckle lut par-dessus l'épaule de Polly ; c'était la somme précise dont avait besoin la réserve. Il lui prit son téléphone des mains et modifia le total.

— Tu fais quoi ? lui demanda Polly.

— Nous pourrions peut-être nous payer aussi des vacances, répondit Huckle en l'embrassant. Mince alors, quand tu as une idée en tête, tu ne l'as pas ailleurs, hein ?

— Merci d'être aussi compréhensif, lui dit Polly en se blottissant contre lui. Je ne te mérite pas.

— En effet ! Mais je suis quand même là. Et j'encaisse le fait que ma fiancée hyper, ultra débordée vient d'accepter un travail supplémentaire colossal.

— Regarde le bon côté des choses : si tu es mon commis, tu ne seras pas obligé de faire la conversation aux parents de Reuben !

Chapitre 12

Les jours suivants filèrent à la vitesse de l'éclair. Polly engagea Selina, qui avait tendance à être distraite, mais qui, quand elle s'appliquait, était très compétente. Polly lui apprit minutieusement à confectionner de parfaits petits pains, roulés et croissants, même si elle se chargeait encore de la majeure partie de la préparation. Elle laissa Jayden, qui était tout le temps volontaire pour la moindre heure supplémentaire, gérer la vente.

Jayden prévoyait toujours d'offrir une bague à Flora à son retour de formation. Polly continuait de penser qu'ils étaient bien trop jeunes, mais préférait ne pas s'en mêler. En réalité, elle était plutôt admirative. L'idée d'organiser un événement aussi compliqué qu'un mariage était beaucoup trop pour elle pour le moment ; l'aplomb de Jayden l'impressionnait.

Polly savait qu'elle devait acheter un cadeau à Huckle, mais elle ne savait pas quand ni comment. Les boutiques en ligne ne livraient pas à Mount Polbearne sans demander un important supplément et, quand bien même, c'était toujours un calvaire avec Dawson qui se plaignait de devoir faire la traversée les bras chargés de colis ; le mieux était donc d'aller dans une grande ville. Polly parvint enfin à s'échapper un après-midi avec Kerensa. Elle envisageait de faire des courses à Exeter, afin de rendre visite par la même occasion à sa mère.

Polly était consciente que sa famille était étrange. Kerensa avait été élevée par sa mère également célibataire, Jackie, qui s'en était très bien sortie. Elle savait pourquoi son père était parti, et il lui arrivait même de le voir occasionnellement. C'était difficile, mais c'était ainsi.

Les choses étaient différentes chez Polly. Un mystérieux voile de silence recouvrait tout. Ses grands-parents, avec qui elles avaient vécu quand Polly était petite, se crispaient dès qu'elle évoquait son père ; aussi avait-elle appris dès son plus jeune âge à ne pas poser de questions, en dépit d'une grande curiosité.

Contrairement à Jackie, qui avait rencontré d'autres hommes et avait épousé un homme adorable prénommé Nish (Polly et Kerensa avaient été des demoiselles d'honneur ricaneuses et espiègles), Doreen n'était jamais passée à autre chose et s'était occupée de ses parents jusqu'à leur décès à six mois d'écart. Cela lui servit d'excuse pour ne pas avoir de véritable vie sociale, ni laisser Polly inviter des amis. La maison était toujours silencieuse. Presque rien n'avait changé : le même crucifix au mur ; la même photo de classe de Polly à ses six ans, avec ses cheveux blond vénitien et ses dents tombées, sur un fond bleu clair ; le programme de télévision dans le porte-revues bien ordonné à côté du canapé à fleurs, avec des émissions entourées au stylo.

C'était l'école qui avait sauvé Polly. Une école de quartier avait été ouverte des centaines d'années plus tôt à destination des orphelins. C'était devenu un établissement privé chic, mais qui accordait chaque année une bourse d'études à une cinquantaine d'enfants issus d'une famille monoparentale. L'école primaire de Polly lui en avait parlé et elle avait réussi le test d'admission.

L'école elle-même était classique, avec son environnement médisant et difficile où de nombreux enfants intelligents se disputaient la première place. Et le fossé entre les élèves boursiers et les autres était considérable ; socialement infranchissable.

Toutefois, Polly découvrit rapidement qu'elle s'en moquait, parce que, parmi les enfants boursiers, elle s'était fait un grand nombre d'amis, dont Kerensa. Ils formaient un groupe presque hermétique, soudé comme les doigts de la main. Ils s'identifiaient aux jeunes princes William et Harry, qui avaient perdu leur mère ; à l'adolescence, ils s'enivraient le jour de la fête des Mères et des Pères dans le sous-sol des uns et des autres ; ils veillaient l'un sur l'autre et restaient unis, car tous avaient vécu quelque chose que les enfants ne devraient pas connaître.

C'était l'une des raisons pour laquelle le départ de Polly vers les Cornouailles avait été un véritable choc pour tout le monde. Par chance, Kerensa s'y était également installée et elles avaient gardé le contact. C'était aussi pour cette raison que la situation présente était si atroce. Si Reuben découvrait tout et décidait de ne pas entendre parler du bébé, le cycle se répéterait, alors que Kerensa et Polly avaient tant envie de le briser.

Cela expliquait aussi pourquoi Polly avait énormément de mal à passer à l'étape suivante avec Huckle.

***

La petite maison mitoyenne rouge était, comme toujours, immaculée. Glace, la chatte de sa mère, dont le pelage était noir, mais qui avait le bout des pattes blanc, comme si elle les avait trempées dans du lait, était couchée sur le rebord de la fenêtre, derrière la moustiquaire, et observait attentivement Polly. Ce n'était pas une chatte affectueuse. Polly estimait que sa mère devrait plutôt avoir un petit chien comme les femmes âgées de Mount Polbearne, qui sauterait, japperait, serait content de la voir et lui donnerait des coups de langue et des câlins enthousiastes. Mais Glace se montrait digne de son nom et traitait sa mère – et le reste du monde – avec un dédain désinvolte.

Contrairement à la mère de Kerensa, Doreen n'avait jamais fréquenté d'autres hommes, alors qu'elle était bien conservée pour son âge (et quand bien même, songea Polly, beaucoup de gens refaisaient leur vie). Son existence s'était limitée à sa rue, à l'église, aux magasins du centre-ville. Polly ne savait pas si c'était une vie triste, mais elle était sans nul doute étriquée. Sa mère avait peur de tout : d'Internet, des transports en commun, des gens d'une autre couleur de peau – de tout. À l'inverse, les amis de Polly se lançaient des défis, élargissaient leurs horizons, voyageaient loin. Parce qu'ils savaient que la vie ne tenait qu'à un fil, ils la saisissaient à bras-le-corps au lieu de se tapir. Cette différence avait creusé un grand gouffre entre

Polly et sa mère. À vrai dire, elle ne pouvait même pas lui demander à quoi ressemblait son père, de crainte qu'elle ne se mette à pleurer.

Tout bien réfléchi, il ne valait donc mieux pas lui poser la question.

Ainsi, Polly fit rapidement un saut chez sa mère, pendant que Kerensa faisait des courses dans un grand magasin. Polly l'invita à se joindre à eux chez Reuben pour Noël et, bien entendu, Doreen déclina immédiatement. Puis elles restèrent assises dans un silence quasi absolu, et Polly eut le sentiment, comme toujours, qu'il y avait énormément à dire, mais qu'elles se parlaient peu. Elle avait envie d'interroger sa mère : « Devrais-je me marier ? Devrais-je avoir un enfant ? Cela en vaut-il la peine ? Qu'en penses-tu ? Est-ce que j'y arriverai ? Est-ce que j'en suis capable ? »

Mais Doreen n'avait rien à dire sur le sujet et Polly ne savait pas comment le lui demander.

Chapitre 13

La sonnerie du téléphone au beau milieu de la nuit était une chose affreuse.

Premièrement, il faisait tellement froid, et seule Polly allait se lever car Huckle était habitué à ce qu'elle ait des horaires étranges. Il était donc vain que Polly lui adresse de petits coups, même si, statistiquement parlant, il s'agissait très probablement des parents de Huckle qui avaient oublié une nouvelle fois le décalage horaire.

Et puis, il y avait aussi l'effet de panique. Polly sentait déjà son cœur battre bien trop vite. Ce devrait être interdit de téléphoner tard dans la nuit, à moins d'annoncer une bonne nouvelle, comme la naissance du bébé d'un ami en Australie ou quelque chose de ce genre. Or, Polly n'attendait aucune nouvelle de cette nature.

Elle sortit un pied du lit pour prendre la température. L'air froid fut aussi acéré qu'un couteau. Elle espéra qu'il n'y aurait pas de nouveau de givre à l'intérieur des fenêtres. Neil s'était essayé à dormir dans la cheminée.

Polly s'empara hâtivement de l'un des énormes pull-overs de Huckle et enfila ses UGG. Elle réprouvait fortement – et à juste titre, estimait-elle – les bottes fourrées d'un point de vue esthétique (elle avait vu un jour le cliché d'une star qui en portait sur ce qui semblait être une plage très chaude et, depuis lors, elle s'y opposait farouchement). Mais le climat des Cornouailles leur avait permis de se faufiler jusqu'à Polly, lorsque Kerensa lui en avait offert une paire, puisqu'elle en avait six et se désolait de ne plus pouvoir les mettre. Kerensa était jolie avec des UGG ; elle avait des jambes très fines. Ces bottes, selon Polly, ne seyaient pas aux femmes avec plus de formes.

Cependant, elles se révélaient très utiles dans pareille circonstance, songea-t-elle tandis qu'elle dévalait les escaliers en pierre glacés. Un jour, elle manquerait une marche, trébucherait et roulerait jusqu'en bas, mais pour le moment elle les connaissait par cœur : chaque partie écornée et usée que des générations de bottes de gardien de phare avaient patiemment arpentée.

La sonnerie du téléphone ne s'arrêtait pas. *Peu probable que ce soit une erreur, dans ce cas*, pensa tristement Polly. Sa mère allait bien, n'est-ce pas ? Elle l'avait vue quelques jours plus tôt, et cela ne lui ressemblait pas de veiller au-delà de vingt et une heures, à moins qu'*Inspecteur Barnaby* ne soit diffusé à la télévision – série que Polly jugeait entièrement contre-indiquée pour la nervosité de sa mère, qui n'appréciait pas qu'on lui fasse la remarque.

Le téléphone de Polly et Huckle était une antiquité dont ils avaient hérité avec le phare ; ses énormes boutons étaient autrefois reliés à la société de sauvetage en mer. Cet objet rétro, qui semblait sortir de l'équipement d'un espion des années 1960, était plutôt sympa et possédait une jolie sonnerie grave, qui tambourinait en ce moment même dans la poitrine de Polly tel un glas.

Elle décrocha avec angoisse.

— Allô ?

La voix à l'autre bout du fil semblait tremblante et nerveuse. Polly espérait du fond de son cœur que la personne lui commande une course en taxi, afin qu'elle puisse retourner se coucher. Ce ne fut pas le cas.

— Allô… Êtes-vous Polly Waterford ?

— Oui, répondit Polly en sentant un horrible frisson lugubre la parcourir. Qui est à l'appareil ?

— Je m'appelle Carmel.

La voix était chevrotante, mais grave. Ce prénom n'évoquait rien à Polly.

— Je… Je suis… une amie de votre père.

***

Son père. Polly se rappela lorsque, enfant, elle demandait à sa mère où était son père, qu'elle le dessinait à l'école et qu'on lui disait qu'il n'y avait rien à savoir – toutes les deux formaient une famille et c'était tout ce qui comptait, non ?

Polly répondait que, oui, bien entendu qu'elles formaient une famille et que c'était très bien – elle aurait dit n'importe quoi pour ne pas trop bouleverser sa mère et changer au plus vite de sujet, afin que l'ambiance demeure sereine, calme et joyeuse.

Puis, quelques années plus tard, elle se rendait dans la cuisine pour préparer une nouvelle fournée de pain et pétrissait la pâte avec tant de rage que ses articulations en devenaient toutes blanches.

Elle savait que ses parents avaient été ensemble très brièvement, que son père avait coupé les ponts avant sa naissance et qu'il leur versait un peu d'argent à condition de ne jamais se voir (condition que Polly jugeait particulièrement cruelle). Doreen affirmait souvent qu'elle ne voulait pas de son maudit argent, mais elles en avaient évidemment besoin.

C'était tout ce que Polly connaissait de lui. Elle ne savait pas où il vivait, ni à quoi il ressemblait, ni quelle avait été sa relation avec sa mère. Elle n'avait jamais reçu de lettre ni de cadeau de sa part. Elle imaginait que c'était un jeune frimeur qui était venu en ville, s'était amusé et n'avait sans doute plus jamais repensé à cette histoire.

En grandissant, Polly s'était demandé pourquoi sa mère n'avait jamais rencontré quelqu'un d'autre. Doreen avait seulement vingt ans quand elle avait eu Polly ; elle avait encore tout le temps de refaire sa vie. C'était bien ce que les gens faisaient, non ? Polly ne pensait pas que son père avait été violent, et elle savait qu'ils ne s'étaient pas mariés. C'était comme si sa mère était restée coincée sur cette histoire qui lui était arrivée très jeune (elle était tombée enceinte d'un homme qui avait pris le large), comme si cela s'était déroulé en 1884, et non en 1984.

Durant sa scolarité, Polly avait vu nombre de parents de ses amis se remarier ou se remettre en couple (pour certains, plus d'une fois même), pour leur plus grand bonheur souvent. Mais sa mère n'avait jamais eu cette chance.

Adolescente, Polly avait cherché son père sur Internet, mais chaque fois qu'elle trouvait un résultat plausible (Tony Stephenson était un nom courant, contrairement à Waterford, qui était le patronyme de sa mère), elle avait paniqué et n'avait pas osé aller plus loin.

Elle ne savait pas ce qu'elle était susceptible de découvrir. Et s'il avait toute une famille qui ressemblait à Polly mais auprès de laquelle il était resté, qu'il aimait ? Que ressentirait-elle ? Auraient-ils envie de faire la connaissance de Polly ? Représentait-elle aux yeux de son père autre chose qu'un prélèvement automatique oublié depuis longtemps ? Lui arrivait-il de penser à elle ? Ou était-elle seulement une nuit de plaisir dont il se souvenait à peine, trop occupé désormais à passer des Noël heureux et animés autour d'une flambée avec tous ses autres enfants, pendant que Polly était avec sa mère, ses grands-parents et parfois son embarrassant oncle Brian et regardait BBC One, la seule chaîne digne de confiance selon ses aïeuls ?

L'école avait tellement aidé Polly qu'elle pouvait dire que son père était mort, cela ne faisait pas une grande différence. Ensuite, elle s'était investie dans son entreprise avec son ex, Chris, puis avait fait le choix surprenant de s'installer dans un endroit reculé, où faire quelque chose d'aussi basique que de préparer des pains pour gagner sa vie – quelque chose qui comptait vraiment pour elle – lui procurait tant de bonheur. Toutes ces choses avaient complètement métamorphosé Polly, qui était trop occupée à mener sa vie pour continuer à se soucier de son père. Parfois, quand elle apercevait un homme prendre tendrement sa fille pour la porter fièrement sur ses épaules, il lui arrivait d'avoir un petit pincement au cœur, mais trop de temps s'était écoulé désormais pour éprouver une grande souffrance. Certaines personnes avaient deux parents, d'autres en perdaient un ; chacun avait une histoire différente. Mais on ne peut pas perdre ce qu'on n'a jamais eu, et Polly refusait de laisser cette absence entraver son bonheur.

Enfin, c'était ce qu'elle pensait, jusqu'à cet instant – jusqu'à cet appel téléphonique.

***

— Je suis vraiment désolée, déclara la voix. C'est que… je crains qu'il n'aille pas bien. Et il vous réclame.

Polly sentit sa gorge se nouer.

— Où êtes-vous ?

— Nous vivons à Ivybridge.

Le Devon, le comté voisin des Cornouailles. Tout proche donc. À quelques kilomètres, dans le fond. Pendant tout ce temps. Peut-être avait-il vu Polly dans le *South West Post*, le journal qui lui avait consacré un article l'an passé. L'avait-il lu et pensé à elle ? Ou… Eh bien, qui sait ?

— Où, exactement ? balbutia Polly.

— À l'hôpital, répondit la voix tremblante. Il est à l'hôpital de Plymouth.

Polly cligna des yeux. Elle fut envahie par une vague d'émotions, sans bien les saisir. Puis elle comprit. Il s'agissait d'un mélange d'inquiétude et de tristesse, mais surtout de colère. Comment osait-il entrer dans sa vie à cet instant en lui faisant une demande pareille ? Comment pouvait-il oser ?

Il y eut un silence à l'autre bout du fil. Puis la voix reprit ; elle était douce, avec un léger accent gallois.

— J'aimerais… Je suis certaine qu'il… Polly, je vous demande pardon. Je comprendrais entièrement que vous refusiez.

La colère de Polly enflait.

— Qui êtes-vous ? la questionna-t-elle avec une certaine rudesse.

Polly sentit à cet instant une main sur son épaule. C'était Huckle, ensommeillé et confus devant son expression courroucée. Elle posa sa main sur la sienne et la serra pour le remercier de son geste, puis le chassa d'un regard grave.

— Je… je suis sa femme, répondit la voix.

— D'accord. Donc, il vous a épousée et vous vous rendez compte que vous le connaissez mal ? Il n'a pas pris la peine de vous raconter ces choses jusqu'à ce qu'il finisse un jour par assumer ? De vous dire qu'il avait déjà une fille ? Cela ne lui avait pas traversé l'esprit ?

— Non… Non. Nous sommes mariés… (Un sanglot étrangla la voix de la femme.) Nous sommes mariés depuis trente-cinq ans.

Polly en avait trente-trois. Tout lui apparut alors clairement.

Chapitre 14

Il était quatre heures trente du matin. Polly se serait levée d'ici peu de toute façon. Elle se sentait perdue. Elle n'avait pas téléphoné à sa mère. Ni à personne d'autre. Blottie dans les bras de Huckle, elle espérait pouvoir y rester pour toujours et ne plus jamais devoir bouger. Le corps de son fiancé, son odeur agréable fermement enveloppée autour d'elle – c'était l'endroit le plus sûr au monde, le seul endroit où elle avait envie de se trouver.

Polly posa sa tête contre les poils dorés de la poitrine de Huckle et soupira. Celui-ci était au courant pour le père de Polly, bien entendu, ou du moins il en savait autant qu'elle, c'est-à-dire peu. Sa famille à lui était bruyante et affectueuse et, à part son frère Dubose, le vilain petit canard, ils semblaient gentils et plutôt normaux ; aussi, Polly ne savait pas s'il pouvait la comprendre. Ce n'était pas comme si elle perdait un père, comme si elle perdait un être cher. C'était une sensation des plus étranges : elle avait plusieurs choses en commun avec une personne qu'elle ne connaissait pas (sa couleur inhabituelle de cheveux, par exemple, ne venait pas du tout du côté de sa mère). Elle était la moitié d'une personne qu'elle n'avait jamais rencontrée.

La plupart du temps, Polly ne pensait même jamais à lui. Cela lui arrivait parfois. Mais jamais elle n'était partie à sa recherche ; jamais elle ne s'était particulièrement intéressée à assembler les pièces du puzzle. Certains de ses amis d'enfance l'avaient fait et, en général, ils avaient été amèrement déçus, tout en bouleversant par la même occasion le parent qui les avait élevés. Ce n'était pas comme si Polly avait des souvenirs. Cet homme avait mis sa mère enceinte, c'était tout.

Et voilà qu'à présent il l'avait retrouvée. Huckle était aussi d'avis que ce devait être lié à l'article paru l'an passé (une gentille journaliste était venue interroger Polly sur son van et l'avait recommandée à tout le monde ; Polly avait eu l'impression d'être la sensation du coin le temps d'une semaine).

Il devait l'avoir lu. Ce devait être ça.

Polly cligna vivement des cils, puis regarda Huckle dans les yeux.

— Qu'est-ce que tu en penses ? Est-ce que je devrais aller le voir ?

Huckle haussa les épaules.

— C'est à toi de décider.

Neil s'était réveillé et avait, comme à son habitude, traversé d'un pas raide le plan de travail de la cuisine, laissant sur son passage des empreintes de pas toutes enfarinées. Il grimpa sur l'épaule de Polly ; comme s'il devinait toujours quand elle avait besoin qu'il la réconforte.

— Ne me dis pas ça ! Conseille-moi dans un sens ou dans l'autre, ça m'aidera à prendre ma décision !

— OK. Alors, je pense que tu devrais y aller.

— Mais je n'ai pas envie d'y aller ! Il n'a jamais eu envie de me connaître ! Il ne s'est jamais soucié de moi ! Pas une seule carte pour Noël, rien !

— D'accord. Alors, n'y va pas.

— Mais c'est peut-être mon unique chance de rencontrer le seul père que j'aurai de toute ma vie !

Huckle étreignait toujours fermement Polly, quand bien même Neil lui soufflait au visage des exhalaisons de poisson.

— OK. Alors, vas-y.

— Mais je ne lui dois rien du tout ! Tu sais, ma mère a passé toute sa vie dans la même maison. Il devait savoir où la trouver. D'ailleurs, je pense que c'est pour cette raison qu'elle n'a jamais déménagé. Et pas une seule fois, il n'a pris la peine de…

Huckle hocha la tête.

— Tu as raison. N'y va pas.

Polly se recula.

— Tu ne sers vraiment à rien.

— Oui, je sais.

Polly inspira profondément.

— Très bien. Je sais ce que je vais faire.

— Décider à pile ou face ?

— Non. Je vais prendre le van et aller jusque là-bas. Et une fois devant l'hôpital, je verrai si je sais quoi faire.

— Donc tu choisis de décider plus tard ?

— Je vais y réfléchir pendant que je conduis. Je vais appeler Jayden pour le réveiller ; il pourra demander un coup de main à Selina.

Polly attrapa son gros anorak, qu'elle s'apprêtait à enfiler par-dessus son pyjama.

— Par contre… avança prudemment Huckle, si tu décides de voir ton père, je pense que tu préférerais ne pas y aller en pyjama. Mais bon, si c'est ton choix, c'est très bien aussi.

— Arf. Tu as raison.

Pendant que Polly se précipitait à l'étage pour se changer, Huckle attrapa un tee-shirt propre et se rinça le visage à l'évier.

— Qu'est-ce que tu fabriques ? lui demanda Polly quand elle le découvrit habillé en redescendant.

— Je vais t'emmener.

— Hein ? Non, ça va aller. Et si je change d'avis ? Tu auras perdu ta journée.

— Oui, mais pour quelque chose qui pourrait être important. Tu as le droit de changer d'avis. Mais ça ne me plaît pas que tu réfléchisses à toute cette histoire en conduisant. Je n'aime pas ça.

— Tu sais que si tu prends la moto…

— Oui, je sais.

Neil adorait le side-car.

— Il se peut encore que je change d'avis.

— Eh bien, magne-toi de te décider, car la marée monte.

***

Les minces lueurs de l'aube apparaissaient lorsqu'ils franchirent bruyamment la chaussée dangereuse. Il était strictement interdit de l'emprunter la nuit, mais personne ne respectait cette règle. Huckle guida prudemment la moto et son side-car bordeaux *vintage* sur les pavés, tandis que la mer venait lécher les bordures de cette voie étroite.

Il faisait un froid glacial dans le side-car, même sous la bâche imperméable ; Polly cacha ses mains dans les manches de son pull. Ses cheveux qui dépassaient du casque rétro flottaient au vent. Neil était bien évidemment indifférent au froid. Quant à Huckle, il se concentrait sur la route glissante et périlleuse. Polly se pelotonna sous ses couches de vêtements et observa le lever du soleil tout en savourant la sensation de vitesse et le calme désert de la route qui s'étirait devant eux. Pas tout à fait désert, bien entendu : à cette heure matinale, on croisait de loin en loin des agriculteurs sur leur tracteur, les livreurs de lait, les facteurs et, bien entendu, les boulangers. Le phare brillait derrière eux (Polly l'avait à peine remarqué ces jours-ci), avant de s'éteindre lorsque le rose se diffusa dans le ciel et que le jour fut pleinement là.

C'était trop bruyant pour parler. Alors, de temps en temps, Huckle tournait la tête pour vérifier que Polly allait bien ; elle le rassurait d'un clignement d'yeux et il continuait sa route.

Allait-elle vraiment bien cependant ? Elle était toute raide dans le side-car, à essayer d'analyser ses sentiments. *Tout cela était-il lié ?* s'interrogeait-elle. Le fait qu'elle repoussait sans cesse Huckle dès qu'il abordait le sujet des enfants. Elle lui rétorquait qu'ils étaient trop pauvres, ou trop occupés… mais était-ce vrai ? Ou tout cela était-il dû au fait qu'elle ne sache pas ce que signifiait « former une famille » ? Du moins, pas une famille « au complet ». Elle ne savait pas ce qu'on attendait d'un père.

Soudain, comme sorti de nulle part, lui revint un souvenir désagréable. Quand elle était très jeune (elle devait être au CP), elle s'était entichée du gardien de l'école et on lui avait demandé de ne plus s'accrocher à ses jambes, ni de le suivre partout. Même à cet âge tendre, elle avait été éperdument humiliée lorsque la directrice s'était entretenue gentiment, mais fermement avec sa mère et l'avait priée de veiller à ce que cela ne se reproduise plus.

Cette histoire ne représentait finalement rien d'autre qu'un désir sublimé d'attachement à une figure paternelle, se dit-elle à présent.

Et chaque fois qu'elle avait cessé de penser à son père ou avait tenté de s'en détacher, cela avait-il changé la donne ? Tout effacé ? Bien sûr que non. Ce n'était pas parce que Polly arrêtait de ruminer ces choses qu'elles se dissipaient. Elle remettait seulement au lendemain d'affronter la réalité, puis encore au lendemain.

Or, ce jour était enfin arrivé.

Polly se rendit compte qu'une partie d'elle était flattée, se sentait étrangement reconnue. Comme si, *oui, tu pensais bel et bien à moi. Je comptais à tes yeux, quoi que tu en dises (ou ne dises pas), bien que tu n'aies pas fait attention à moi ou n'aies pas pris contact avec moi. J'étais là tout ce temps. J'existais pour toi. J'étais réelle à tes yeux.*

Mais cela importait-il en fin de compte ?

Le cœur de Polly battait dangereusement vite.

Elle devait voir cet homme. Non ? Mais dans quel état serait-il ? Peut-être délirait-il. Peut-être n'avait-il plus toute sa tête.

Et qu'en penserait sa mère ? Cette chose terrible, ce tabou, comment allaient-elles surmonter cela ? Polly pouvait peut-être ne pas lui en parler. Mais se taire n'alourdirait-il pas les secrets de famille qui pesaient déjà si cruellement sur elles ; qui attristaient encore si fortement le cœur de sa mère après toutes ces années ?

Polly poussa un long soupir, mais Huckle ne l'entendit pas. Le jour était désormais bien là. Une belle journée d'hiver typiquement anglaise s'annonçait, avec le soleil qui se levait doucement au-dessus des champs recouverts de givre, où paissaient les bêtes ; une pause pour la végétation alors que le monde retenait sa respiration en attendant Noël, cette période la plus sombre et la plus calme – ou du moins qui était censée l'être –, avant l'explosion du printemps. C'était plutôt joli.

Huckle et elle pourraient aller ailleurs : admirer les vagues glaciales se fracasser ; trouver un hôtel déserté hors saison ; manger des gaufres devant une belle flambée. Jayden pourrait la remplacer à la boulangerie, et ce ne serait pas trop compliqué de convaincre Huckle de s'évader pour la journée. Ils pourraient passer un moment agréable, en tête à tête.

Mais comment en serait-elle capable, quand son père accaparait ses pensées ?

Huckle et Polly approchèrent des alentours animés de Plymouth, déjà obstrués de banlieusards à la mine contrariée – était-ce pire, se demanda Polly, d'aller au travail par une journée morose ou ensoleillée ? Elle ne s'était jamais fait cette réflexion lorsqu'elle se rendait en voiture à l'atelier de graphisme qu'elle dirigeait avec Chris. Circulation, stationnement et énervement. Ses trajets ressemblaient à cela à l'époque. Désormais, elle courait trente mètres le long d'un quai pavé, avec des plateaux de petits pains chauds dans les mains.

Elle observa les conducteurs courroucés, dont la plupart tournèrent la tête pour regarder la moto (celle-ci attirait toujours l'attention où qu'ils aillent). Ils paraissaient stressés, leurs épaules et leur corps tendus au-dessus du volant ; des enfants bruyants et indisciplinés à l'arrière ; des radios hurlant à tue-tête.

C'était drôle, se dit Polly. Quand elle pensait à quel point c'était difficile d'être indépendant (le nombre d'heures, l'aspect administratif, les inquiétudes qui empêchaient de trouver le sommeil), elle n'avait jamais envisagé qu'elle ne devait plus aller au travail et combien elle en était soulagée.

Huckle et Polly patientèrent dans la circulation dense et arrivèrent enfin à l'hôpital. Il n'y avait nulle part où se garer, alors Huckle s'arrêta sur le bas-côté enherbé : personne ne se préoccuperait d'une moto, même si elle était aussi large qu'une petite voiture. Il coupa le moteur et, soudain, le monde parut beaucoup plus calme.

Polly se mit à trembler. Elle se sentait terriblement mal. Elle aurait dû manger avant de partir. Ou peut-être aurait-ce été pire. Huckle cligna des yeux. Même ses clignements d'yeux, pensait parfois Polly, étaient gentils.

— Eh bien ? dit-il de cette voix traînante qu'elle aimait tant. Quelle est ta décision ?

Polly resta assise, complètement immobile. Huckle n'éprouva pas la nécessité de combler le silence, ni de préciser ce qu'il ferait à sa place. Cela lui convenait parfaitement d'attendre, ou de l'accompagner, selon ce qu'elle désirait. Mais s'il avait eu vent de son idée d'escapade et de pique-nique, il aurait sans doute préféré cette option.

Enfin, Polly se tourna vers lui, le visage pâle et inquiet.

— Nous sommes… Enfin… J'imagine que maintenant que nous sommes là…

Huckle haussa les épaules.

— Ce n'est pas grave.

— Mais je… je ne sais pas ce que je suis censée faire. Je n'ai pas la moindre idée de ce que je suis supposée ressentir. Il y a trois heures, je pensais que je n'avais pas de père, ou plutôt que ça n'avait pas d'importance. Il y a trois heures, je menais une vie parfaitement heureuse.

— Ça fait plaisir à entendre, déclara Huckle, qui poliment ne mentionna pas la mauvaise humeur dans laquelle la mettait Noël, ou la réserve de macareux.

— Mais maintenant… tout est tourneboulé.

— *Pi-ouit*, fit Neil.

— Merci, lui dit Polly.

Huckle se retint de lever les yeux au ciel.

Polly s'extirpa avec raideur du side-car. Ce n'était pas la plus simple des manœuvres. Elle étira ses jambes.

— Alors ? l'interrogea Huckle.

— Bon. Qui ne tente rien…

— Tu es très courageuse.

— Je suis une imbécile.

— Est-ce que tu veux que je t'accompagne ?

— Oui. Non. Oui. Non.

— Ne recommence pas.

Polly poussa un gros soupir.

— Je crois que c'est quelque chose que je dois faire toute seule. Peut-être. Au cas où tout se passerait mal.

— D'accord, acquiesça Huckle. Oh. Écoute… Je sais que ce n'est pas vraiment le moment, mais… je t'ai acheté quelque chose. Enfin, c'est quelque chose que je te devais. Selina l'a fait pour moi. Enfin… pour toi. Pour nous.

Polly cligna des yeux, ne saisissant pas.

— De quoi tu parles ?

Huckle lui tendit une petite boîte.

— J'avais prévu de te l'offrir à Noël. Mais j'ai décidé que je ne pouvais pas attendre.

— Quand est-ce que tu as décidé cela ?

— Il y a cinq minutes. J'ai pris une décision quand, toi, tu n'arrivais pas à te décider !

Polly s'empara de l'écrin et l'ouvrit délicatement.

C'était une magnifique bague de fiançailles. L'argent travaillé figurait un entremêlement d'algues, à l'image de la bague avec laquelle Huckle avait fait sa demande en mariage. Elle était précieuse, originale et leur ressemblait totalement. Soudain, Polly aima ce bijou plus que tout au monde.

— Oh ! fit-elle en passant la bague à son doigt – elle lui seyait à merveille. Je l'adore !

— Cela va très bien avec… hum, ce que tu portes.

Polly s'était en effet habillée à la hâte. Elle avait le regard rivé sur la bague, les yeux pleins de larmes.

— Tu fais partie de ma vie, Huckle, déclara-t-elle lentement. Et cette partie est la plus importante. Tu devrais peut-être venir après tout.

— La chose que j'aime le plus chez toi, ironisa Huckle, c'est ta capacité à te décider !

Polly ne sourit pas, les yeux toujours sur la bague, et elle secoua la tête. Elle s'exprima enfin :

— D'accord, reste alors. Occupe-toi de Neil. Je t'appelle si j'ai besoin de toi.

Huckle la prit dans ses bras et elle blottit une nouvelle fois le visage contre son torse.

— Tu es sûre de toi ?

Elle fit oui de la tête et esquissa timidement un sourire.

— Si je sors en criant « Appuie sur le champignon ! », on fuit le pays, d'accord ?

— D'accord.

Huckle observa la petite silhouette de Polly, qui paraissait esseulée, disparaître dans le gigantesque hôpital. Elle avait la tête haute ; à son allure, personne ne pouvait deviner le tourment qui la torturait. *C'est ma nana*, pensa Huckle.

Neil piailla d'un ton interrogateur.

— Moi non plus, je ne sais pas, lui dit Huckle, qui laissa sa moto sur le bas-côté et partit en quête d'un café.

Chapitre 15

C'était un peu absurde, se dit Polly lorsqu'elle chercha Carmel (elles avaient convenu qu'elle devait l'attendre près de l'entrée), que cela ne lui ait pas traversé l'esprit qu'elle puisse être noire. Polly devait vivre depuis trop longtemps à la campagne. Cela n'avait aucune espèce d'importance cependant. La femme à la voix douce et aux cheveux ras s'avança vers Polly. Elle avait les traits tirés.

— Pardon. Excusez-moi, êtes-vous… Êtes-vous Polly ?

Elle y était, songea quelques instants plus tard Polly. C'était la dernière chance ; sa dernière occasion. Elle aurait pu mentir et dire « Non, désolée, vous devez faire erreur ». Elle aurait pu simplement tourner les talons et ressortir dans la délicieuse matinée de décembre.

Les mains de la femme tremblaient, remarqua Polly. Presque tout autant que les siennes, qu'elle avait enfoncées dans les poches de son jean.

Polly s'éclaircit la voix.

— Oui, dit-elle doucement. Oui, c'est moi.

***

L'hôpital était gigantesque. Des couloirs blancs interminables, tous avec le même éclairage. Cela rappela étrangement à Polly un navire, où l'équipage se composerait d'hommes et de femmes en blouse verte ou blanche et qui voguerait – eh bien, vers où ? De la naissance à la mort, supposa-t-elle. Le voyage de la vie. Des femmes enceintes faisaient lentement les cent pas et croisaient parfois le chemin de personnes âgées ; des patients étaient poussés dans leur fauteuil roulant, avec pour certains des membres amputés, pour beaucoup le visage gris et livide. Carmel semblait ne pas y prêter attention. Toutefois, elle n'essayait pas désespérément de traîner le pas comme Polly, d'allonger les minutes avant que ne s'engage une sorte de Jugement dernier.

— Il vous a vue dans le journal, expliqua Carmel. Il a fixé l'article pendant une éternité. Je ne comprenais pas ce qui lui arrivait.

Elle dévisagea Polly, intensément, avant de pousser un petit rire.

— Qu'est-ce qu'il y a ? demanda Polly, décontenancée.

Elle tripotait sa nouvelle bague, son talisman pour lui rappeler que tout n'allait pas si mal, quand bien même la situation présente était étrange.

— Vous… Enfin, c'est incontestable. Vous vous souvenez quand Boris Becker a eu un bébé dans un placard à balais ?

Polly ne dit rien et le visage de Carmel se décomposa.

— Je suis vraiment désolée. Je suis nerveuse, c'est tout. (Carmel eut la gorge nouée.) Je savais que je dirais quelque chose qu'il ne fallait pas. Je suis sincèrement navrée. Je… (Elle regarda de nouveau Polly, puis détourna les yeux en secouant la tête.) Vous savez, avant cet article… et avant qu'il ne tombe malade… je n'avais aucune idée de votre existence.

Polly n'avait pas envie d'entendre cette vérité, mais voilà qu'elle était dite. Polly était invisible. Il l'avait complètement effacée de sa vie, ainsi qu'elle l'avait toujours pensé. Elle s'arrêta net au milieu du couloir.

— Vous ne saviez pas ?

Carmel se planta à côté d'elle.

— Non. Je le sais depuis deux semaines seulement.

— Vous n'aviez jamais entendu parler de moi ?

Carmel fit non de la tête.

— Je croyais qu'il me racontait tout. (Elle marqua une pause.) J'avais tort, apparemment.

— Qu'est-ce qu'il vous a dit ?

Carmel soupira.

— Oh, Polly, je ne voudrais pas… Vous savez, par rapport à votre maman…

— Oubliez ma mère, rétorqua Polly, qui tremblait de colère. Comme lui l'a fait. Expliquez-moi. Qu'est-ce qu'il vous a dit ?

— Que c'était une aventure d'un soir. Il était VRP. Il m'a dit que c'était arrivé comme ça… (Carmel jeta un coup d'œil à Polly.) Nous nous sommes mariés très jeunes. Il partait en déplacement. Sa famille… Ils n'ont pas accepté au départ qu'il m'épouse. Les choses étaient un peu différentes à l'époque.

Polly acquiesça d'un signe de tête.

— Il s'est rangé, vous savez. Après les enfants. Simplement, il s'était marié jeune, il était bel homme, et les occasions ne manquaient pas…

Carmel donnait l'impression de chercher à se convaincre.

— Ma mère n'était pas une « occasion », s'offusqua Polly, avec une colère à peine dissimulée.

Le personnel soignant et les patients devaient contourner les deux femmes, figées au milieu du couloir.

Carmel haussa les épaules.

— Non. Non. Je vous demande pardon. Je m'exprime mal encore une fois. Vous avez raison. C'était que… Je suis sincèrement désolée. Je crois que ce sont des choses qui arrivent tout simplement.

— Vous voulez dire que je suis une chose qui arrive ?

— Oh ! la la ! se lamenta Carmel. Je ne fais qu'empirer les choses. Pardon. Vous devez comprendre que cela a été autant un choc pour moi que pour vous. Et quand il vous a aperçue dans le journal… Il était déjà malade, il a poussé le plus grand soupir qui soit. Comme si c'était un poids sur sa poitrine. Je n'ai jamais vu personne se confondre autant en excuses.

Polly cligna des yeux, prise de colère.

— J'imagine qu'à l'époque il n'y a pas eu qu'un mot d'excuse, cracha-t-elle. Il a sans doute proposé de se débarrasser de moi.

Carmel fixa le regard droit devant elle.

— Je n'en sais rien.

Polly repensa au visage de sa mère : si perpétuellement las, déçu par le monde. Elle essaya d'imaginer ce qui avait dû se passer lorsque Doreen s'était rendu compte de sa grossesse. Avait-elle consulté un médecin ? Vingt ans, mais si couvée, vivant encore chez ses parents ; elle avait dû être terrifiée.

Était-elle allée le trouver à son travail quand elle avait appris la nouvelle ? Était-elle allée chez lui, pour être accueillie par sa superbe épouse, très élégante, et s'était-elle dégonflée ? S'était-elle ensuite traînée jusque chez elle, des larmes ruisselant sur son visage, tous ses espoirs et ses rêves d'avenir brisés, réduits à néant par la folie d'une nuit ; une nuit dont le supposé père de Polly prétendait à peine se souvenir ? Une nuit qui signifiait exactement ce qu'elle avait toujours soupçonné : rien. Rien du tout. Elle, Polly, ne représentait rien.

— Non, s'insurgea brusquement Polly, la bile lui montant à la gorge. Non. Je ne peux pas le voir. Je ne peux pas.

Puis elle pivota sur elle-même au milieu du couloir rutilant et courut contre le flot de gens qui entraient, pour retrouver cette belle et glaciale journée d'hiver.

Huckle venait de se prendre un café. Assis à profiter du soleil, il donnait des miettes d'un croissant très médiocre à Neil lorsqu'il aperçut Polly, à moitié aveuglée par les larmes, ses cheveux blond vénitien, qui dévalait les marches de l'hôpital, comme une rafale. Il se leva pour la prendre dans ses bras.

— Est-ce que tu l'as vu ?

Polly fit non de la tête en silence, tout en mouillant la veste de Huckle, mais il s'en moquait.

— Ça va aller, lui répétait-il encore et encore. Ça va aller.

Huckle ne dit rien d'autre. Il l'aida calmement à monter dans le side-car, lui mit une couverture et cala Neil sur ses genoux, qui se pelotonna et s'endormit, ce qui la réconforta autant que des paroles. Puis Huckle les reconduisit prudemment jusqu'en Cornouailles. Polly admira cette splendide journée givrée en observant les feuilles voler sur la route. Elle souhaita de tout son cœur que ce moment ne soit jamais arrivé, qu'elle puisse tout effacer, qu'elle n'ait pas à se souvenir de la gentillesse embarrassée et terrifiée du visage de Carmel.

Chapitre 16

— Oh, comme ils sont beaux, déclara la vieille Mrs Larson quelques jours plus tard.

Polly considérait ses tortillons de Noël avec un regard critique : elle leur avait donné une forme de houx, agrémenté la pâte de raisins secs et de cannelle et les avait garnis de *mincemeat*, cette spécialité anglaise composée de fruits secs, de pommes et d'épices. Ils étaient délicieux ; extrêmement gourmands, mais très faciles à préparer. Elle avait prévu d'en faire une grande quantité pour la famille de Reuben, ainsi qu'une fournée pour cette fichue fête de Noël, qui devait se tenir le samedi. Mais, pour le moment, elle en avait rempli une petite boîte, en vue de la visite qu'elle allait rendre à sa mère. Elle devait la voir.

Elle avait prévu d'emmener Kerensa ; elle détournerait bien l'attention. Enfin, en temps normal, Kerensa remplissait parfaitement cette fonction car elle était un vrai moulin à paroles, à la gaieté contagieuse, mais, actuellement, elle était très repliée sur elle-même, cherchait en secret sur Google des choses comme « test de paternité prénatal » et pleurait devant des émissions de talk-show. Reuben, occupé et distrait comme à son habitude, soit ne remarquait rien, soit soutenait que tout allait formidablement bien, ce qui n'était d'aucune aide. De plus, Kerensa était réellement énorme à présent et soupirait constamment d'inconfort.

Elles se garèrent devant le petit logement social bien entretenu de Doreen, où Polly avait grandi. Dans la rue, les maisons appartenaient soit à la ville, soit à des propriétaires privés. C'était facile de les distinguer : la porte d'entrée des maisons particulières était fraîchement repeinte. Polly avait malgré tout passé une enfance heureuse dans cet endroit. Doreen ne se préoccupait pas que sa fille aille et vienne à son gré, qu'elle aille sauter à la corde chez les voisins, regarde *Top of the Pops* chez ses amis les soirs d'été, achète des glaces au vendeur ambulant et prépare des tartines grillées. C'était un petit havre de bonheur pour Polly ; il lui avait fallu beaucoup de temps pour comprendre que ce lieu était triste pour sa mère, qu'elle avait nourri d'autres espoirs.

Doreen avait été si fière que Polly aille à l'université – et si déçue quand elle avait renoncé à un travail de bureau pour ouvrir une boulangerie, contre toute attente. Peu importait que Polly lui ait longuement expliqué qu'elle était beaucoup plus heureuse aujourd'hui, qu'elle se sentait incroyablement chanceuse de travailler dans ce cadre agréable, avec des personnes adorables. En ce qui concernait Doreen, c'était incompréhensible ; vivre dans un phare était une idée ridicule et, étant donné les sacrifices qu'elle avait faits pour élever seule Polly, la voir tout gâcher dans des gâteaux, avec un Américain sans travail décent et un oiseau de mer lui inspirait une certaine tristesse.

Polly soupira. Sa maison d'enfance ne la déprimait pas ; Doreen, en revanche, en était fort capable.

— Faisons-la boire, lui suggéra Kerensa, qui avait admiré la bague de Polly, avant de se rembrunir un peu : Reuben lui achetait beaucoup de bijoux, mais elle n'en supportait aucun actuellement. Je suis sérieuse. Saoulons-la. Elle parlera, comme ça.

— Toi, tu veux que les gens fassent ce que tu ne peux pas faire !

Doreen buvait très rarement. Elle ne voyait pas cela d'un bon œil et estimait que le joyeux penchant de Polly et Kerensa (quand celle-ci n'était pas enceinte) pour le pinot gris était la marque d'une faiblesse de caractère.

— Faisons-lui croire que c'est du jus de fruits, un blanc limé ou un truc dans le genre. C'est la seule solution. (Kerensa, qui avait insisté pour qu'elles achètent deux bouteilles, les considéra d'un œil triste.) J'aurais aimé pouvoir me saouler. Me saouler et penser à autre chose, nom d'un chien.

Polly lui tapota l'épaule avec compassion.

— Écoute. Tu ne sais pas. Personne ne sait. Ne t'en fais pas. Une fois le bébé là, tout le monde l'adorera et lui trouvera des ressemblances avec Reuben. Et tu seras comblée d'amour, tout ira parfaitement bien et vous formerez une famille. Franchement. C'est comme ça que tu dois voir les choses.

— Et s'il naît avec un gros monosourcil noir ? Oh ! la la ! Oh, bon sang. Mais où avais-je la tête ? Sérieusement, si un jour j'ai de nouveau une foutue nuit de passion sans lendemain – ce qui ne risque pas d'arriver si j'ai la chance de m'en tirer, ce que je ne mérite pas, pas la peine de le souligner, je me le reproche bien assez comme ça toute seule, crois-moi…

— Et donc ?

— Eh bien, assure-toi que ce soit avec un petit roux qui a des taches de rousseur, déclara Kerensa d'un ton désespéré.

— Je te surveillerai de près si jamais on va en Écosse, plaisanta Polly, alors qu'elles attendaient devant la porte à l'état irréprochable. Allez, viens.

— Quelle est la stratégie alors ?

— Maintenant que tu me le demandes… Je n'en sais rien. Contente-toi de lui servir du vin et on avisera.

— Tout va bien se passer, affirma Kerensa.

***

Doreen ouvrit la porte avec prudence comme à son habitude, comme si elle s'inquiétait de qui se trouvait derrière, alors même qu'elle attendait la visite de Polly et Kerensa.

— Est-ce que tu es venue avec ton oiseau ? s'enquit-elle nerveusement.

Polly avait présenté Neil à Doreen un jour. La rencontre ne s'était pas bien déroulée. Quand Doreen avait demandé à Polly s'il allait faire ses besoins, celle-ci lui avait rétorqué : « Oh, il porte une couche » ; Doreen l'avait crue, puis s'était montrée inquiète après s'être rendu compte de la boutade.

— Non, Maman, répondit Polly en l'embrassant sur la joue et en lui tendant sa boîte de tortillons.

— Qu'est-ce que c'est ?

— Des tortillons de Noël. J'ai testé une nouvelle recette.

— Et nous avons aussi apporté du vin ! s'exclama Kerensa en agitant les bouteilles. Vite, Doreen, où sont les verres ?

Doreen appréciait grandement l'amie de sa fille, même si elle l'intimidait un peu quelquefois.

— Tu es énorme, Kerensa, déclara sans ambages Doreen lorsque la jeune femme se faufila pour aller chercher les verres.

— Euh, oui, merci, répondit sèchement Kerensa.

Elle n'aimait pas qu'on lui fasse remarquer à quel point son ventre était gros. Cela la convainquait davantage encore que s'y cachait un Brésilien poilu d'un mètre quatre-vingts.

— Je fais surtout de la rétention d'eau, ajouta-t-elle.

— Tu as bu toute une piscine ou quoi ? demanda Doreen.

Polly et Kerensa se regardèrent. Cette remarque ne ressemblait pas du tout à Doreen, qui paraissait très enjouée.

— Alors, Pauline, comment ça se passe à la boulangerie ?

Polly s'efforça de ne pas lever les yeux au ciel. Elle détestait qu'on l'appelle Pauline. Elle avait le sentiment d'avoir trente ans de plus. En fait, elle n'avait rien contre ce prénom, mais il ne lui allait tout simplement pas. Pour elle, une Doreen et une Pauline avaient le même âge et ne pouvaient pas être mère et fille. Elle rêvait des jolis prénoms de ses amies : Daisy, Lily, Rosie… Même Kerensa était un vieux prénom traditionnel de la région. Pauline lui semblait terne et très sérieux. Le père de Doreen s'appelait Paul. Cela donnait donc l'impression qu'ils n'avaient fait aucun effort pour choisir son prénom. Polly savait que ce n'était pas vrai. Que sa mère l'aimait. Mais qu'il lui était difficile de l'extérioriser.

***

Les tortillons de Noël étaient délicieux, et Kerensa fut diabolique, s'appliquant à remplir le verre de Doreen dès qu'elle détournait le regard.

Doreen se leva pour apporter le « dîner » : une tourte du commerce réchauffée (mais encore congelée au cœur) et une salade composée mauvaise, quelconque et sans assaisonnement (de grandes tranches de tomates pleines d'eau, du concombre filandreux et de la laitue flétrie). Kerensa la regarda avec effroi. Polly y était habituée et s'en préoccupa peu. Ce n'était pas pour rien qu'elle s'était empressée d'apprendre à faire du pain dès qu'elle avait été en âge de se servir du four.

Doreen, qui n'avait pas l'habitude de boire, se détendit au bout de deux verres et se mit à glousser à partir du troisième.

— Bien entendu, quand j'étais enceinte… dit-elle soudainement.

Polly se raidit. Doreen n'évoquait jamais cette période de sa vie. Kerensa posa fermement sa main sur le genou de Polly d'une façon qui semblait signifier : « Je te l'avais bien dit. »

— Oui ?

Doreen pinça les lèvres comme pour s'empêcher de parler.

— Eh bien, les choses étaient différentes à l'époque.

— Non, non, continuez, l'encouragea Kerensa en brandissant la bouteille de vin. Racontez-moi. Je veux tout savoir. Est-ce que vous pleuriez tous les jours et aviez l'impression d'être une baleine ?

— Bah, je n'étais pas aussi grosse que toi.

— Bon, d'accord, merci.

— Mais oui. Je pleurais tous les jours. Sauf que c'est différent pour toi. Tu as une famille heureuse, beaucoup d'argent et tu connaîtras un bonheur sans nuage. Alors que ma Pauline et moi étions toutes seules, n'est-ce pas, ma chérie ?

— Avec Papy et Mamie, précisa Polly d'un ton gêné.

— Oui, oui. Mais tu sais, soupira Doreen, quand j'étais à la maternité (à l'époque, on y restait plusieurs jours après la naissance), Papy et Mamie me rendaient visite, mais pas mes amis, pas vraiment. Bon, c'est vrai que je n'avais pas beaucoup d'amis non plus. Quelques amis d'enfance, et cette femme avec qui je travaillais chez Dinnogs ; tous désapprouvaient, bien entendu. On pourrait croire que, dans les années 1980, les choses étaient un peu moins strictes… Mais non, pas chez Dinnogs. Je pense qu'encore aujourd'hui ils sont restés coincés dans les années 1950. Hors de question que je fasse mes courses là-bas. Jamais de la vie.

Doreen, le visage rose, but une autre gorgée de vin.

Polly balaya du regard la pièce, impeccable depuis les voilages jusqu'aux canapé et fauteuils à fleurs assortis. Sur le manteau de la cheminée était posée sa photo datant du CP : quelques dents en moins, ses cheveux d'un roux un peu plus vif avant qu'ils ne prennent une teinte blond vénitien, des taches de son allègrement parsemées sur son visage. Elle ressemblait à Fifi Brindacier. Et là, sur le mur, était accroché son diplôme de l'université de Southampton (Polly n'y tenait pas particulièrement, mais il était exposé à la vue de tous, bien que sa mère reçoive très peu de visites). Elle savait aussi qu'à l'étage sa chambre d'enfant n'avait pas changé d'un iota et que son lit était fait, au cas où elle voudrait rentrer à la maison.

Peu importait si, parfois, elles ne parvenaient pas à communiquer ; si sa mère n'avait jamais été d'une nature aussi chaleureuse que devaient l'être les autres familles.

Cette maison n'en restait pas moins chez elle. Comme elle l'avait toujours été.

Soudain, Polly n'eut plus envie de lâcher cette bombe. De chambouler plus que nécessaire la vie protégée et prudente de sa mère. Elle devait toutefois dire quelque chose. Depuis l'appel de Carmel, Polly ne faisait que penser à l'homme moribond dans un lit d'hôpital à quelques kilomètres de là. Un homme qui était son père biologique. Pas son père au sens plein du terme, mais néanmoins une partie d'elle. Il n'y avait qu'une personne sur Terre capable de lui dire ce qu'elle devait faire.

Kerensa versa davantage de vin dans le verre de Doreen. Elle n'avait pas été aussi pompette depuis des années ; elle ne cessait de ricaner et était toute rouge.

— Racontez-moi, lui demanda Kerensa. Vous savez, je n'ai personne. Ma mère dit qu'elle ne se souvient pas et Polly ne m'est d'aucune utilité.

— Oh, c'était il y a si longtemps.

— Ce n'est pas si vieux, protesta Polly.

— Racontez-nous ! insista Kerensa.

— Bon…

Kerensa, avec un certain manque d'élégance, se mit prudemment debout.

— Je vais faire la vaisselle, annonça-t-elle en adressant un clin d'œil à Polly. Mais je vous écoute !

— Non, non, je vais m'en occuper, s'affola Doreen, qui ne montra pour autant aucune volonté de se lever.

Kerensa jeta à Polly un regard sévère, suivi d'un nouveau clin d'œil appuyé.

— Maintenant, lui souffla-t-elle.

Polly remplit son verre à elle et se pencha en avant.

— Maman.

— Ce que Kerensa est rayonnante ! s'enthousiasma Doreen. Oh, sa mère a beaucoup de chance. Ce que j'aurais aimé être grand-mère. Elle s'en est bien sortie, hein ? Mais je n'aurais jamais cru que ce petit gars avait l'étoffe qu'il fallait !

Doreen ricana, puis hoqueta. Polly comprit qu'elle devait agir vite, avant que sa mère ne s'endorme à table.

— Maman. Maman, il faut que je te pose une question à propos de mon père.

Polly avait déjà demandé cela, bien entendu. Mais, cette fois, elle ne laisserait pas sa mère esquiver.

Doreen leva les yeux au ciel et se servit un autre verre. Il y eut un long silence.

— Cette ordure, finit-elle par lâcher.

Polly n'avait jamais entendu sa mère prononcer une seule grossièreté de toute sa vie.

— Eh bien ? S'il te plaît, est-ce que tu peux m'en dire un peu plus ? Je t'en prie. C'est important.

— Pourquoi ? Pourquoi maintenant ?

Polly réfléchit un instant.

— Euh, si Huckle et moi allons nous marier… il se pourrait que nous ayons un bébé…

— Oh, s'il te plaît ! Cela fait des mois que vous êtes fiancés et vous n'avez même pas pris la peine de fixer une date ou de l'annoncer aux gens. Tu ne peux pas le retenir éternellement. Il s'en fiche.

Ce n'était pas le moment pour Polly d'expliquer à Doreen que c'était elle qui était réticente, à cause de tout cela qui plus est.

— Parle-moi simplement de Tony. À quoi ressemblait-il ?

Sa mère soupira, tout en fixant son verre.

— Je ne me sens pas très bien, prétexta-t-elle.

Stratégie classique. Polly était censée laisser tomber et se soucier plutôt de l'état de sa mère. Doreen était capable de discuter de ses problèmes de santé plusieurs heures d'affilée. Un jour, alors qu'elles se promenaient dans le centre-ville, Polly fut certaine d'avoir aperçu le médecin de sa mère se cacher dans une boutique de chaussures.

— Tu vas bien, lui rétorqua Polly. Tu pourras aller te coucher dans un petit instant. Mais d'abord, s'il te plaît… Tu me le dois bien, Maman. Je ne peux pas… Je ne me sens pas prête à franchir les étapes suivantes si je ne sais pas. Si je n'en sais pas plus.

Polly culpabilisait de mentir ainsi. Mais il fallait qu'elle sache.

Doreen cligna des yeux.

— Bon. (Elle soupira de nouveau.) Tes cheveux, dit-elle en posant son verre. Tes cheveux. Il avait exactement les mêmes. Tu sais, beaucoup de femmes n'aiment pas les rouquins. Je ne comprends pas pourquoi. Je trouve cela beau. Très beau. Les siens brillaient à la lumière, et ses taches de rousseur… C'étaient comme de petits points d'or. Je voulais… J'avais envie de tous les embrasser. (Doreen rit soudain durement.) Écoutez-moi, je suis ridicule, dit-elle en secouant la tête.

— Non, c'est faux. Tu n'es pas du tout ridicule.

— Pour les gens, les années 1980, c'était il y a peu. Ils pensent que la vie n'était pas si différente que cela. Mais je vais te dire une chose : elle l'était bel et bien. Sais-tu que, quand Lady Di s'est mariée, un médecin a vérifié sa virginité ? Et ils l'ont annoncé publiquement ; tout le monde était au courant. C'était officiel. Le médecin royal l'a auscultée et a déclaré qu'elle était vierge. Dans les années 1980 ! Penses-tu !

Polly resta muette, afin d'inciter sa mère à poursuivre.

— J'étais aux chapeaux, continua Doreen. Enfin, les chapeaux et les gants, mais je préférais m'occuper des chapeaux. Chez Dinnogs. Pour les mariages, principalement, et les feutres pour l'hiver. Les hommes portaient plus de chapeaux à l'époque. Tout le monde même en fait. Avec le chauffage central, tout cela s'est perdu.

Doreen digressait un peu, mais Polly ne s'en préoccupa pas et remplit à nouveau le verre de sa mère.

— Il avait l'habitude de venir… Il ne passait jamais inaperçu. Il était grand, comme toi. Mais plus élancé. (Doreen sourit.) Il venait regarder les chapeaux et discuter avec moi… Il était VRP, il faisait souvent affaire avec l'étage du dessus. Pour du tissu à rideaux, ce genre de choses. Il traînait toujours près de la porte. Les jolies filles étaient placées à côté de l'entrée, tu sais, pour attirer les hommes dans le magasin. Du moins, les jeunes filles, ajouta-t-elle en rougissant.

— Tu étais jolie, Maman, affirma sincèrement Polly.

Sur les très rares photographies qu'elles possédaient de cette époque, sa mère avait un carré asymétrique et de drôles d'épaulettes pointues.

— Du coup, il allait à l'étage, puis il redescendait et venait parler chapeaux, et un jour… (Doreen devint encore plus rouge.) Un jour, il m'a demandé de l'aider à choisir des gants en cuir. Il avait… il avait les plus belles mains que j'aie jamais vues. (Elle se mordit la lèvre.) C'était la chose la plus romantique qui me soit arrivée. Les garçons de mon entourage étaient tous des paysans… Ils ne m'intéressaient pas, pas du tout. Lui paraissait tellement raffiné. Il avait vingt-trois ans. Et puis, il m'a invitée à sortir et nous sommes allés dans un pub. Enfin, dans la petite arrière-salle où les femmes étaient autorisées ; ça existait encore dans les années 1980, tu sais.

— On dirait que ça remonte à un million d'années.

— Oui ! Et on pouvait fumer à l'intérieur !

Polly sourit.

— Ouah !

— Alors on a fumé des Regal King Size, et j'ai bu un demi-pêche et lui quelques pintes. Il m'a parlé de sa vie sur la route et de sa voiture. Il avait une Ford Escort, il l'adorait.

Polly acquiesça d'un signe de tête.

— Ça a été… ça a été la meilleure nuit de toute ma vie. Et il n'a rien tenté, rien du tout. Il m'a reconduite chez moi avec sa voiture. Puis il est revenu la semaine suivante. Et encore celle d'après.

Soudain, le visage de Doreen se décomposa et elle parut extrêmement triste.

— Il avait l'air si gentil. J'avais vingt ans. Je pensais que ça se passait comme ça. Qu'on rencontrait un homme qu'on appréciait, qui nous appréciait, et c'était bon, on se mariait. Ça fonctionnait comme ça à l'époque. On n'attendait pas d'avoir la trentaine, en croyant avoir tout le temps devant soi, avant de finir un jour par paniquer.

Polly ignora cette remarque.

— Il a rencontré mes parents, tu sais. On a tout fait dans les règles… Ils l'ont trouvé charmant. Et si beau avec ses jolis cheveux. Bien sûr, il y avait des plaisanteries sur les représentants de commerce, mais je me disais que Tony était différent. Quelle idiote !

Il y eut un blanc.

— Un matin, je suis arrivée au magasin et l'ambiance était très étrange. J'ai senti qu'il y avait quelque chose. Lydia, du rayon parfums, a à peine levé le regard alors que, d'habitude, on ne pouvait pas faire deux pas sans qu'elle nous asperge d'eau de toilette. Et Mrs Bradley… On aurait dit que son visage allait exploser. Elle avait l'un de ces seins monolithiques… On n'en voit plus de nos jours, hein ? J'imagine qu'elle portait un corset. Ça aussi, ça se perd…

Polly retint son souffle. Elle craignit que sa mère ne se referme soudain comme une huître. Elle ne connaissait rien de cette histoire.

— Et puis, elle était là. (Doreen secoua la tête.) Tu sais, déclara-t-elle d'un ton songeur, tu sais, c'était une femme noire ! Pardon, une femme de couleur. Désolée. Je ne connais pas le terme politiquement correct de nos jours. (Elle marqua une pause.) Je n'aurais pas… Enfin, si cela s'était passé aujourd'hui, je n'aurais pas été surprise. Mais c'était différent à l'époque, vraiment. Nous n'étions pas à Londres ou à Birmingham. Mais dans le sud-ouest de l'Angleterre. Tout le monde était blanc… Voilà que je cherche des excuses… (Doreen poussa un soupir.) Elle avait un ventre rebondi. Ça faisait beaucoup à avaler d'un seul coup. Et un autre bébé en moi, même si je ne le savais pas encore à ce moment-là. Ah, cette maudite Ford Escort. Enfin bref. Au début, je ne l'ai pas prise au sérieux, quand elle m'expliquait que Tony était son mari et me demandait de le laisser tranquille. Je ne l'ai pas crue du tout. Elle hurlait et j'ai appelé le vigile pour qu'il la fasse partir. (Écarlate, Doreen fixait le sol.) Oh ! la la ! Polly. Oh, bon sang. Je n'ai jamais raconté cette histoire à personne. Jamais. Les choses étaient différentes… Oh, Polly.

Des larmes se mirent à couler sur les joues de Doreen. Polly passa son bras autour des épaules de sa mère.

— Tout est allé de travers. Il m'a fait du tort, j'ai fait du tort à cette femme, et puis, bon, tu es arrivée et je pense que nous t'avons aussi tous fait du tort.

Polly secoua la tête.

— Mais non. Non, je te le promets.

— Je l'ai appelé. Personne. Jamais. Il n'y avait pas de portable à l'époque, ni d'e-mail ou de Facebook.

Alors j'ai cherché ses parents ; ils étaient dans l'annuaire. (Doreen secoua la tête.) Ils étaient ravis de me voir. Cela avait fait un peu scandale dans sa famille lorsqu'il avait rencontré… Mince, comment s'appelait-elle ?

Polly, qui pleurait à moitié et tentait de réconforter sa mère, se sentait mal et un peu ivre aussi, sinon elle n'aurait jamais complété la phrase de sa mère.

— Carmel, dit-elle sans réfléchir.

Kerensa, qui traînait discrètement dans la cuisine sans manquer une miette de la conversation, surgit telle une balle rebondissante au milieu du séjour.

— Du café ! s'empressa-t-elle de déclarer. Je pense qu'on a bien besoin d'un café ! Doreen, il vous faut une cafetière. L'être humain ne peut pas vivre uniquement de café soluble, d'autant plus quand on est en cloque et qu'on a le droit à une seule tasse par jour. Autant qu'il soit bon !

Doreen fixait Polly d'un air horrifié.

— Tu la connais ?

Polly eut la gorge nouée et chercha désespérément une échappatoire. En vain.

— Elle vient de… Elle m'a téléphoné, avoua-t-elle. Je suis désolée. Je n'ai rien fait. Je voulais seulement… Je voulais seulement en savoir un peu plus.

— Et alors quoi, vous êtes amies ?!

Sous le choc, Doreen avait les yeux écarquillés.

— Non. Elle vient de… Elle m'a dit que… (Polly se mordit la lèvre, elle n'avait pas du tout envie de prononcer la suite.) Il est très malade. Il souhaiterait me voir.

Doreen devint pâle comme un linge. Elle avait retrouvé toute sa sobriété.

— Et tu l'as vu ?

— Non, répondit Polly. Je désirais te parler d'abord.

— Sage décision, non ? intervint Kerensa. C'est ce qu'il y a de mieux à faire concernant les soucis de famille, non ? En discuter.

Polly jeta un coup d'œil à son amie. Doreen avait la main plaquée sur sa bouche.

— C'est précisément pour cette raison que j'ai voulu te préserver de ces histoires. Toutes ces histoires affreuses. Je cherchais seulement à te protéger.

— Mais il nous a versé de l'argent toutes ces années ! protesta Polly.

— Oh, ça, c'est ce que je t'ai laissée croire. Pour que tu penses qu'il ne s'en fichait pas. Mais c'étaient ses parents. Ils m'auraient préférée à cette femme. Voilà ce que c'était, l'argent de leur culpabilité, cracha pratiquement Doreen.

Polly cligna des paupières, des larmes lui piquaient les yeux.

— Et donc, tu viens me lâcher cette bombe que tu as retrouvé ton père…

— Non ! Pas du tout !

— Je ne l'ai jamais revu après, il a eu ce qu'il voulait et il a disparu de la circulation. Il se moquait des conséquences. Il s'en contrefichait. Il savait où j'habitais. Il n'en a rien eu à faire. (Doreen se leva.) Mais bien joué pour avoir remué le passé. Bravo de m'avoir rappelé que j'ai tout gâché. Que j'ai bousillé ma vie.

Polly se dressa d'un bond et s'approcha de sa mère.

— Hmm, nous devrions peut-être y aller ? lui suggéra Kerensa.

— Oui, vous devriez partir, confirma Doreen.

— Est-ce que ça va aller ? lui demanda Polly en tendant le bras, mais sa mère se détourna, refusant de la regarder.

— À l'époque, personne ne m'a posé cette question. Je ne vois pas pourquoi tu t'en soucierais aujourd'hui.

Chapitre 17

— Bon, lâcha Kerensa, après avoir conduit un certain temps dans le silence. (Il commençait à se faire tard ; le brouillard tombait et le temps se refroidissait encore plus.) Ça s'est bien passé.

Polly grimaça entre deux sanglots.

— Dis-moi que ce n'était pas aussi horrible que ce que je crois.

— Bah, ça aurait pu être pire.

— Comment ? Comment ça aurait pu être pire, Kerensa ?

— Hmm, un monstre géant aurait pu entrer par la fenêtre et tout dévaster. Une invasion de zombies ? Une bombe atomique ?

Il y eut un long silence.

— Oh, bon sang.

Polly consulta son téléphone. Elle avait aussitôt envoyé des excuses à sa mère, sans attendre véritablement une réponse de sa part – et, en effet, elle n'avait pas répondu.

— Bon, regarde le bon côté des choses. Elle ne viendra pas pour Noël.

— Kerensa ! En quoi c'est censé me réconforter ?
— Qu'est-ce que tu attends de moi ?
— Je n'en sais rien.

Polly appuya sa tête contre la vitre froide, une larme perlant sur sa joue.

— Oh mince, elle croit sérieusement que je cours bras dessus bras dessous avec mon père et joue les familles heureuses avec Carmel ?

Polly et Kerensa poursuivirent le trajet en silence.

— Est-ce que je peux te dire quelque chose ? demanda Kerensa quelques instants plus tard.

— Autre chose ? Autre chose que ce que tu dirais normalement ?

— Oui.

— Je n'imagine pas ce que ça peut être.

— Non, écoute… Bon. Je ne veux pas manquer de respect à ta mère, mais franchement, si tu as envie de voir ton père… Doreen a toujours refusé catégoriquement de te parler de lui, elle n'a cessé de se morfondre et t'a infligé cette tristesse… Je tiens à rappeler que je t'ai demandé la permission de te dire ça.

— Ouais, je comprends.

— Bon. En toute franchise, je pense que ce sont tes oignons. C'est ton père. Il a peut-être été un mauvais père… Il n'a peut-être pas avoué à sa femme qu'il avait un autre gosse, même si de toute évidence elle savait qu'il y avait quelque chose…

— Je parie que ce n'était pas la première fois, dit Polly.

— Ni la dernière. Ah, ces maudits VRP ! Ah ! Pas étonnant qu'ils aient cette réputation.

Polly soupira.

— Mais tu vois ce que je veux dire ? poursuivit Kerensa, alors qu'elles s'enfonçaient dans cette nuit hivernale. Tu en sais un peu plus désormais. Mais si tu veux le voir – avoir une relation avec lui –, eh bien, c'est à toi de décider. Tu n'as pas à demander l'autorisation. Ta maman… Il faut qu'elle s'en remette.

— Mais elle est tellement bouleversée.

— Je vous connais depuis longtemps, Polly. Et tu sais quoi ? Je crois que je n'ai jamais vu ta mère ne pas être bouleversée par quoi que ce soit. À mon avis, c'est pour ça que, toi, tu as toujours le sourire.

Polly écoutait à peine Kerensa. Elle ne pouvait s'empêcher de penser à la joie de sa mère lorsqu'elle avait décroché ce poste chez Dinnogs, elle qui était sortie de l'école sans grand diplôme, qui avait fait la fierté de sa famille en obtenant un poste aussi chic.

Bien entendu, elle avait perdu son emploi quand elle était tombée enceinte ; Polly ne le savait que trop bien. On avait expliqué à Doreen que c'était à cause de réductions budgétaires, que les gens achetaient de moins en moins de chapeaux, mais elle connaissait la vérité : même dans les années 1980, être une mère célibataire était considéré comme une infamie. Doreen était rentrée chez elle, vaincue aux prémices de sa vie. Et Polly en avait payé le prix depuis lors.

— Tu te souviens de Loraine Armstrong ? demanda Kerensa de but en blanc.

Polly acquiesça d'un signe de tête. La mère de Loraine était également une jeune mère célibataire. Elles allaient toutes les deux en boîte de nuit ou au pub, où elles attiraient les remarques désobligeantes et les regards en coin. Après quelques verres, la mère de

Loraine soutenait souvent aux inconnus qu'elles ressemblaient plus à des sœurs qu'à une mère et sa fille. Doreen les avait toujours jugées affreuses.

— Je pense qu'elles ont passé de meilleurs moments que vous deux.

Polly médita sur cette remarque de Kerensa.

— Oui, je le crois aussi, finit-elle par concéder. Oh, bon sang. Ramène-moi chez moi.

***

En approchant de Mount Polbearne, Kerensa se terra dans le silence. Polly, tenue éveillée par ses réflexions, lui jeta un coup d'œil.

— À quoi tu penses ?

Kerensa sentit sa gorge se nouer.

— À ton avis, est-ce que Reuben serait capable de faire ça ? Si… Tu vois quoi. S'il découvrait la vérité.

— Tu n'en sais toujours rien, lui rétorqua Polly.

Kerensa caressa son énorme ventre, une expression triste sur le visage. Elle pouvait à peine atteindre le volant. Elle se tourna vers Polly.

— Sérieusement. Tu n'imagines pas comment j'étais chaude comme la braise cette nuit-là. Tu sais comment, en période d'ovulation, on peut avoir l'impression d'être une chaudasse.

Polly acquiesça d'un signe de tête. Elles restèrent toutes deux silencieuses.

— Parce que s'il venait à tout découvrir… bah, je ne sais pas comment il réagirait.

— Tu veux dire si le bébé – Dieu l'en préserve – devait grandir comme moi ? demanda Polly.

— Non ! Ce n'est pas du tout ce que je voulais dire. Et de toute façon, ce ne serait pas une catastrophe.

Polly soupira de colère.

— Si, c'en serait une, finit-elle par lâcher. Tu vas devoir t'accrocher. Vraiment.

Kerensa regarda Polly.

— Et s'il naissait avec une énorme moustache noire ?

— Comme je te l'ai dit, invente un grand-père italien ou quelque chose. Je suis sérieuse. Trouve une solution.

— Tu ne dois rien dire à Huckle. Tu ne peux pas, Polly.

Polly était toujours partagée à ce sujet. Cela lui apparaissait comme un terrible dilemme. Elle avait envie de tout raconter à Huckle. Or, c'était le meilleur ami de Reuben. Son témoin de mariage. C'était lui qui avait permis la rencontre de Kerensa et Reuben. Pourtant, il était aussi l'âme sœur de Polly, son fiancé. C'était horrible. Elle ne savait pas comment il réagirait – lui-même ne le savait peut-être pas non plus. Pouvait-elle courir ce risque ? Parfois, elle se disait que oui, que tout se passerait bien, mais l'inverse restait toujours possible. Dans quelle situation se retrouveraient-ils tous alors ?

Au fond d'elle, Polly supposait que c'était peut-être une chose que seule une autre femme était capable de comprendre. Une erreur de ce genre, de celles susceptibles de bouleverser une vie entière.

Huckle était compréhensif. Il était formidable. Mais pouvait-on comprendre quand ce type d'événement arrivait à son meilleur ami ?

— Je ne lui ai rien dit.

— Tu ne dois pas, Polly. Tu ne peux pas. Si je veux avoir une chance de m'en sortir, tu ne dois vraiment rien lui dire.

Polly se mordit la lèvre et pensa à l'existence vide de sa mère. Elle était d'accord avec Kerensa, mais elle se sentait écartelée ; elle se sentait terriblement mal à propos de cette histoire. De tout.

La voiture vrombit sur la chaussée. Les lampadaires du port étaient décorés de guirlandes lumineuses blanches. Mount Polbearne avait peu de budget pour rivaliser avec les décorations sophistiquées des plus grandes villes, mais ces lumières s'accordaient bien avec les rues pavées, formant de longs festons entre les vieux réverbères conçus pour résister aux vagues et au vent. Des nœuds rouges y étaient également accrochés, et des sapins et des bougies brillaient à toutes les fenêtres. Le village paraissait extraordinairement charmant, d'une grande sérénité ; une jolie transition vers la saison la plus calme, qui rimait avec nuits, lits douillets et ciel étoilé.

Kerensa s'arrêta au pied du phare. Celui-ci était plongé dans l'obscurité ; Huckle devait dormir. Polly embrassa tendrement son amie sur la joue, puis descendit de la voiture. Elle grimaça en sentant l'air glacial, puis la Range Rover s'éloigna.

Il faisait un froid de canard à l'intérieur. Polly s'assura que Neil allait bien sous la table de la cuisine, mais ne prit pas la peine de se servir une tasse de thé. Ensommeillé, Huckle grommela lorsqu'elle colla ses pieds glacés contre son beau corps chaud, aussi se tourna-t-elle de l'autre côté et fixa la fenêtre (ils n'avaient toujours pas trouvé le temps de mettre des rideaux). Les étoiles paraissaient blanches et claires dans cette ambiance polaire. De la vapeur s'échappait de la bouche de Polly, tant il faisait froid dans la maison. Polly ne parvenait nullement à se réchauffer ; ni à capter la chaleur de Huckle. Elle resta allongée, tortillant désespérément ses orteils, essayant d'entrevoir une solution.

Elle n'en voyait qu'une : continuer comme si de rien n'était. Quelquefois, en agissant comme si tout était normal, la situation pouvait le redevenir. « *Business as usual* », comme on dit en anglais. Aucune autre solution ne lui venait à l'esprit. Sa mère cesserait d'être fâchée. Elles se réconcilieraient. Après tout, songea sombrement Polly, sa mère et elle n'avaient personne d'autre dans leur vie.

Le travail. Le travail résoudrait tout.

Chapitre 18

Le lendemain matin, Huckle fut surpris et ravi de voir Polly s'affairer assez joyeusement, malgré un léger mal de tête.

— Hé ? lui dit-il prudemment.

Polly se retourna, son sourire habituel sur les lèvres.

— Hé.

— Tu vas bien ?

— Oui, lui répondit-elle. Un scone au fromage ?

— Oui !!! Oh, ce que j'aime vivre avec toi.

Polly fourra une tranche tiède, tartinée de beurre salé, dans la bouche de Huckle.

— Hmm, divin. Alors…

Polly secoua la tête pour lui faire savoir qu'elle n'avait pas très envie d'en parler.

— Ma famille est givrée, déclara-t-elle. Et c'est la fête du village samedi. Donc…

— Toutes les familles sont givrées.

— C'est vrai. Elles le sont toutes. Givrées et frappées.

— Comme un cocktail !

— Exact. Du coup, j'ai pris une décision. Ça ne sert à rien de s'appesantir là-dessus éternellement. Ils ont merdé, mais ce n'est pas ma faute, donc je vais continuer ma vie et arrêter de culpabiliser pour ça. Ce sont eux qui ont fait n'importe quoi, pas moi. Je ne veux rien avoir à faire dans cette histoire. Nous allons préparer un Noël fabuleux pour Reuben et donner les sous à la réserve de macareux – ce qui donnera à mon passage sur cette Terre une plus grande signification que ce à quoi je m'attendais. Et nous utiliserons le reste de l'argent pour partir en vacances, quelque part où ils servent des cocktails plus grands que ma tête – parce qu'il n'y a rien de plus grand que ta tête à toi…

— Merci, dit Huckle.

— Et nous nous allongerons sur le sable, ferons l'amour, irons nager, nous saoulerons et ne penserons à rien du tout. Qu'est-ce que tu en dis ?

— Ce programme me paraît génial.

Huckle s'approcha de Polly.

— Tu es sûre de toi ?

— À cent pour cent. Mon altruisme ne va me mener absolument à rien avec Maman ou… ou avec Tony. Alors autant être égoïste.

— Parce que sauver une réserve ornithologique, préparer le repas de Noël d'un autre et participer à la fête du village, c'est de l'égoïsme selon toi ?

— Oui, répondit Polly. Parce que cela me fera me sentir bien. Contrairement au reste. Donc autant m'en tenir à ce qui me fait plaisir.

— D'accord. Ça me paraît bien. Je vais vendre du miel à un tas d'esthéticiennes pour nous offrir ces vacances. Tu m'as motivé !

— Parfait ! Prends quelques scones au fromage pour les soudoyer.

— Bonne idée.

— Tu les auras tous mangés avant d'arriver chez ta première cliente, hein ?

Quelle que fût la réponse de Huckle, sa bouche pleine la rendit incompréhensible.

Chapitre 19

Polly tendit un plateau.

— C'est gratuit ! annonça-t-elle gaiement.

Les vieilles dames s'agglutinèrent autour, tout en roucoulant joyeusement. Polly avait essayé de préparer des feuilletés aux saucisses et au miel (cela aidait d'avoir un bon fournisseur de miel), ainsi que de petits scones.

— Pas pour toi, Jayden, houspilla-t-elle son commis, qui parut vexé et lissa sa moustache.

— Mais il faut bien que je goûte ce que je vends.

— Je croyais que tu voulais retrouver la ligne pour « tu sais quoi ».

Jayden rougit instantanément.

— Bon, d'accord. Juste un seul, concéda Polly.

Jayden grimaça.

— Un ? Mais c'est tout petit. Je pense que tu seras méchante quand tu seras vieille.

— Ah oui ?

Jayden avait vingt-trois ans, donc bien entendu, Polly avec sa petite trentaine lui paraissait âgée.

— Tu deviendras une Mrs Manse…

— Encore une remarque insolente de ta part, déclara Polly en le fouettant doucement avec un torchon, et tu récureras les fours à pain les deux prochaines semaines. Et alors, comment ça se passe avec Flora ?

— Je m'y prépare, répondit gravement Jayden. C'est important de faire ces choses-là comme il faut.

— Tu as raison.

Patrick, le vétérinaire, arriva ; comme à l'accoutumée, il paraissait un peu tendu. Il appréciait Polly, même s'il désapprouvait fortement qu'elle ait un oiseau de mer comme animal de compagnie. Il avait compris depuis longtemps cependant que, comme pour de nombreux autres aspects de sa vie, il ne pouvait pas y faire grand-chose ; aussi avait-il appris à ne rien dire.

— Comment va Neil ?

— Il va bien ! s'empressa de répondre Polly. Il a sans doute le parfait IMC pour un macareux. Tu veux goûter quelque chose ?

— Non, merci. Ce n'était pas la raison de ma venue.

— Ah bon ?

Il faisait un froid polaire dehors. Un vent à décorner les bœufs s'engouffrait dans les ruelles situées au pied de Mount Polbearne (plus on montait vers le sommet de la colline, où se dressaient les ruines ancestrales de la magnifique église, plus les maisons s'espaçaient et plus la route était escarpée).

Non, cette journée était de celles à rester à l'intérieur, avec un feu de cheminée, à contempler les moutons sur la mer, ou à se pelotonner dans un endroit douillet et chaud, sans se soucier de la météo. D'où les affaires florissantes de la boulangerie.

Polly songea à Neil.

— Il se porte vraiment comme un charme, ajouta-t-elle. Je lui en voulais un peu d'avoir aussi bien accepté que l'œuf ne donne rien.

Patrick sourit.

— Serait-ce un macareux macho ?

— J'aime à penser, poursuivit Polly, que, quand il regarde la mer, il est triste pour son petit œuf.

Patrick lui lança un regard.

— Et non qu'il pense aux bons poissons qu'il peut pêcher ?

— Non, à son œuf.

— Tu ne devrais vraiment pas anthropomorphiser les animaux, lui conseilla Patrick. Sérieusement, ce n'est pas du tout leur rendre service. Neil ne se souviendra pas de cet œuf. Céleste non plus. Ils fonctionnent à l'instinct.

Tout en parlant, Patrick se servit un autre feuilleté sans même s'en rendre compte ; Polly s'abstint de lui faire remarquer.

— D'après toi, est-ce qu'il pourrait un jour… se trouver une nouvelle compagne ?

— Je n'en sais rien. Les macareux gardent le même partenaire toute leur vie. Tous les deux ont simplement joué de malchance. Bien sûr, si tu l'emmenais à la réserve…

Polly fixa Patrick.

— Nous savons toi et moi que cela n'arrivera pas.

— Bon, d'accord. Alors, non, je pense que tu es coincée avec un macareux célibataire.

— Ça me va.

— Tu sais qu'ils peuvent vivre vingt ans ?

— Ça me va aussi.

Patrick secoua la tête.

— Dans ce cas…

— Es-tu au courant qu'ils pourraient fermer la réserve ?

— Ah bon ? s'étonna Patrick. Ce serait vraiment dommage. (Il dévisagea Polly.) Tu sais que tu ne peux pas tous les adopter ?

— Oui, je le sais bien, mais je peux me rendre utile.

Patrick lorgna la pâte à tartiner devant lui.

— Tout cela est en quel honneur ?

— Eh bien, c'est en partie pour la fête de Noël… et en partie pour accueillir les parents de Reuben.

— Oh, fit Patrick. Oh, juste ciel ! Je me demande bien à quoi ils peuvent ressembler.

— Exactement à ce que tu imagines, rétorqua Polly. Voire pire !

Chapitre 20

Le jour de la fête de Noël, l'air était frais et vivifiant. La salle municipale grouillait de monde. Les gens étaient venus depuis des kilomètres à la ronde. Cela faisait plusieurs jours que Polly s'activait pour terminer de délicieux paniers garnis de pains d'épice et de caramels mous, ainsi qu'une demi-douzaine de petits gâteaux de Noël qui s'imprégnaient d'alcool depuis des semaines. Son stand foisonnait de gourmandises et, dès que les portes s'ouvrirent, il fut totalement pris d'assaut. Selina était sur sa gauche, avec ses charmants bijoux en filigrane qui devaient nécessiter des heures et des heures d'un travail minutieux.

— C'est génial, s'enthousiasma Samantha, qui s'agitait autour des nombreux petits stands. Cette fête va nous permettre de récolter énormément d'argent !

— Je vais pouvoir faire tous mes achats de Noël ici ! déclara Mrs Corning. Comme ça, ce sera réglé.

Polly et Selina s'empêchèrent de penser à l'argent qu'elles auraient empoché si les gens avaient effectué leurs achats de Noël directement auprès d'elles.

Flora était venue prêter main-forte à Polly et avait apporté un énorme plateau de ses fabuleuses religieuses. Polly avait décidé de la rémunérer pour cette journée : Flora était étudiante, et puis c'était Noël. Polly devrait davantage se plonger dans l'esprit des fêtes.

— Comment va Jayden ? demanda-t-elle joyeusement.

Comme à son habitude, Flora haussa les épaules.

— Il va très bien.

— Polly, veux-tu montrer ta bague à ce monsieur ? cria Selina depuis la table voisine.

Polly présenta docilement sa magnifique bague de fiançailles aux motifs d'algues.

— Ah oui, affirma l'homme. Quelque chose dans ce genre serait parfait.

Selina afficha un sourire radieux.

— Oh, c'est peut-être vrai après tout que cette fête permet de se faire connaître, déclara-t-elle, et Polly lui jeta un regard courroucé.

— C'est joli, se risqua Flora, que Polly laissa examiner la bague, toute fière.

— Tu seras la prochaine, dit Polly en se rappelant sa conversation avec Jayden.

— Ah, hors de question. Je ne crois pas, non.

Polly grimaça et retira sa main. Peut-être devrait-elle rediscuter avec Jayden.

— Est-ce que tu as vu Kerensa ? demanda Selina à Polly. Elle est très bizarre avec moi. Je ne l'ai pas vue depuis des mois.

— Hmm, marmonna Polly, qui craignait de révéler quelque chose par mégarde. Je pense qu'elle est tout simplement très fatiguée avec la grossesse et tout le reste. Moi aussi, je l'ai à peine vue.

Selina lui lança un regard perçant.

— La naissance est prévue pour quand déjà ?

Polly observa Selina et décida que le mieux était de raconter un gros mensonge.

— Fin février.

En réalité, le bébé était plutôt attendu pour la mi-janvier. Polly vit Selina décompter les mois dans sa tête.

— Ah, d'accord, dit Selina. Elle est énorme.

Samantha tapotait de façon agaçante le micro sur l'estrade.

— Bonjour, tout le monde ! lança-t-elle vivement à la foule grouillante. Un grand merci à tous ceux qui ont contribué à faire de cette fête un tel succès…

Selina et Polly échangèrent des regards peinés.

— Et maintenant, j'aimerais demander à la boulangère de notre village, à celle qui nous procure tous ces vilains petits plaisirs…

Polly se raidit. Elle appréciait peu qu'on la décrive comme une sorte de dealeuse.

— … de venir me rejoindre pour juger le concours de pâtisserie !

Samantha adressa un large sourire à Polly, comme si elle ne doutait nullement que rien ne ferait plus plaisir à Polly. Cette dernière cligna des yeux. Elle n'avait aucun souvenir que Samantha lui ait demandé d'être juge, mais il était tout à fait possible que ce fût mentionné dans l'un des nombreux e-mails qu'elle n'avait jamais ouverts.

— Hein ?

— Oui, pour juger le concours de pâtisserie ! répéta Samantha afin de l'encourager.

À contrecœur, Polly se dirigea vers l'estrade. La longue table derrière le micro était recouverte de douceurs faites maison et derrière chaque plat se dressait une villageoise visiblement inquiète.

Polly connaissait chacune d'entre elles. C'étaient toutes des clientes de la boulangerie. Ou de futures ex-clientes, si cette histoire se terminait mal, songea-t-elle.

Polly partit d'un bout de la table et goûta un morceau des multiples tartes, gâteaux, pains et tartelettes, mais elle y parvenait à peine tant elle était nerveuse. Il y avait les congolais de la vieille Mrs Corning. Muriel avait préparé une tarte aux dattes, et Sally Stephens, la petite-fille du vétérinaire âgée de neuf ans, se dressait fièrement derrière une très belle tarte au citron meringuée. Tous les regards étaient braqués sur Polly et la suivaient de plat en plat.

— Tous ces gâteaux sont délicieux, bredouilla-t-elle. Je suis incapable de choisir.

Samantha afficha une expression sévère.

— Oui, mais tu dois faire un choix. La gagnante remportera un week-end au spa.

Polly grogna intérieurement. Rares étaient les habitants de Mount Polbearne qui n'apprécieraient pas un tel cadeau en plein cœur de l'hiver.

Elle balaya de nouveau du regard les visages enthousiastes autour d'elle. Puis elle sélectionna le biscuit sec et insipide de la vieille Florrie.

— Hmm, celui-là, déclara Polly.

La dame âgée la fixa avec des yeux humides.

— Quoi ? dit-elle d'une voix chevrotante.

— Vous avez gagné, très chère ! cria joyeusement Samantha.

— Quoi ?

Polly avait estimé qu'accorder la victoire à la participante la plus démunie était la meilleure solution. Elle commençait à en douter toutefois.

— Vous avez remporté le concours ! Bravo, Florrie !

Florrie avait l'air tout ébaubie lorsqu'un journaliste de la presse locale la prit en photo. Polly fut mal à l'aise quand elle entendit les murmures des villageois derrière elle. Elle avait probablement perdu environ trente pour cent de sa clientèle d'un seul coup. Génial !

— C'est un spa !!! hurlait Samantha à l'oreille de Florrie.

— Un quoi, ma petite ?

Polly fut ravie lorsque Bernard, de la réserve ornithologique, franchit la porte : son arrivée lui fournit une excuse pour s'enfuir de la table du concours.

— Bonjour ! le salua-t-elle tout en agitant frénétiquement la main et en s'avançant vers lui. Selina est là-bas !

Selina jeta un regard noir à Polly. Bernard paraissait anxieux, comme toujours.

— Comment vont les macareux ? s'enquit Polly.

— Ils sont bruyants. (Bernard embrassa la salle du regard.) C'est une collecte de fonds ?

— Oui, pour le village.

— Nous devrions faire ça aussi pour la réserve.

— Oui, admit Polly du bout des lèvres.

— Est-ce que je peux compter sur vous ?

— Sans doute. Mais ne vous en faites pas. Je vais toujours cuisiner chez Reuben à Noël et l'argent sera pour vous. Et, Flora, je me disais que tu aurais peut-être envie cet été d'aller aider Bernard à la cafétéria.

— Travailler dans un élevage d'oiseaux ? objecta Flora, qui s'approcha en traînant des pieds.

— Ce serait un job.

— Je peux trouver du travail n'importe où, rétorqua Flora.

En dépit de son allure renfrognée, de sa conception libre de la ponctualité et de son manque total d'initiative, il suffisait de goûter à ses pâtisseries pour savoir qu'elle avait raison.

***

Le seul point positif de cette fête, pensa Polly, fut qu'elles avaient tout vendu tôt, ce qui les libéra de leurs obligations. Il fallut un moment à Polly pour se maîtriser et tendre sa caisse avec le sourire à Samantha, mais elle y parvint à peu près.

Samantha, qui vivait dans une grande demeure à Londres et possédait une maison secondaire à Mount Polbearne, n'avait pas vraiment la notion de l'argent, mais ce n'était pas réellement sa faute. Aussi Polly s'efforça-t-elle de lui sourire et dit au revoir à tout le monde avant de s'éclipser.

— Tu ne viens pas au pub ? lui demanda Selina. On y va tous. Vous venez, n'est-ce pas ? dit-elle à Bernard, qui parut confus dans un premier temps, puis joyeux.

— Je ne peux pas, soupira Polly. Il faut que je m'entraîne à préparer ces maudits petits-fours pour Reuben.

Ses parents arrivent bientôt et je ne suis pas certaine de savoir ce que je fais.

— D'accord. Salue Kerensa de ma part, affirma Selina, ce dont Polly se jura de s'abstenir.

Chapitre 21

Alors que le réveillon de Noël était imminent, Polly travaillait encore durement. Elle avait commencé à diffuser des chants de Noël dans la boulangerie. Elle avait refusé de le faire plus tôt, d'une part parce que les clients avaient l'impression d'être dans un salon de thé, ce qui les incitait à s'éterniser, et d'autre part parce qu'il lui était impossible d'écouter *Vive le vent* plus de quatre cents fois par période de fêtes.

Polly n'avait pas eu de nouvelles de Kerensa, à l'exception d'un rapide contact pour s'assurer qu'elle allait bien – elle avait insisté que oui. Polly s'était jetée à corps perdu dans la pâtisserie, testant de nouvelles sortes de pains d'épice et de tartelettes de Noël, ainsi que dans la décoration : elle avait installé dans la boulangerie un village en bois miniature, dont l'intérieur des maisons était éclairé. Elle l'avait confectionné elle-même, essayant de le faire ressembler autant que possible à Mount Polbearne. Les enfants, absolument envoûtés par ce village, s'agglutinaient autour ; leurs parents devaient les en éloigner, souvent en fourrant dans leurs mains emmitouflées un croissant ou un pain aux raisins. Polly ne réaliserait que bien plus tard que son village miniature inspirait les enfants de cette petite île austère. Pendant des années ensuite, ils viendraient l'admirer et, même si, en grandissant, ils se rendaient compte de son caractère rudimentaire, ils étaient furieux si Polly déplaçait ou modifiait le moindre détail. Puis ils emmèneraient leurs propres enfants : les petits s'émerveilleraient, tandis que les plus grands secoueraient la tête, n'en revenant pas que leurs parents aient pu grandir dans un lieu où les distractions étaient si rares.

Mais ça, c'était l'avenir. Aujourd'hui, Polly était prise d'une frénésie décorative, comme si elle cherchait à rendre le monde entier accueillant et douillet.

Dans le phare, elle avait enroulé des kilomètres de guirlandes autour de la balustrade, prévoyait d'installer un énorme sapin et avait accroché des lampions à presque tout ce qui bougeait. Elle avait également acheté des coussins et couvertures aux motifs scandinaves pour le canapé, afin que Huckle et elle puissent s'y lover et regarder des films scandinaves, vêtus de pull-overs scandinaves plus ou moins authentiques.

Huckle avait laissé faire Polly, un sourire sur les lèvres. Il savait que c'était un exutoire et il espérait que celui-ci disparaisse de lui-même. Il avait compris qu'elle avait besoin d'une distraction.

— Chérie, déclara-t-il tard un soir alors qu'ils étaient enlacés dans le lit, baignés de la lumière des quatre-vingts petits lumignons que Polly avait oublié d'éteindre avant de monter se coucher, tu sais, si tu veux te débarrasser de ce trop-plein d'énergie… Enfin, tout cela est très joli, mais je me disais que tu pourrais canaliser cette énergie. Ce que je veux dire, c'est que nous pourrions… nous pourrions avancer dans le projet bébé ? Ou même penser à organiser le mariage ? Mes parents m'ont interrogé à ce sujet… Comme, à l'évidence, ils ont un long trajet pour venir…

Huckle devina à la façon dont Polly se raidit qu'il avait dit quelque chose qu'il ne fallait pas.

— Euh, j'ai trouvé cela sympa, lui murmura-t-il doucement à l'oreille. Mon père m'a proposé… Enfin, ce n'est pas contre ta mère. Ni contre nous, bien évidemment, surtout contre toi, parce que tu bosses comme une dingue…

Huckle avait essayé de travailler tout autant et il avait détesté cette expérience. Paradoxalement, depuis qu'il travaillait de façon détendue, son charme et sa beauté naturels lui assuraient autant de succès que lorsqu'il exerçait dans le monde de l'entreprise, sans jamais devoir se lever aux aurores comme Polly.

Mais une petite entreprise artisanale de miel même prospère était loin d'être une activité lucrative. Par chance, les besoins de Huckle étaient peu nombreux : il possédait quelques vêtements de qualité dans sa garde-robe, dont le tissu se délavait et se détendait et qui devenaient, de fait, plus sexy d'année en année ; il effectuait lui-même les réparations nécessaires sur sa moto, et toutes les activités qu'il affectionnait (marcher, flâner à la maison, écouter de la pop-rock américaine incroyablement épouvantable, boire une bière au *Red Lion*, être au lit avec Polly) ne coûtaient pratiquement rien.

— De toute façon, ils ont beaucoup d'argent… Allons savoir pourquoi, ils ne le méritent pas. Polly, écoute. Ils m'ont proposé de financer le mariage. Ici. Apparemment, tous leurs amis veulent venir en Angleterre, ils pensent que c'est pittoresque. On pourrait avoir tout ce que tu veux. Le mariage que tu souhaites.

Il y eut un long silence.

— Tu n'es pas vexée, hein ? Je n'ai jamais dit que nous devions accepter leur argent ou quoi…

— Oh, mon amour. Non. Ce n'est pas l'argent. Ce n'est pas du tout le problème. C'est vraiment gentil de leur part. Extrêmement gentil. Je ne suis pas touchée dans mon amour-propre, ce n'est pas du tout mon genre.

— Mais ?

Polly secoua la tête.

— Je ne peux pas… Je… Pas maintenant. Ces histoires avec ma famille. Je ne… Je suis tellement occupée. Tu comprends. Je ne… je ne me sens vraiment pas prête…

Elle voulait dire, bien entendu, « Je ne me sens pas prête pour le mariage », pas « Je ne me sens pas prête pour toi ».

Toutefois, Huckle n'entendit qu'une chose : elle n'avait pas envie de l'épouser.

— Très bien, dit-il.

C'était difficile de blesser Huckle ; c'était un homme réellement accommodant, qui se fâchait rarement. Cela restait néanmoins possible.

— Je suis désolée, s'excusa Polly. Mais tu sais comment c'est… et j'ai tellement de choses à gérer…

— Ouais, ouais, je sais.

Polly pensa à Carmel, qui avait dû se demander durant des années si son mari commettrait de nouvelles incartades. À sa mère aussi, qui mangeait seule tous les soirs dans sa cuisine, au cours de l'unique vie qu'elle aurait jamais.

Elle pensa – brièvement, succinctement – à la perspective incroyablement accablante qu'elle avait quelque part dans le monde des demi-frères et sœurs. Bien sûr, cela avait toujours été une possibilité, mais Polly ne s'était jamais particulièrement appesantie sur cette idée. Désormais, elle en avait l'absolue certitude et, plus encore, l'un d'eux devait avoir à peu près le même âge qu'elle.

Bon. Elle n'était pas en état pour le moment de penser famille. Ni même d'en fonder une avec Huckle. Il pouvait certainement le comprendre, non ? Elle en était tout simplement incapable, point final.

Le vent sifflait autour et même à l'intérieur du phare, doucement éclairé par les lampions. Il faisait agréablement bon, les vestiges d'une flambée réchauffant encore la maisonnée pour une fois. Le feu avait été ardent ce soir-là, et une sensation de chaleur régnait dans tout le bâtiment.

Oui, songea Polly, qui essaya d'arrêter de faire des listes dans sa tête et se pelotonna dans le lit, il comprendrait. Aucun doute. Huckle était toujours compréhensif.

***

Or, comme la vie nous l'apprend si bien, ce que l'on pense que les autres savent de nous (y compris une personne que nous aimons de tout notre cœur – surtout une personne que nous aimons de tout notre cœur) peut être totalement mal interprété ou incompris, ou alors le silence que nous jugeons si éloquent passe tout bonnement inaperçu. Nous croyons – ou aimerions croire – que ceux dont nous sommes les plus proches sont capables de deviner nos intentions, de la même façon qu'une mère sait quand un enfant a mangé des biscuits en cachette à cause du chocolat autour de sa bouche.

Mais personne n'est devin. Et pour une fois, ce fut Polly qui tomba dans les bras de Morphée au son des vagues, tandis que Huckle resta éveillé, dans le noir, inhabituellement pensif ; ne trouvant curieusement pas le sommeil ; se sentant très étrangement seul.

Chapitre 22

Huckle aurait peut-être davantage compris s'il avait été présent chez Reuben le lendemain, lors de l'arrivée des parents de celui-ci, mais ce ne fut pas le cas.

La demeure avait été décorée du sol au plafond. Polly ne put s'empêcher de soupirer, rien qu'un petit peu. C'était un brin idiot d'avoir de l'argent, quand il y avait plus de petits pains que quiconque était capable d'ingurgiter en une seule journée ; quand elle ne parvenait pas à distinguer une bonne d'une mauvaise bouteille de vin ; quand elle ne comprenait pas non plus l'intérêt d'avoir un sac à main hors de prix (les sacs de Polly finissaient invariablement remplis de bouts de mouchoir, de stylos étranges, de tubes de rouge à lèvres à moitié utilisés et d'un soupçon de levure ; elle n'imaginait pas combien ce serait horrible d'infliger un tel traitement à un objet qui valait plus qu'une petite voiture).

Mais la différence entre ses petites guirlandes électriques et le travail professionnel de décoration réalisé chez Reuben était manifestement colossale. Le sapin sur le rond-point au bout de l'allée devait mesurer l'équivalent de trois étages. Le thème était les diamants et les sculptures de glace, ce qui pouvait paraître de mauvais goût, mais s'accordait parfaitement – c'en était exaspérant – avec les éléments métalliques et vitrés de cette jolie maison moderne. Le givre craquait sur la pelouse et sur la charmante allée éclairée qui menait à la plage privée. Polly transporta ses plateaux de dégustation dans la gigantesque cuisine digne d'un restaurant. Reuben était un vrai cordon-bleu, mais il avait bien entendu un cuisinier à disposition. Kerensa était introuvable. Elle avait dit à tout le monde qu'elle partait se faire bichonner et masser, or Polly savait pertinemment que Kerensa n'était pas du tout une adepte de ce genre de distractions ; elle devait plutôt se cacher dans un coin.

Polly soupira. Personne n'avait donc le droit à un *happy end* ? Cela ne fonctionnait-il tout simplement pas ? Cette période de la vie de sa meilleure amie devrait être la plus heureuse : elle avait trouvé chaussure à son pied avec un homme qui, quand bien même personne ne le qualifierait de « charmant », était amusant, l'adorait (et Kerensa l'adorait tout autant) et elle attendait leur premier enfant dans leur superbe maison de bord de mer. C'était comme cette femme qui avait épousé l'héritier d'une principauté, avait eu des jumeaux et paraissait sans cesse en vouloir à la terre entière. Sincèrement, si Kerensa n'était pas heureuse, alors qui pouvait l'être ? Et pourtant, elle était tombée dans les bras d'un stripteaseur brésilien. Certes, brièvement, mais tout de même.

Polly soupira, posa ses deux grands plateaux et alluma le four pour tout réchauffer. Elle s'occupait officiellement de la nourriture uniquement pour le réveillon, Noël et le lendemain, mais elle avait accepté d'organiser une petite mise en bouche pour l'arrivée des parents de Reuben, qui auraient sans doute froid et une faim de loup. Polly regarda autour d'elle.

Marta, la domestique, lui sourit poliment, mais elles n'échangèrent pas une parole. Polly se prépara un café avec la machine ultra compliquée et ridiculement bruyante de Reuben, qui semblait disposer de la technologie suffisante pour lancer une mission sur Mars. Elle flâna ensuite dans la vaste cuisine. Celle-ci était bien plus grande que le fournil dont Polly disposait pour sustenter tout un village. Outre les fours professionnels, elle était équipée d'un énorme wok, d'un four à pizza, etc. On pouvait tenir un hôtel assez sympa ici. C'était d'ailleurs le cas en quelque sorte, pensa Polly.

Le soleil brillait à travers les fenêtres, sa chaleur venant s'ajouter à celle du chauffage par le sol. En bon Américain, Reuben aimait qu'il fasse une chaleur du diable dans sa maison l'hiver et qu'elle soit glacée l'été ; aussi, avec les rayons du soleil, faisait-il presque trop chaud. Polly aurait aimé pouvoir s'étirer sur le sol comme un chat et faire une sieste.

Soudain, elle entendit un bruit, tel un gros battement, menaçant et étrange. Marta ne broncha pas. Polly se précipita dans le vestibule. En plus du sapin colossal qui se dressait dans la tourelle, elle en remarqua un second dans le séjour (où une énorme flambée crépitait, bien que la pièce soit entièrement déserte), avec de petites figurines en bois disposées tout autour du pied.

Polly ouvrit la porte d'entrée qui donnait sur l'allée étincelante et, à sa grande surprise, elle aperçut un hélicoptère noir qui se posait juste devant elle. Bien sûr, elle avait reconnu le bruit, mais elle n'avait pas vu d'hélicoptère d'aussi près depuis… depuis cette violente tempête un an plus tôt environ. Elle chassa ce souvenir de son esprit et sourit nerveusement en se rendant compte que cela lui donnait encore plus l'apparence d'une employée de maison.

L'hélicoptère produisit un vacarme assourdissant lorsqu'il vacilla au-dessus du grand H que Polly n'avait même pas remarqué dans l'allée. Sérieusement, comment les gens pouvaient-ils posséder autant d'argent ? Elle savait que Reuben avait fait un truc avec des algorithmes qui avait rendu les entreprises d'informatique folles, mais elle n'avait aucune idée de ce qu'était un algorithme, même si manifestement cela permettait d'acheter un hélicoptère.

Les pales s'immobilisèrent enfin, Reuben retira son casque et sortit d'un bond de l'appareil, paraissant invariablement enjoué. Il salua chaleureusement Polly de la main, qui lui fit docilement signe en retour, avec toujours cette impression d'être une servante. Marta s'approcha et commença à décharger une quantité considérable de valises lourdes, tandis que Reuben aidait son père à descendre, puis sa mère.

Il était tellement évident que Reuben ressemblerait à son père quand il serait plus âgé que c'en était presque comique de les voir ensemble. Celui-ci était chauve, avec une petite touffe des cheveux roux de Reuben autour des oreilles, et avait des sourcils clairs broussailleux. Son crâne était recouvert de taches de rousseur.

Une personne plus espiègle que Polly aurait pu être tentée de les relier pour y dessiner un visage. Son corps formait une sphère presque parfaite. Il portait un manteau en cachemire qui semblait valoir extrêmement cher, par-dessus un costume en tweed exquisément bien taillé avec une pochette à pois – tenue très britannique. Ses beaux vêtements ne parvenaient absolument pas à cacher sa ressemblance, avec ses bras épais et courts et ses jambes écartées, avec un bonhomme de neige ou un bébé joyeux.

Rhonda, la mère de Reuben, avait une chevelure abondante, noir de jais, une couleur inhabituelle pour une femme de son âge – âge qui était bien entendu complètement indéfinissable. Elle portait… Non, c'était impossible. Et pourtant si. De la fourrure. Un long manteau de vison. Sans vergogne aucune. Rhonda aussi était petite – on se serait cru en réalité dans une scène de *The Revenant*.

Bon. Polly n'aimait pas la fourrure, mais elle imaginait combien son opinion importait à Rhonda : pas le moins du monde.

Rhonda avait réussi à garder ses faux cils après un vol de huit heures et un transfert en hélicoptère, prouesse assez impressionnante quand on y réfléchissait. Elle avait des yeux très maquillés, qui rappelaient à Polly Liza Minelli, et un grand sourire tout en rouge à lèvres. Celui-ci bavait un petit peu.

— Bonjour ! lança Rhonda en agitant la main, et Polly s'approcha. (La mère de Reuben lui fit vivement la bise.) Je me souviens de vous ! C'est vous qui avez filé en douce au mariage de Reuben pour fricoter avec ce témoin sexy !

Polly sourit avec gêne.

— Ah. Oui, c'est moi.

— Est-ce qu'il est encore d'actualité ? J'en doute. Ah, ce n'est jamais une bonne façon de s'y prendre. Vous les jeunes femmes, vous vous donnez toujours et…

— En réalité, nous sommes fiancés, l'interrompit Polly.

Rhonda fronça les sourcils – ou, du moins, l'aurait fait si sa peau n'avait pas été aussi tendue.

— Ah oui, comme quoi, rétorqua Rhonda comme s'il s'agissait précisément de sa pensée depuis le début. Alors, où est ma belle-fille ?

S'il y avait bien une femme, songea Polly, capable de supporter Rhonda comme belle-mère, c'était Kerensa.

— Elle est… elle est en vadrouille, répondit maladroitement Polly.

Rhonda renifla bruyamment.

— Tu entends ça, Merv ? En vadrouille. Elle est trop occupée pour accueillir ses beaux-parents. Et que fait-elle par monts et par vaux alors qu'elle porte notre unique petit-enfant ? Hein ? Hein ?

— Maman, dit Reuben d'une voix conciliante. Elle n'est pas partie loin. Et ce n'est pas votre unique petit-enfant. Hayley a deux gamins.

— Euh, oui, Hayley, déclara Rhonda, d'un ton qui trahissait complètement lequel de ses enfants elle préférait. Je veux dire des enfants Finkel. Des enfants qui auront notre nom de famille. Les enfants de mon adorable petit Ruby-Baby.

Elle pinça les joues rondes de Reuben, qui, pour sa défense, ne chercha pas le moins du monde à la repousser ; il sembla accepter totalement que sa mère fasse ce geste, qui plus est en public.

Marta disparut avec les bagages et Rhonda se faufila dans la maison, laissant derrière elle un parfum extraordinairement capiteux.

— Oh, Reuben, fit tristement sa mère. Enfin… Tu sais. (Elle balaya du regard le superbe vestibule, avec son sapin gigantesque et son énorme balustrade moderne.) Ce que je veux dire, c'est que c'est si… Si chiche ! Tu ne pouvais pas faire quelque chose d'un peu plus sophistiqué ? Nous avons commandé pour notre maison de ville, expliqua-t-elle à Polly, des boiseries pour tous les murs. Cela fait vraiment chic, vous voyez ce que je veux dire ? Quand c'est bien fait. Ils ont utilisé une essence de bois qu'on ne peut même plus se procurer. Extrêmement rare. Je crois que nous avons été les derniers autorisés à abattre ces arbres.

— Ha ha, ça, c'est ce qu'elle croit, intervint Merv. Elle pense que nous avions le droit de les couper. Son innocence est si adorable. (Il glousssa avec bienveillance et se dirigea vers la cuisine.) Hé, qu'est-ce qu'il y a à manger dans ce bouge ?

Reuben suivit ses parents, une expression à la fois terrifiée et ravie sur le visage.

— Enfin quoi, ça ne ferait pas de mal de mettre un peu d'or ici et là, non ? Pour montrer au monde que tu es sur le point de réussir dans la vie.

— Maman, la plupart des gens du coin pensent que *j'ai réussi*.

— Ouais, les gens du coin.

Polly sortit adroitement les plateaux du four : des *rugelach* et des *matsas* au chocolat comme ils l'avaient demandé, ainsi que sa nouvelle spécialité (qu'elle avait dû refaire neuf fois avant que Reuben ne soit enfin satisfait), des *knishs* du Vieux Continent, c'est-à-dire de l'Europe trois générations plus tôt.

Merv voulut se servir alors que les mets n'avaient pas encore refroidi. Il fixa ses doigts, tel un ours perplexe.

— Papa, le gronda Reuben.

Rhonda désapprouva d'un claquement de langue et regarda autour d'elle.

— Où est la glace pilée ?

Polly n'avait pas vraiment jugé utile, en plein mois de décembre, de prévoir de la glace pilée. Elle se précipita néanmoins vers le ridicule réfrigérateur professionnel de Reuben et remplit un verre au distributeur de la porte.

— C'est délicieux, déclara Merv en fourrant les amuse-gueules dans sa bouche aussi vite qu'il le put. Bon, bien entendu, je vais vous faire un procès pour m'être brûlé les doigts… Je plaisante, je plaisante. Qu'est-ce que c'est, au fait ?

Polly se tourna vers Reuben. Il s'agissait des *knishs* sur lesquels elle avait durement travaillé, peaufinant cette recette juive qu'elle ne connaissait pas, pour lesquels elle s'était procuré des ingrédients extrêmement rares dans la campagne cornouaillaise, et Merv ne savait même pas ce qu'il mangeait ?

Reuben ne parut pas le moins du monde honteux.

— Hé, c'est comme ça que, moi, je les aime ! Et c'est moi qui paie.

Polly exprima son mécontentement d'un reniflement.

Rhonda jeta un coup d'œil aux pâtisseries.

— Pas pour moi, merci. Tu sais que je dois faire attention à ma ligne.

Elle se dandina joyeusement jusqu'à la fenêtre, puis houspilla Reuben lorsqu'elle aperçut son timbre d'office :

— Sérieusement, c'est vraiment passé de mode ! Pourquoi ne mettrais-tu pas un évier avec un joli robinet ? Là, on dirait le genre de choses dont se servent les domestiques.

Reuben sourit tendrement, avant de glisser doucement vers Polly.

— Où est Kerensa ? lui demanda-t-il, la mâchoire serrée. Je n'en peux plus. Je n'y arriverai pas sans elle et elle ne répond pas au téléphone. Qu'est-ce qui lui arrive ?

Polly haussa les épaules.

— Je n'en sais rien… Un truc de femme enceinte ? tenta-t-elle en espérant que cette perspective rebute Reuben, comme c'était souvent le cas avec ces choses. Heureusement, sa stratégie fonctionna.

— Pouah, fit Reuben en frissonnant. Beurk. J'ai entendu une fois le terme « bouchon muqueux » et cela m'a suffi, merci.

— Tu ne vas pas assister à l'accouchement ?

— Même pas en rêve ! Comme quelqu'un l'a si bien dit, cela revient à regarder son bistrot préféré partir en flammes.

— Oh, Reuben, il faut que tu sois présent.

— J'ai demandé que les meilleurs obstétriciens du pays soient de garde, plus une doula et une sage-femme. Et nous aurons l'une de ces nurses anglaises qui porte un uniforme et qui refusera de coucher avec moi… Je plaisante, bien sûr. À propos du sexe, pas de la nourrice.

— C'est ce que veut Kerensa ?

— C'est ce qu'il y a de mieux, répondit Reuben d'un air mutin. Tout le monde sait ça.

— D'accord.

Houla, Noël promettait d'être amusant, songea Polly. Elle devait se concentrer sur l'argent. Penser à l'argent. Faire le boulot. Et tout irait bien.

— C'est dommage que tu n'aies pas plus soigné les décorations, commentait Rhonda en faisant le tour de la maison. Ça me déçoit que tu n'aies pas eu envie de faire cet effort.

— D'accord, Maman, dit Reuben, qui parut pour la première fois honteux, comme le vilain garçon qu'il avait dû être dans son enfance. Est-ce que vous voulez faire une sieste ?

— Dormons-nous à nouveau dans cette chambre ? demanda Rhonda. Tu sais, elle est vraiment bruyante.

— Ce sont les vagues, Maman.

— Je dis simplement qu'elles sont extrêmement bruyantes. Il n'y a rien que tu puisses faire ?

— Si, Maman, je peux empêcher la mer de monter.

Polly se sentait de plus en plus mal à l'aise. Rhonda n'avait rien voulu manger, alors Merv et Reuben avaient tout dévoré ; ainsi se tenaient-ils tous dans cette immense cuisine, l'air embarrassés.

Où diable était Kerensa ? Elle au moins trouverait un truc drôle à raconter, elle saurait briser la glace. Au lieu de cela, elle faisait quelque chose que Polly considérait comme plutôt dangereux : elle donnait à Reuben le mauvais rôle. Il était habitué à obtenir tout ce qu'il voulait ; à être le centre de l'attention. Lui faire faux bond devant ses parents était au mieux impoli, au pire potentiellement dévastateur.

Polly jeta un coup d'œil à Merv, qui époussetait les miettes de son manteau hors de prix. En relevant les yeux, il surprit le regard de Polly.

— Oui, viens, Rhonda. Allons faire un petit somme, laissons les jeunes régler leurs histoires, hein ?

Rhonda renifla.

— Mais je ne vais pas fermer l'œil.

— Tu dis toujours cela quand tu es fatiguée. Et hop, quelques secondes plus tard, tu ronfles comme une toupie.

— C'est précisément pour cette raison que nous allons faire chambre à part. Non, on va même dormir chacun dans une aile, ajouta Rhonda en croisant les bras.

Le bruit d'une moto qui s'arrêtait se fit entendre. C'était Huckle qui venait saluer les parents de Reuben. Polly avait rarement été aussi contente de le voir.

— Huck ! cria-t-elle joyeusement lorsqu'il entra d'un pas traînant.

— Euh, salut ? dit-il en embrassant progressivement la pièce du regard. Bonjour, Mrs Finkel. Mr Finkel.

— Appelez-moi Merv. Vous êtes Huckle, c'est bien ça ?

Huckle acquiesça du chef.

— Vous savez, je n'ai jamais eu l'occasion de rencontrer les amis de Reuben.

— C'est parce qu'il n'en a pas, rétorqua Huckle, qui sourit pour souligner sa plaisanterie.

— Mais si ! J'ai des millions d'amis ! J'ai les meilleurs amis au monde et la plupart d'entre eux sont célèbres ! protesta Reuben.

— D'accord, Superman, c'était une blague. Hé, ça fait plaisir de vous voir. Qu'avez-vous pensé des petites merveilles de Polly ?

— C'était plutôt bon ! répondit Merv en se tapotant le ventre. Bonne recrue, Reuben.

— En fait, je… (Mais Polly décida de ne pas poursuivre.) Merci.

Huckle afficha un grand sourire et posa son bras autour des épaules de Polly. Rhonda renifla une nouvelle fois.

— Et où est… commença Huckle.

Polly lui asséna aussitôt un coup de pied dans le tibia.

— Aïe ! Quoi ?

— Rien.

Huckle parut confus. Et Rhonda furieuse.

— Elle voulait dire : « Tais-toi à propos de la femme de Reuben, qui ne daigne pas venir nous saluer. »

— Oh, dit Huckle en fixant Polly.

— Bonjour ! tonna une voix dans l'immense vestibule.

C'était Kerensa qui entrait – ou plutôt marchait pesamment à cause de son ventre désormais gigantesque. Ses racines étaient visibles, son visage était bouffi, et sa peau rêche et boutonneuse. En temps normal, Kerensa n'était toujours que parfaite. Même Polly fut surprise.

— Hé, Rhonda… Merv.

Merv étreignit Kerensa plutôt distraitement, mais Rhonda ne pouvait dissimuler sa surprise.

— Oh… mon… Dieu !!!! cria-t-elle avec emphase. Mais, Reuben, c'est une baleine ! Regarde-toi, Kerensa ! Je n'ai jamais vu de femme Finkel enfler comme ça ! Quoi qu'il y ait là-dedans, c'est plus grand que Reuben !

Kerensa esquissa un faible sourire, mais elle parut sur le point de fondre en larmes. Reuben se renfrogna.

— Elle est superbe, Maman.

Rhonda aurait haussé les sourcils si ceux-ci n'avaient pas été tatoués au milieu de son front.

Kerensa les fixa tous d'un regard trouble, comme si elle savait à peine de qui il s'agissait. Son visage se décomposait, et la peur se lisait dans son regard. Elle parvenait à peu près à supporter la compagnie de Polly, mais toute la famille Finkel d'un seul coup, c'était trop.

— Je vais faire une sieste, annonça-t-elle mollement en posant son luxueux sac à main sur la table de la cuisine.

L'entrechoc des fermoirs dorés contre le béton brossé résonna dans la pièce.

Chapitre 23

— Bon, déclara Huckle aussitôt qu'ils furent rentrés.

Il semblait énervé. C'était du jamais vu, ou presque. C'était l'homme le plus imperturbable qui soit, en toutes circonstances. Mais là, il pénétra dans la cuisine d'un air furieux et laissa tomber lourdement ses mains sur la vieille table en bois récurée. Neil n'était pas là.

— C'était quoi ce bordel ?

— De quoi tu parles ? demanda nerveusement Polly.

— De Kerensa et toi. Les regards que vous vous êtes échangés. Vous paraissiez tendues. Ça crève les yeux qu'il se passe quelque chose. Alors c'est quoi, bon sang ?

— Euh… Je crois que Kerensa était simplement stressée à cause de Rhonda et Merv… Et puis avec l'arrivée du bébé, tu sais. La naissance est prévue dans un mois.

Huckle secoua la tête.

— Elle est parfaitement capable de gérer Rhonda et Merv. Je l'ai déjà vue faire. Cette femme ne se laisse pas facilement intimider. Non. Il y a autre chose. (Il dévisagea Polly.) Et regarde-toi ! Tu es toute rouge.

Polly maudit sa peau claire, qui la trahissait toujours quand elle rougissait. Elle maudissait aussi le fait que Huckle la connaisse par cœur. Il la fixait à présent, de ce regard bleu clair non pas détendu et gentil, mais sévère.

— Qu'est-ce qui se passe à la fin ?

— Rien !

— On voit à peine Kerensa, et tu sembles muette à propos de tout. Dis-moi ce qu'il y a, Polly.

Huckle leur prépara une tasse de thé. Polly garda le silence. Son cerveau était en pleine ébullition. Elle ne pouvait pas… Mais d'un autre côté, il s'agissait de Huckle. Son alter ego. Son amour. Elle devait… elle ne pouvait pas avoir de secrets pour lui. Pas de mensonges. Pas de malhonnêteté. Leur relation n'était pas comme ça, il n'y avait jamais eu de non-dits entre eux. Quand Polly était avec Chris, il lui avait menti, lui racontant que l'entreprise se portait bien, que tout était génial, qu'elle ne devait pas se faire de souci. Et peu de temps après, ils avaient fait faillite et tout perdu.

Elle ne supportait pas de regarder le joli visage perplexe, sincère de Huckle. Il était si franc. Toujours, il lui disait la vérité. La vérité concernant la séparation douloureuse avec son ex-fiancée, la longue année qu'il lui avait fallu pour l'oublier – et Polly avait laissé partir Huckle, l'avait laissé faire tout ce dont il avait eu besoin, jusqu'à ce qu'il se sente prêt. Ils avaient toujours été honnêtes l'un envers l'autre.

Mais ça. Cela entaillait leur cercle d'amis, l'univers qu'ils avaient fondé ensemble, le bonheur qu'ils partageaient.

Peut-être comprendrait-il. C'était quelqu'un de sensé, non ? Peut-être reconnaîtrait-il qu'il s'agissait d'une erreur stupide, d'un petit malentendu. Ou peut-être pourrait-elle encore attendre…

Huckle fixait Polly, qui s'aperçut qu'elle était restée silencieuse bien trop longtemps. La partie était perdue.

— Polly ? (Le ton léger de la voix grave de Huckle avait disparu ; il était on ne peut plus sérieux.) Il faut que tu m'expliques.

Polly ferma les yeux. Elle réfléchit. Elle aurait aimé être ailleurs en cet instant précis. Elle songea à ce qu'elle devait à sa meilleure amie. À la franchise, qu'elle devait assurément à son fiancé. Puis à sa vie.

Elle dévoila alors à Huckle la vérité concernant Kerensa.

Chapitre 24

Polly n'avait jamais vu Huckle dans cet état auparavant. Bien entendu, ils s'étaient déjà disputés ; ils étaient humains. L'année passée, lorsqu'il était parti travailler aux États-Unis, avait été extrêmement difficile pour tous les deux.

Mais jusque-là, leurs disputes concernaient un sujet précis : la plomberie dans une salle de bains, ou l'intérêt de faire cinquante kilomètres pour aller au cinéma si Polly s'endormait chaque fois durant le film.

Ils avaient des divergences d'opinions. Cette fois-ci cependant, c'était différent. Totalement. Curieusement, le beau visage habituellement placide de Huckle était presque amusant tant il passait par toute la gamme des émotions : le choc, la surprise, la colère et, enfin, une profonde affliction. Il ne prononça pas un mot pendant un moment. Puis il voulut dire quelque chose, sans parvenir à l'exprimer. Il bredouilla, avant de se taire. Il détourna le regard. Il se retourna ensuite vers Polly, qui sentit son cœur chavirer.

— De… depuis combien de temps ? réussit enfin à articuler Huckle. Tu es au courant depuis combien de temps ?

Polly sentit sa gorge se serrer.

— Depuis… euh, quelques semaines, répondit-elle doucement.

— Quelques semaines ?

Huckle cligna des yeux. Il paraissait au bord des larmes.

— Tu étais au courant de cette histoire et tu n'as pas jugé bon de m'en parler ? Jamais ? Pas une seule fois ?

— Ce n'était pas… ce n'était pas à moi de t'en parler.

— Mais, Polly. Polly, je… je suis censé être… je suis censé être ton alter ego. Ton… ton âme sœur, si tu préfères.

Polly ne supportait pas le regard qu'il lui portait actuellement : comme si quelque chose qu'il aimait chez elle, ou qu'il pensait d'elle, avait en quelque sorte soudainement disparu ; comme si elle n'était pas la personne qu'il croyait. Comme si ce qu'ils avaient tous les deux de précieux et parfait s'était évaporé. Des larmes jaillirent des paupières de Polly.

— Nous… nous sommes censés tout nous raconter.

— Mais Kerensa m'a fait jurer de ne rien dire !

— Oui, au reste du monde, pas à moi !

— Je ne pouvais pas t'en parler, se justifia Polly. Et si tu racontais tout à Reuben ?

— Bah, j'estime qu'il a le droit de savoir, tu ne crois pas ? Il va élever un enfant qui n'est pas de lui. D'après toi, ce ne sont pas non plus ses affaires ?

— Mais on n'en sait rien. Personne ne sait. Et on n'en saura rien tant que le bébé ne sera pas né.

Huckle secoua la tête de dépit.

— Reuben est mon meilleur ami, Polly ! Mon meilleur ami !

— Et Kerensa est ma meilleure amie, rétorqua doucement Polly.

— Non. C'est… Non. C'est immoral. C'est malhonnête. Je refuse d'être mêlé à cela, Polly. Je ne peux pas… Je ne veux rien à voir là-dedans.

— Huckle, tu sais comment est Reuben ! Tu sais comme il peut être horrible, difficile ! C'est lui qui a poussé Kerensa à la faute, il n'était jamais à la maison, il la traitait comme une domestique…

— Son comportement légitime ce qu'elle a fait ?

— Non. Non, pas du tout. Je pense qu'elle est sortie pour se défouler et elle a perdu pied. Ce sont des choses qui arrivent.

— Ah bon ? Et c'est le genre de choses qui serait susceptible de t'arriver ?

— Non ! s'indigna Polly, scandalisée. Même pas en rêve !

— Mais tu penses que c'est normal ?

— Non !!! cria Polly. Comment tu peux croire ça ?

— Parce qu'une de tes amies l'a fait et que tu l'as couverte.

— Elle a commis une erreur ! Elle ne pense pas que c'est le moins du monde normal. Personne ne pense que c'est normal, Huckle. C'était une stupide et terrible erreur.

— Mettre des chaussettes dépareillées est une erreur, répliqua amèrement Huckle. Voter pour le mauvais candidat. Mais ça… Ils ne sont mariés que depuis un an !

— Ne… N'imagine pas qu'elle ne culpabilise pas. Elle aime Reuben. Sincèrement. C'était une bêtise. Un écart stupide qu'elle ne se pardonnera jamais.

— Comment peut-elle se regarder dans le miroir ? Comment ?

Huckle fixa Polly comme si elle connaissait la réponse. Ou comme s'il lui demandait comment *elle* pouvait se regarder dans le miroir en gardant un secret aussi honteux.

— Est-ce que… Est-ce qu'il y a beaucoup de choses que tu me caches ? l'interrogea Huckle, avec peine.

— Non ! Non ! Si je ne t'en ai pas parlé, c'est uniquement parce que ça ne me concernait pas. Ce n'était pas à moi de te l'apprendre. J'en avais envie, mais elle m'a suppliée de ne rien dire, Huckle. Elle m'a suppliée. Pour cette raison précise. Parce que ça ne regarde personne d'autre.

Polly se rendit compte soudain qu'elle était terrifiée. Tout partait à vau-l'eau.

— Est-ce que tu vas le dire à Reuben ? demanda-t-elle d'une petite voix.

De rage, Huckle tapa du poing sur la table de la cuisine.

— Bon sang. Bordel, Polly !!!

— Je sais, je sais…

— Et s'il découvre le pot aux roses plus tard ? Et si ça se voit que le gosse n'est pas le sien ? Et si jamais il vient nous demander ce qu'on en pense ?

— Je n'en sais rien.

Huckle secoua la tête.

— Je te faisais confiance. Je pensais que nous partagions quelque chose de beau, de réel, une sorte de… Quelque chose d'exceptionnel. Dans cet endroit magnifique. Tous les deux. Et avec eux, et tout ce que nous avions… Toutes ces choses sympas : les amis, la famille et puis… tout ce que je n'avais jamais eu dans ma vie jusque-là… (Il se mordit la lèvre.) Et maintenant, c'est brisé. Gâché. Fini.

— Non ! s'exclama Polly en se précipitant vers la porte. Non, c'est faux. Tu exagères. Ça n'a rien à voir avec nous.

— Mais tous les quatre, nous formions un « nous ». Nous étions des amis. Qui se faisaient mutuellement confiance. Qui faisaient des trucs ensemble. Et maintenant… tous les trois, nous allons devoir regarder ce bébé mystérieux grandir ? Sans rien dire au quatrième ? C'est un complot !

Polly soupira.

— Rien ne sera plus jamais comme avant, se désola Huckle. C'est impossible de faire comme si cela n'était jamais arrivé. On ne peut pas faire comme si ça n'existait pas.

— Où est-ce que tu vas ? lui demanda Polly, dont le cœur battait à toute allure d'effroi. Où est-ce que tu vas ? Voir Reuben ? Pour tout lui raconter ?

— Non. Peut-être. Je ne sais pas. Laisse-moi tranquille.

Polly entendit la moto démarrer puis s'éloigner. Elle consulta les horaires des marées, qu'elle connaissait quasiment par cœur, mais c'était toujours pratique d'avoir ce tableau sous la main. La chaussée serait immergée à cette heure de la soirée. Huckle n'avait nulle part où aller ; il ne pouvait pas se rendre chez Reuben. Il irait sans doute au *Red Lion* boire une bière, histoire de se calmer. Il ferait sûrement cela ; il faisait un froid glacial ce soir-là et il n'y avait littéralement aucun autre endroit où aller. À moins qu'il ne change d'avis et ne revienne…

Polly passa un long moment à guetter la porte, à l'attendre. Son thé refroidit. Elle ne toucha pas au dîner. Elle attrapa son téléphone, mais comme d'habitude, elle n'avait aucune réception ; il n'y avait donc rien à faire, si ce n'est le fixer au cas où un message arriverait. Elle ne voulait pas écrire à Huckle de peur de s'exprimer maladroitement. Elle se sentait terriblement mal.

Elle monta à l'étage. Cependant, les autres pièces étaient glacées et le spectacle de toutes les décorations de Noël chagrina Polly, alors elle rebroussa chemin et retourna dans la cuisine, pour se blottir à côté du poêle à bois.

Neil s'approcha en bondissant et se percha sur l'épaule de Polly. Elle lui gratta mélancoliquement le cou, tout en se repassant le film de sa dispute avec Huckle. Malgré son immense chagrin, elle prit conscience des schémas qui se répétaient dans sa vie et qui l'avaient toujours poussée à arranger les choses pour sa mère, à essayer que tout aille bien. Elle avait tenté de faire la même chose pour Kerensa, ce qui avait été un échec total. On ne pouvait pas tirer le rideau de la sorte. Bien entendu, maintenant qu'elle y réfléchissait, cela n'avait pas fonctionné pour sa mère non plus.

Sa manie de faire l'autruche, de croiser les doigts pour que tout se passe bien… La vie n'était pas un glaçage : on ne pouvait pas simplement l'étaler sur les craquelures pour enjoliver le gâteau et espérer que personne ne le remarquerait. La vie ne marchait pas ainsi. Au lieu de cela, les craquelures s'élargissaient sous le glaçage et puis, un jour, la fêlure devenait trop sérieuse pour être guérie.

Polly fondit en larmes, d'horribles sanglots déchirants ; le genre de pleurs qui raclent la gorge, font rougir le nez et donnent l'impression de ne pouvoir s'arrêter. Ces larmes incessantes ne lui apportèrent aucun soulagement. Chaque fois qu'elle apercevait la lumière du phare se refléter dans une fenêtre, elle se disait qu'il s'agissait peut-être de la moto de Huckle, qu'il rentrait à la maison, mais ce n'était pas le cas – il ne rentra pas. Durant tout ce temps, Polly fut tiraillée par la pire question d'entre toutes : devrait-elle avouer à Kerensa qu'elle avait trahi sa confiance ? Devrait-elle la terroriser en lui apprenant que Huckle allait gâcher sa vie, qu'il avait le pouvoir de le faire à tout instant, que c'était une réelle possibilité ? Ce qui détruirait non seulement l'existence de Kerensa, mais également celle de Reuben. Sans doute aussi celle de ce petit enfant qui n'était pas encore venu au monde, ce que Polly eut la sensation d'avoir quelque peu connu.

Chapitre 25

Polly s'assoupit, toujours en pleurs, vers deux heures du matin, puis elle se réveilla en sursaut. Le feu était pratiquement éteint et il faisait terriblement froid dans la cuisine. Elle regarda autour d'elle, horrifiée. Elle était toujours toute seule. Où était Huckle ? Que s'était-il passé ? Y avait-il eu un souci ?

Polly jeta un coup d'œil à son téléphone, qui, comme d'habitude en fonction des fluctuations du signal, avait reçu des messages à un moment et était de nouveau déconnecté. Elle soupira et parcourut son écran. Il n'y avait qu'un seul message de lui :

Je dors chez un pote.

Bon, au moins, il ne lui était rien arrivé. Pendant un horrible instant, Polly s'était dit qu'il avait pu décider de franchir la chaussée inondée, sans se soucier des conséquences – il en était tout à fait capable. Mais il n'était pas parti chez Reuben et Kerensa, parce que Polly n'avait reçu aucun appel ni message d'eux.

À moins bien entendu qu'ils aient tous été pris dans une fusillade sanglante.

Polly secoua la tête, puis s'enveloppa dans une couverture posée sur le canapé et monta se coucher. La chambre était frigorifique. Polly ne parvenait pas à réchauffer ses pieds, quels que soient ses efforts. Elle resta allongée sur le dos, le regard rivé au plafond, les yeux trop secs pour pleurer. Qu'allait-il se passer ? Noël était imminent et s'annonçait comme un véritable désastre. Huckle reviendrait-il au moins ? Et si oui, pourrait-il se retenir de dire quelque chose ? Et si tout le monde buvait quelques coupes de champagne et que les esprits s'échauffaient un peu ? Ce genre de choses se produisait à Noël. Cela arrivait tout le temps.

Polly ne parvint pas à se rendormir. Elle devait se lever et préparer le pain, puis elle avait promis d'aller chez Reuben et de s'occuper de la fête organisée pour ses partenaires d'affaires et ses parents.

C'était le souci avec le travail – mais, d'un autre côté, il offrait une échappatoire, pensa-t-elle –, il était implacablement là, quelle que soit notre humeur, que nous soyons prêts ou non. Ainsi, même si elle était épuisée et se faisait un sang d'encre pour Huckle, elle n'avait d'autre choix que de se lever et de continuer à vivre.

Elle pétrissait le pain à la table de la cuisine, tout en se shootant au café ; elle avait monté fort le volume de la radio pour tenter de se remonter le moral, pour essayer désespérément de s'extraire de cette horrible torpeur. Elle avait travaillé si dur pour se créer cette vie, pour en faire une réussite. Et maintenant, c'était comme si elle se fissurait, que le monde s'écroulait autour d'elle. Neil était entré parce qu'il aimait la musique de la radio, mais même sa petite tête n'égaya pas Polly comme c'était le cas habituellement. Tout paraissait si vide et futile, mais que pouvait-elle faire d'autre à part continuer ?

À l'extérieur, Huckle stoppa sa moto, avec une légère gueule de bois après une nuit passée sur le canapé d'Andy, à avoir bien réfléchi et s'être rendu compte que cette mésaventure n'était pas ses affaires, pas du tout. La situation était affligeante, certes ; regarder son meilleur ami élever l'enfant d'un autre homme était un terrible fardeau qu'il devrait porter. Mais c'était ainsi. Il ne pouvait pas se fâcher avec Polly pour cette histoire ; elle n'y était pour rien. Elle devait être bouleversée après leur dispute. Il n'aurait pas dû partir comme un ouragan. Il s'excuserait et ils reprendraient le cours de leur vie ; seulement, il éviterait Kerensa.

Par la fenêtre de la cuisine basse et large, Huckle entendit la musique et aperçut Polly s'affairer à la table : elle se dandinait, tout en s'attelant à sa tâche ; elle poursuivait joyeusement sa vie comme si rien ne s'était passé. Cette vision le piqua au vif. Cette histoire l'avait torturé, et elle… elle allait bien.

Huckle avait craqué pour Polly avec la certitude absolue que cette fille savait ce qu'elle voulait, suivait son cœur ; c'était ce qui lui plaisait chez elle. Elle n'avait pas froid aux yeux ; elle croquait la vie à pleines dents et obtenait ce qu'elle voulait. C'était merveilleux.

Mais il y avait autre chose. Huckle avait renoncé par deux fois à une carrière prometteuse, ayant pris conscience que ce n'était pas fait pour lui et ne le rendait pas heureux. Il préférait de loin s'occuper de ses abeilles, prendre soin d'elles, accomplir quelque chose de bien avec ses mains. Il se moquait du statut social, de choses de ce genre. Cela n'avait aucun sens à ses yeux, au grand dam parfois de ses parents quand ils songeaient à la somme déboursée pour ses études.

Huckle n'était pas un fonceur, un bourreau de travail, rien de tout cela. Et lorsqu'il vit Polly, la pensée qui le frappa fut : *Elle n'a pas besoin de moi. Elle a Neil, et la boulangerie – il suffit de la regarder. Je suis au supplice, désespéré par cette histoire, et elle continue comme si de rien n'était. Elle ira toujours bien.*

Huckle cligna des yeux, le cœur lourd ; il aurait aimé que Polly lève le regard et l'aperçoive, que son cœur bondisse, qu'elle ait envie de se jeter à son cou et lui demande pardon ; qu'elle lui promette qu'elle ne recommencerait plus, plus jamais, qu'ils se raconteraient tout, *mais s'il te plaît, s'il te plaît, je t'en supplie, ne dis rien à Reuben.*

Ce fut alors que Polly remarqua le visage de Huckle – si grave. Elle se décomposa lorsqu'il franchit la porte de la cuisine.

— Salut, dit-il prudemment.

— Salut.

— Tu t'es remise au boulot ?

— Oui, c'est la grosse fête de Reuben ce soir, et j'ai aussi préparé quelques petits pains… (La gorge de Polly se noua.) Où étais-tu passé ?

Des tremblements étaient perceptibles dans sa voix. C'était la peur. Huckle, cependant, y décela une accusation.

— Je suis sorti. Je ne suis pas obligé de tout te raconter, si ?

Il regretta ces mots aussitôt qu'il les prononça. Polly parut si triste.

— Non, dit-elle, et ses yeux se reposèrent sur le plan de travail enfariné.

Neil demeura résolument à côté de Polly ; il n'alla même pas saluer Huckle, comme il le faisait habituellement.

— Non, répéta Polly. J'imagine que non. (Elle soupira.) Bon, je ferais mieux de continuer.

Huckle était revenu dans l'espoir que… *Que quoi ?* pensa-t-il. Qu'espérait-il ? Que Polly se jette à ses pieds, lui promettant n'importe quoi pour qu'il reste ? Mais la femme qu'il connaissait n'était pas comme ça. Ce n'était pas la femme qu'il aimait. Pas du tout.

Pourtant, la voir ainsi, si indifférente à tout ce qui s'était déroulé, tandis que lui devait faire face à l'horreur absolue que son ami pouvait passer le restant de ses jours à élever un enfant qui n'était pas le sien, qui ne lui ressemblerait pas ou n'aurait rien en commun avec lui… c'était tout simplement atroce. Et Polly était là, à marteler la pâte comme si rien n'avait changé, alors que plus rien n'était comme avant. Était-ce un truc de femmes ? Un complot secret des femmes contre les hommes ? Huckle avait toujours aimé les femmes, sincèrement apprécié leur compagnie. Mais il avait le sentiment d'être face à un lieu impénétrable, qu'il était totalement incapable de comprendre.

Il s'éclaircit la voix.

— J'ai réfléchi… Il y a ce salon sur le bien-être, on m'a proposé d'y aller, de montrer quelques produits…

Voire de faire quelques déplacements, de rendre visite à quelques clients ici et là.

— Un VRP, marmonna doucement Polly.

Ce mot ne revêtait aucun sens particulier pour Huckle.

— Alors bon… je vais partir quelques jours.

— Mais c'est bientôt Noël !

— Tu vas bosser, non ? Tu seras occupée, rétorqua-t-il en haussant le ton.

Polly eut l'air perplexe.

— Oh.

Elle ne savait pas quoi dire d'autre. Elle ne savait pas ce qu'il y avait d'autre à dire.

— Je vais prendre quelques affaires, annonça Huckle en fixant le sol.

Le cœur de Polly battait incroyablement vite dans sa poitrine.

— Tu ne viens pas chez Kerensa et Reuben ?

Huckle secoua la tête.

— Tu crois vraiment que ce serait une bonne idée ?

— Non.

— OK.

Puis Huckle grimpa les escaliers en colimaçon, fit son sac, et Polly le regarda partir.

Chapitre 26

Polly se rendit chez Reuben avec Nan le van en s'efforçant de chasser toute cette histoire de son esprit. Huckle se calmerait, n'est-ce pas ? N'est-ce pas, hein ? C'était une divergence de vues. Ou plutôt non, ce n'était pas une divergence de vues. Tous deux savaient que Kerensa avait commis une grave erreur. Là où ils divergeaient, c'était sur la réaction à adopter.

Polly aurait aimé que Huckle affirme – formellement et catégoriquement – qu'il ne révélerait rien à Reuben. Elle aurait dû le lui faire promettre ; qu'il l'écrive et signe, ou quelque chose dans le genre.

Oh, bon sang. Il allait revenir, n'est-ce pas ? Bien sûr qu'il reviendrait. Naturellement. Ils s'étaient brouillés, c'était tout. Il se rassérénerait et ils régleraient cela et… bon. Bon. C'étaient des choses qui arrivaient. Tout irait bien.

Mais Polly n'avait pas le temps de s'appesantir là-dessus, lorsqu'elle récupéra Jayden à *La Petite Boulangerie de Beach Street*. Celui-ci était étrangement silencieux.

— Quoi de neuf ? lui demanda-t-elle.

— Oh, peu importe, répondit Jayden, qui parut embarrassé et fixa ses genoux.

Polly le regarda en coin.

— Qu'est-ce qu'il y a ? insista-t-elle.

Elle se rendit compte qu'elle avait été tellement absorbée par ses problèmes qu'elle avait à peine discuté avec Jayden. Il rougit davantage.

— Bah, j'ai réfléchi à ce que tu m'as dit.

Polly chercha dans son esprit à quoi il faisait allusion.

— Au sujet de ta demande en mariage ?

— Ouais. D'après toi, je ne devrais pas le faire, parce que Flora est étudiante, que je n'ai que vingt-trois ans et tout ça.

— Oui, confirma Polly qui se rappela sa brève conversation avec Flora à la fête de Noël tout en manœuvrant habilement Nan le van sur la chaussée.

— Ouais, eh bien, j'y ai réfléchi et j'ai décidé de ne pas du tout tenir compte de ton conseil.

Polly regarda Jayden.

— Oh, très bien ! dit-elle avec sarcasme. Tu sais que tout le monde suit mes conseils.

— Donc… Je vais lui faire ma demande.

Polly se mordit la lèvre. Flora était tellement nonchalante qu'il était difficile de prédire sa réponse. De plus, elle avait seulement vingt et un ans. Vingt et un ! À cet âge, Polly était à peine capable de trouver ses clés, alors se marier !

Cela dit, douze ans plus tard, les choses semblaient avoir peu changé.

— Très bien, affirma Polly, qui se résigna à se ressaisir plus tard, c'est une excellente nouvelle. Vraiment. Je suis très contente.

Jayden sourit.

— Bon, elle n'a pas encore dit oui.

— Je suis sûre qu'elle dira oui, déclara Polly, qui n'en était pas le moins du monde convaincue. Ce sera sympa. Comment comptes-tu lui faire ta demande ?

— Qu'est-ce que tu veux dire ?

— Bah, est-ce que tu vas faire quelque chose de romantique ? L'emballer, la cacher ou quoi ?

— Emballer quoi ?

— Mais la bague, Jayden !

Polly se tourna vers lui. Franchement, elle n'était pas certaine qu'il soit prêt pour le mariage.

— Ah oui. Ma mère m'a dit qu'elle en avait une quelque part que je pouvais prendre.

La mère de Jayden n'avait qu'un seul garçon et avait peut-être, du point de vue de Polly, été parfois un peu trop indulgente par rapport à ses sœurs. Elle espérait que Flora était au courant que la mère de Jayden lui mettait toujours du dentifrice sur sa brosse à dents le matin et la lui laissait sur le lavabo.

— Tu es sûre que cela plaira à Flora ? Elle n'aurait pas envie d'une bague à elle ?

— Une bague, c'est une bague, non ? rétorqua Jayden, perplexe.

Polly prit une profonde inspiration.

— Toi, tu n'as bien eu qu'un machin en algues, ajouta-t-il, d'un air encore plus perplexe.

— Oui. Mais cela avait un sens très spécial pour…

Polly se rendit compte soudain qu'elle allait pleurer et elle ravala ses larmes, la gorge nouée.

— Qu'est-ce qu'il y a, chef ? lui demanda Jayden.

Polly poussa un soupir.

— Rien.

Et elle s'engagea sur la route nationale en direction de chez Reuben. C'était une matinée splendide, un temps idéal pour marcher – on apercevait d'ailleurs de nombreux randonneurs le long des jolis sentiers. Polly prit brusquement conscience de son cruel manque de sommeil.

— Fais ce que tu juges être le mieux…

— Tu crois que je devrais faire quelque chose de particulier ? l'interrogea Jayden. Je comptais simplement faire ma demande. Mais j'ai encore le temps d'aller chez le bijoutier.

— Est-ce qu'il y a vraiment urgence ?

Jayden médita un instant.

— Ben, c'est Noël. (Il leva le regard lorsqu'ils s'engagèrent dans l'impressionnante allée qui menait à la maison de Reuben.) Ouah. Mazette ! Tout ça lui appartient ?

— Oui.

— C'est ahurissant ! Je n'ai jamais vu une maison pareille. C'est incroyable. Ouah. Ce serait… (La voix de Jayden s'étrangla.) C'est étrange que certaines personnes soient aussi riches alors que d'autres sont dans la misère. On pourrait s'attendre à ce qu'ils partagent un peu plus leur fortune.

— Ils ne seraient pas aussi riches dans ce cas, je suppose. Mais oui, moi non plus, je ne comprends pas.

— Il doit vraiment être heureux, déclara Jayden, tandis que le gravier crissait sous les pneus. Ce type doit être l'homme le plus heureux au monde.

Chapitre 27

L'homme le plus heureux au monde faisait les cent pas devant la porte d'entrée tout en hurlant contre quelqu'un depuis son téléphone portable.

Polly ne prit même pas la peine de s'arrêter à l'entrée principale. Elle préférait passer par l'arrière de toute façon. Marta serait là et pourrait leur donner un coup de main.

Beaucoup d'invités étaient attendus à la fête de Reuben : des collègues, ainsi que des amis et des connaissances (comme un grand nombre de personnes très fortunées, Reuben avait le don d'attirer une foule de gens qu'il ne connaissait pas particulièrement bien). Lorsqu'elle gara le van, Polly entendit un énorme rugissement à côté d'elle et sortit la tête par la portière. Elle aperçut une machine gigantesque qui crachait de la neige artificielle.

— Franchement, ce doit être le truc le moins écolo que j'aie vu de toute ma vie.

— Non, rétorqua Reuben en s'approchant.

Il criait toujours dans son téléphone, mais marqua une pause pour saluer Polly d'une tape sur l'épaule.

Il avait, elle ne l'oubliait jamais, si peu de véritables amis. Et quel genre d'amie était-elle pour lui en ce moment ?

— Non, le truc le moins écolo, ce sera les braseros qui doivent arriver plus tard et qui nous réchaufferont de toute cette neige artificielle.

— Reuben !!!

— Quoi ? Ça va être une fête géniale !

Il pointa du doigt l'emplacement habituel du terrain de tennis. À la place se dressait un bar fait de glace.

— Est-ce que c'est bien ce que je crois ? demanda Polly. Vraiment ?

— Oui, vraiment. Ne goûte pas à la luge de vodka avant que tout le monde n'ait été servi, d'accord ?

— Sans blague ? Mais tout de même. Ouah. C'est incroyable.

— Merci, dit Reuben. Est-ce que tu as vu Kerensa ?

« Est-ce que tu as vu Kerensa ? » devenait une rengaine ces jours-ci.

— Je me demande si elle n'est pas trop grosse pour être d'humeur à faire la fête.

— Tant pis, se lamenta Reuben, qui fit la lippe et eut l'air d'un enfant de six ans. Elle était amusante autrefois, quand elle n'était pas une grosse patapouf.

— Reuben, elle est enceinte jusqu'au cou. Personne ne serait amusant dans cet état.

— Je croyais qu'elle serait l'une de ces femmes enceintes mignonnes, pleines d'entrain, se désola Reuben, tandis qu'une personne traversait le jardin en traînant ce qui semblait être des blocs de glace pour construire un igloo. Pas l'une de ces énormes baleines.

— Je crois qu'aucune femme ne choisit comment elle est pendant sa grossesse, répondit Polly. J'imagine qu'on se laisse porter en espérant que tout aille pour le mieux.

— Cela fait des mois que j'espère.

Une autre personne passa avec un ours de glace. Polly y jeta un coup d'œil, puis se retourna vers Reuben, légèrement horrifiée.

— Mais cette fête est grosse à quel point ?

— Qui sait ? On s'en fiche. J'ai engagé un organisateur. Écoute. Je voulais parler à Huckle, mais il a disparu lui aussi. Cela ne lui ressemble pas de bosser sérieusement.

— Excuse-moi, se vexa Polly, mais il travaille beaucoup en réalité.

— Ouais, ouais, voici des abeilles, regardez les abeilles, bzz, bzz… Ce n'est pas un métier, ça.

— En fait, il vend beaucoup de miel…

— Ouais, d'accord, peu importe. Mais toi qui connais ma femme, Polly. Dis-moi, est-ce que c'est normal ? Hein ? C'est normal qu'une femme enceinte devienne dingue et ait tout le temps un comportement étrange ?

— Certaines femmes mangent bien du savon.

— Ouais, mais ma femme n'est pas « certaines femmes », répliqua Reuben en faisant encore la moue. La mienne est de loin la meilleure, non ? Donc bon. Qu'est-ce qui se passe ? Qu'est-ce qu'il y a ? Je pense que j'ai la meilleure épouse qui soit, mais elle se laisse totalement aller. En pleine période de fêtes.

— Écoute, Kanye West, s'insurgea Polly, soudain en colère, même si elle savait que Reuben avait raison (ce qui la contraria encore davantage à vrai dire). C'est son corps. Sa grossesse. Tout ne tourne pas autour de toi.

— Mais si ! C'est mon fils ! Ça me concerne totalement !

— Cela vous concerne tous les deux.

— Bon, ouais, je sais. Mais en ce moment, j'ai l'impression d'être exclu du tableau. Et mince, d'ordinaire, je suis partout tout le temps.

Un groupe d'hommes au look de surfeurs, beaux et musclés, s'approchèrent et saluèrent Reuben en lui tapant dans la main. Comme d'habitude, Reuben eut l'air de ne pas avoir la moindre idée de qui il s'agissait et, d'un geste las, il leur tapa dans la main tout en ignorant complètement les salutations chaleureuses des surfeurs.

— Ça devrait tourner un peu autour de moi aussi, non ? Alors que là, elle passe devant moi en marmonnant, est en permanence fatiguée, m'ignore et disparaît en mission sec…

Reuben se tut comme s'il avait prononcé quelque chose qu'il ne fallait pas.

— Quelle mission secrète ? le questionna Polly.

— Bah, je n'en sais rien, moi, répondit Reuben, contrarié. Si je le savais, elle ne serait pas secrète. C'est ridicule, elle n'est jamais là.

Il soupira et parut abattu comme jamais, toute son énergie le quittant. Derrière eux, le DJ commença à vérifier le son de son énorme platine. Les spots colorés se réverbéraient sur la neige artificielle.

— Tout va bien ? s'enquit le père Noël.

C'était le père Noël le plus ressemblant que Polly ait jamais vu, avec une longue barbe blanche, un ventre rebondi, des yeux en amande, un regard doux et toute la panoplie. Il tenait par une bride un vrai… – non, ce n'était pas possible. Mais si, cela en avait bien l'odeur : c'était un renne.

— Ouais, peu importe, Papa Noël, lui répondit Reuben, et l'homme rond s'éloigna.

— Écoute, reprit Polly. Franchement. Quand le bébé sera né, tout sera différent. J'en suis certaine. La grossesse est simplement une période difficile.

— Différent en mieux ? Et si les choses empiraient ?

— Je n'en sais rien. Mais je suis sûre que tout ira bien.

Polly n'en était pas du tout convaincue. Mais Reuben paraissait un peu réconforté.

— D'accord.

— Elle doit déprimer de peser, quoi, cent kilos, ajouta Polly.

— Ouais. Je peux comprendre. Carrément. Je suis sûr aussi que c'est ça. Ouais. Merci, Polly. Tu es une vraie pote.

Polly se sentit mal.

Reuben se tourna et son visage piqué de taches de rousseur s'illumina.

— OK, tout le monde ! Vous êtes prêts à faire la fêêêêêête ??!!

— Ouais ! s'exclama à l'unisson la pléthore de gens qui installaient le matériel.

Tout était en place à présent, et les invités commençaient à affluer ; ils étaient pratiquement parés pour la réception.

— Pas toi, Polly, lui rappela Reuben. Tu travailles.

— Je sais bien, espèce de crétin ! grommela Polly, avant de regagner la cuisine avec soulagement, lorsque les haut-parleurs luxueux grésillèrent pour laisser échapper un « C'est Noooëëëëël », que les portes s'ouvrirent et que les invités prirent part à la fête.

Chapitre 28

Polly courut dans tous les sens, comme les autres traiteurs qui préparaient de grandes cuves de vin chaud (bien que la luge de vodka soit manifestement beaucoup plus populaire), ainsi que d'énormes ragoûts d'hiver. Ceux-ci exhalaient un parfum d'airelles et ce que Polly soupçonnait être du renne, même si cela importait peu, puisque aucun des mannequins filiformes (comment Reuben connaissait ces gens ?) n'en avalerait une bouchée. Les invités étaient bien trop occupés à descendre des verres et à fumer sur la neige artificielle immaculée qui recouvrait à présent les superbes pelouses à l'arrière de la maison, ornées de lampions de toutes les couleurs.

C'était beau, incroyablement beau, et Polly ressentit soudain une grande tristesse. Reuben organisait de très belles fêtes. Elle ne devrait pas être là, à trimer sur des feuilletés, pendant que Huckle et Kerensa étaient Dieu seul savait où (pour sa part, Reuben était au milieu d'une foule compacte de gens qui prenaient des selfies, les étudiaient minutieusement, avant d'effacer les clichés qu'ils n'aimaient pas. La vie en société ressemblait à cela désormais). S'ils avaient été tous les quatre ensemble, pensa-t-elle mélancoliquement, ils se seraient tellement amusés.

Il y avait un stand de barbe à papa blanche. Les mannequins semblaient apprécier : ces sucreries étaient encore plus légères qu'elles. La file d'attente était longue pour s'asseoir sur les genoux du père Noël dans sa grotte, gardée par des elfes plutôt sexy. Le DJ avait laissé sa place à un groupe de swing rétro très sympa, qui parodiait des chansons de Noël et dont les chœurs étaient assurés par trois jeunes femmes, avec de grandes jupes corolle et du rouge à lèvres rouge vif. Les gens s'étaient mis à danser.

Huckle était très mauvais danseur. C'était étrange ; au lit, sur une planche de surf ou près d'une ruche, il était très gracieux, naturel et tout à fait à l'aise, mais demandez-lui de bouger au rythme de la musique, il en était parfaitement incapable. De son côté, Reuben avait pris des cours et Polly avait toujours trouvé cela très plaisant de danser avec lui : il la menait sur la piste pendant que Kerensa les observait et se moquait de la technique de Polly. Mais rien de tel ne se produirait ce soir.

Polly soupira. Elle tendit de délicieux petits canapés fourrés d'un pâté aux épices de vin chaud. Elle avait en quelque sorte réussi, remarqua-t-elle, à vaincre l'aversion pour la nourriture des invités de Reuben ; ils les engloutissaient. Bon, au moins, une chose se passait bien. Elle remplit de nouveau son plateau dans la cuisine, pendant que le personnel s'efforçait de satisfaire aussi vite que possible la demande de champagne et de cocktails. Le brouhaha de la salle, les cris et les rires aigus se faisaient de plus en plus forts ; la fête battait son plein et était un franc succès.

Soudain, le micro se coupa et le groupe s'interrompit. Polly pensait que Reuben souhaitait prononcer un discours, ce qui était tout à fait son genre, mais elle n'entendit personne applaudir. Elle balaya la pièce du regard. Où était Kerensa, bon sang ? Elle manquait toute la fête. Reuben devait fulminer.

Polly s'avança pour mieux voir et découvrit avec horreur que c'était Jayden qui était monté sur scène. Il paraissait plus gros que jamais dans une chemise nettement trop petite pour lui. Son visage était rougeaud et transpirant tant il était nerveux. Il avait même rasé sa jolie moustache, ce qui lui donnait un air un peu gauche et ordinaire. La foule de bobos londoniens l'observait calmement. La salle était plongée dans le silence total. Polly se sentit soudain extrêmement stressée pour Jayden.

Il s'empara du micro du chanteur, visiblement mécontent, et il y eut un effet Larsen.

— Euh, bonjour ? tonna Jayden dans le micro collé à sa bouche.

L'assistance recula un peu. La main de Jayden tremblait très clairement.

Brusquement, Polly se rendit compte de ce qu'il s'apprêtait à faire. Oh non. Ce n'était pas le moment ni le lieu pour faire une telle demande. Ce n'était pas le bon public. Polly comprit que, pour Jayden, cette réception luxueuse, où le champagne coulait à flots, constituait une occasion spectaculaire, mais elle n'imaginait pas comment allait réagir la calme et réservée

Flora. Elle ne savait même pas que Flora était présente. Sinon, elle lui aurait demandé de l'aide.

— Euh, Flora ? Je voulais seulement… Flora, est-ce que tu es là ?

Manifestement, Jayden était aveuglé par les lumières et clignait des yeux.

— T'es qui toi ? lança malicieusement un plaisantin, et la foule éclata de rire.

Polly regarda autour d'elle. Elle repéra Flora, pâle et crispée, qui essayait de se cacher contre le mur de l'immense salle. Elle voulut aller vers elle, mais un amas de gens les séparait ; ils fixaient tous Jayden. Ce dernier paraissait extrêmement embarrassé, debout devant tout le monde, comme dans un rêve qui virerait au cauchemar.

— Flora ! Pourrais-tu me rejoindre sur scène, s'il te plaît ?

Flora secouait frénétiquement la tête. Quand les invités comprirent où elle se trouvait, la foule, avide de savoir ce qui se tramait, s'écarta pour lui ouvrir un passage. Flora s'avança alors furtivement, la tête basse, le visage dissimulé derrière sa longue chevelure.

Polly n'imaginait pas pire endroit pour faire une demande en mariage. Elle repensa, avec douleur, à celle de Huckle, si douce et si gentille qu'elle n'avait pas saisi tout à fait au début le sens de son propos. Puis, elle avait compris et les larmes lui étaient montées aux yeux. Elle tripota sa bague de fiançailles, la fit tourner encore et encore autour de son doigt, se faisant la promesse de faire tout ce qu'il fallait pour qu'ils se réconcilient.

Flora aussi eut l'air d'être au bord des larmes. Elle fut aidée maladroitement à monter sur scène. Elle avait les yeux rivés sur ses pieds. Jayden, qui transpirait à grosses gouttes à présent, se tourna pour lui faire face, avec beaucoup de maladresse, et posa un genou à terre.

— Lance-toi ! cria quelqu'un dans la foule, et Polly eut soudain envie de tous les abattre à la mitraillette.

Elle en voulait à Jayden, aussi ; elle lui avait déconseillé de le faire, l'avait prévenu que c'était trop tôt et que Flora n'apprécierait pas, et le voilà à se ridiculiser. Une top-modèle rachitique laissa échapper un rire forcé très aigu traduisant son incrédulité ; Polly se retint de lui planter une fourchette dans la chair en pensant aux nombres de divorces que connaîtrait sans doute cette femme. Elle soupira avec humeur.

— Flora, accepterais-tu de faire de moi l'homme le plus heureux du monde… ?

Il y eut un silence dans la salle – un silence qui parut pesant à Polly, alors qu'une bande d'enfants arrogants attendaient de se moquer du gros type maladroit aux mains tremblantes. Elle se demanda si elle allait perdre Jayden, si l'humiliation pouvait lui donner envie de tout abandonner ou de quitter la région. Et perdre Flora pour la saison des vacances serait un coup dur. Certes, cette fille était un peu idiote et distraite, mais elle avait un don naturel pour la pâtisserie que Polly ne pouvait qu'envier. Pff… Cela tournait au vinaigre.

Pourtant, à la surprise de Polly, Flora haussa simplement les épaules.

— Ouais, si tu veux, déclara-t-elle d'un filet de voix.

Polly cligna des yeux. *Quoi ?* La foule aussi était ébahie.

— Oui !!! hurla Jayden en levant les bras en l'air, ce qui laissa apparaître de grandes auréoles sous ses bras. Oui !

Il se tourna pour embrasser Flora, mais elle s'était déjà éclipsée de l'estrade. Jayden leva de nouveau les poings en l'air, puis descendit de scène la retrouver.

— Attends ! lui cria-t-il. J'ai une bague !

Le groupe de swing ricana gentiment.

— Comme c'est mignon, commenta le chanteur dans le micro – Polly eut envie de le gifler.

Ils se mirent à jouer *I'm in the Mood for Love.*

Lorsque Polly partit à la recherche de l'heureux couple pour les féliciter (ce que personne ne semblait faire), elle heurta Reuben.

— Tes amis sont tous horribles.

— Ah bon ? fit Reuben, qui brandissait un énorme cigare sans réellement le fumer. Eh bien, au moins eux, ils sont là !

Il n'avait pas tort, songea Polly.

***

Elle trouva Flora – qui paraissait furieusement embarrassée – et un Jayden rayonnant près du vestiaire du rez-de-chaussée. Flora enfilait son manteau.

— Euh, félicitations tous les deux ! les complimenta Polly.

Jayden lui lança un regard peu amical.

— Ouais, pourtant, tu as essayé de me décourager.

— Bah, de toute évidence, j'ai eu tort, lui répondit Polly, qui s'efforçait d'être joviale.

— Tu avais raison, grommela Flora. J'ai été carrément humiliée.

— Oh, ma puce, soupira Jayden. Je t'aime tellement.

— Je rentre chez moi.

— Je t'accompagne, je veux te faire changer d'avis, lança Jayden avec enthousiasme, avant de jeter un coup d'œil à Polly.

— Bien sûr, tu peux y aller, lui dit-elle d'un ton las. Elle resterait et rangerait tout. Ce n'était pas un souci. Rien de plus urgent ne l'attendait.

Chapitre 29

Polly sortit. Le ciel était bas et il faisait un froid polaire. Elle fit quelques pas, contente d'échapper à la cohue, au stress et au bruit à l'intérieur, bien que la fête commence à tirer à sa fin. Même les mannequins et les actrices avaient une maman quelque part qui les attendait pour le matin de Noël, songea-t-elle. Des voitures noires racées s'arrêtaient devant la porte d'entrée ; les invités tenaient fermement à la main les petits sacs de cadeaux que le père Noël leur avait offerts. Heureusement, il restait du monde pour tout ranger ; Polly pourrait les laisser se charger d'une grande partie du nettoyage, elle se sentait épuisée.

Elle flâna dans l'allée animée et se dirigea vers le chemin qui menait à la plage privée. C'était tellement beau, si calme et si paisible, alors que le brouhaha de la maison s'estompait progressivement pour laisser place aux lourdes vagues sombres qui s'écrasaient sur la plage. Polly soupira. Le réveillon de Noël. Le début de cette année avait été si prometteur…

— Hé.

Polly se retourna. Kerensa marchait dans sa direction, enveloppée dans une énorme couverture, vêtue d'un pantalon de grossesse noir difforme et d'une veste à capuche trop grande pour elle, qui ne faisait rien pour affiner sa silhouette de pachyderme.

— Ah, te voilà ! s'exclama Polly. Tout le monde était mort d'inquiétude ! Reuben n'a même pas prononcé de discours !

— Au moins, vous avez échappé à cela.

Polly s'approcha un peu plus de Kerensa, qui tremblait de froid.

— Rentre. Tu es gelée. Ce n'est pas bon pour toi de rester dehors comme ça.

— Est-ce que tout le monde est parti ? Je ne me sens pas le courage de les affronter. Ils vont tous me fixer, me juger et… Oh ! la la ! Je ne sais pas ce qui m'arrive. Je ne comprends pas.

Polly attrapa le bras de son amie.

— Tu te punis, lui dit-elle. Et tu ne sais même pas si tu le mérites.

— Oh que si.

Polly prit la main de Kerensa. Celle-ci était glacée.

— Viens, lui enjoignit-elle. On rentre. On va passer par l'entrée de service. Personne n'aura l'idée d'aller voir par là.

***

— Merci de m'avoir ouvert, déclara le grand homme blond en s'asseyant dans la cafétéria glacée de la réserve ornithologique.

— Pas de souci, répondit Bernard. Je ne savais pas non plus où aller.

Les deux hommes regardèrent autour d'eux.

— Vous savez, si votre compagne peut nous aider, précisa Bernard, cela changera grandement les choses pour nous. Tout ça…

Huckle acquiesça du chef. Il regarda par la fenêtre ; les nuages épais dans le ciel semblaient augurer de la neige. Comme si elle pouvait tomber d'un instant à l'autre.

— Elle serait notre sauveuse, continua Bernard.

— Ouais, ouais, je sais. C'est une vraie héroïne. Elle aide tout le monde. Ouais, c'est génial. Merci.

— Tout va bien entre vous deux ?

Huckle but une gorgée de bière, avant de reposer son verre.

— Ah, euh. Vous savez. La vie est compliquée parfois.

— À qui le dites-vous. J'ai deux millions de macareux à reloger.

Bernard et Huckle firent tristement tinter leurs verres.

— Joyeux Noël, dit Bernard. Qui sait ce que nous réserve l'année prochaine ?

— Ça ne peut pas être pire que cette année ! se lamenta Huckle.

À l'extérieur, les macareux volaient et dansaient dans le ciel. Tous semblaient passer un excellent moment.

— J'ai des frites dans le congélateur. Vous voulez que j'en fasse cuire ?

— Carrément, soupira Huckle.

Il jeta un coup d'œil à son téléphone. Aucun message.

Mais il n'avait pas besoin de parler à Polly ; il savait exactement ce qu'elle faisait : elle s'affairait en cuisine, les joues rosies par le four, une mèche de ses adorables cheveux clairs lui tombant sur le visage, les manches relevées, à vérifier que tout soit prêt à temps, à disposer de délicieuses bouchées sur des plats, à crier contre Jayden qui tournait au ralenti, totalement absorbée, totalement sûre d'elle. Mais jamais, non, jamais, quand il franchissait la porte, elle n'était trop fatiguée ou occupée pour lever les yeux sur lui avec un ravissement absolu.

Cela manquait tellement à Huckle que c'en était une souffrance physique.

Il repensa à la veille au soir. Ils avaient été à la fois étranges et horribles. Il but une nouvelle gorgée de bière. Même ses parents avaient été injoignables, ce qui ne leur ressemblait pas. Il soupira à nouveau.

— Il y a un souci ? s'enquit Bernard, qui revint avec les frites.

Huckle n'avait pas faim, mais il en prit une avec apathie. Elle était toute molle. Bernard avait réellement besoin d'aide en cuisine.

— Non, rien.

— Vraiment ? Parce que, vous savez… il est tard. Et vous êtes ici.

— Ouais.

— Vous savez, poursuivit Bernard, une personne qui veut sauver une réserve de macareux… je ne pense pas que vous misiez sur le mauvais cheval.

Huckle sourit tristement.

— Elle… Euh… Je crois qu'elle n'a tout simplement pas envie de se marier.

— Hmm. Peut-être qu'elle ressemble à cette jolie Selina. Qu'elle est maligne ! Elle vous traite comme un minable puis vous remonte de l'eau comme un espadon.

— Un espadon ? Non, Polly n'est pas comme ça.

— Hmm, répéta Bernard.

Il y eut un blanc.

— Bernard, est-ce que je peux vous poser une question ?

Huckle ne révélerait jamais à Polly que c'était Bernard, entre tous, l'homme aux macareux, qui lui avait confirmé ce qu'elle lui soutenait depuis le début : l'histoire de Kerensa n'était pas du tout ses oignons.

— Retournez là-bas. La queue entre les jambes. Souriez, et soyez très, très gentil avec l'oisillon. Le bébé. Je voulais dire le bébé. (Bernard marqua une pause.) Et concernant votre chipie de petite amie… eh bien, épousez-la, si cela vous fait devenir chèvre.

— Hmm… C'est une façon de voir les choses. Ou peut-être… peut-être qu'elle ne veut tout simplement pas m'épouser, moi. C'est peut-être ça le souci. Peut-être que je devrais arrêter les frais maintenant.

Bernard haussa les épaules comme si les deux issues lui étaient indifférentes – ce qui était le cas à vrai dire.

— Bref, et vous, comment allez-vous ? lui demanda Huckle, pour changer de sujet, car la situation avec Polly l'attristait réellement.

— Pas trop mal. Je possède une réserve ornithologique en faillite et je suis amoureux d'une jolie bijoutière qui ne sait même pas que j'existe.

Les deux hommes trinquèrent de nouveau, Huckle plongé dans ses pensées.

— Joyeux Noël, dit-il.

— À vous aussi.

Chapitre 30

Lorsque Polly et Kerensa entrèrent dans la maison, tout le monde était parti. Bien qu'il reste encore quelques personnes qui démontaient la scène, les centaines de beaux individus étaient apparus puis s'étaient évaporés comme dans un rêve ; tout avait été balayé, rangé et remis à sa place – la magie de la soirée avait disparu.

Kerensa se planta devant la fenêtre, tel un oiseau en cage rêvant de liberté.

La neige promise n'était pas tombée en fin de compte. Le temps était morne ; ce n'était pas un froid clair, mais il faisait gris et dense, comme si les nuages enveloppaient le monde et lui donnaient un aspect pesant et triste.

Polly vint à côté de Kerensa et regarda au-dehors également. Il y avait peu à voir ; rien que la lueur occasionnelle d'un phare. Un navire était au large, un tanker, en route vers Plymouth peut-être, en provenance d'on ne savait où – du Sri Lanka ? de Chine ? d'Italie ? Que transportait-il ? Les hommes de l'équipage manqueraient à leur famille ce soir. À leurs proches. Polly leva dans leur direction sa tasse de thé qui refroidissait vite, tandis que les lumières scintillantes du bateau passaient au loin.

Les cernes sous les yeux de Kerensa étaient plus prononcés que jamais.

— C'est quoi le souci avec Huckle ?

Polly secoua la tête.

— Ne t'en fais pas. Une divergence de points de vue.

— Explique-moi, lui demanda Kerensa. Raconte-moi ce qui s'est passé. Est-ce que c'est à cause de moi ? Raconte-moi, s'il te plaît.

— C'est bon, rétorqua Polly, plus sèchement qu'elle ne le voulait. Tout va bien. Il pense que je travaille trop.

— Alors, on va s'amuser demain. Quand tu retravailleras.

— On ne peut pas passer un Noël sans une énorme dispute. C'est la règle ou quoi ?

— Oh ! la la ! Et ma famille qui va arriver, se plaignit Kerensa. Tu sais comment ma mère va être avec Rhonda.

— Elles se ressemblent beaucoup, répliqua Polly sans réfléchir. Enfin… Ce n'est pas ce que je voulais dire. Pas du tout.

— Et toi, ta mère ?

Polly soupira.

— Oh… Je lui ai envoyé un texto pour lui dire que je passerai dans l'après-midi.

— Et ?

— Elle n'a pas dit oui. Elle n'a pas dit non non plus. Mutisme absolu. Elle est inflexible.

— Elle va bien, la rassura Kerensa.

— Bah, j'aimerais qu'elle me le dise. J'irai chez elle quoi qu'il en soit, même si elle n'a sûrement pas très envie de me voir. Du coup, je ne boirai pas, comme je prendrai le volant. Ouais. Et il se peut que Huckle ne vienne pas. Ça va être génial. Je suis impatiente d'être dans le silence le plus complet et de regarder *Les Feux de l'amour*.

— Ça me paraît toujours mieux qu'ici.

Polly songea mélancoliquement au projet que Huckle et elle avaient fait initialement : rester au lit chez eux, à boire du champagne. Pourquoi ne s'y était-elle pas simplement conformée ? Pourquoi tout était-il devenu si insensé et hors de contrôle ? Pourquoi avait-elle fini par dire oui à tout, à l'exception de la seule chose qu'elle désirait réellement ? Oui à tout le monde, et non à leur couple.

— Oh ! la la ! se lamenta-t-elle. L'année prochaine, Noël sera mieux, hein ? Promets-le-moi.

Kerensa resta muette un moment.

— Mais, Polly, et si… Et si…

Polly ne dit rien. Elle s'approcha simplement de Kerensa et la serra fort dans ses bras. Elle ne pouvait pas l'enlacer entièrement à cause de son ventre, mais elles restèrent là l'une contre l'autre – deux amies dans le noir.

Soudain, Polly eut la sensation de marcher dans quelque chose. Avait-elle renversé du lait avant de le remettre dans le réfrigérateur ? Qu'était-il arrivé à sa tasse de thé qu'elle n'avait cessé de réchauffer et d'oublier de boire au cours des sept dernières heures ? Elle regarda autour d'elle, puis sur le sol.

— Oh, fit-elle.

Kerensa ne s'était rendu compte de rien.

— Hum, insista Polly.

Kerensa avait toujours les yeux fermés et profitait de leur étreinte.

— Kez. Je ne veux pas te faire flipper. Mais je crois… Je crois que tu as perdu les eaux.

Kerensa ouvrit brusquement les yeux.

— Quoi ? dit-elle, avant de regarder par terre. Oh, Seigneur. Oh, bon sang. Mais le terme est prévu dans quelques semaines !

Polly fit asseoir Kerensa dans un fauteuil en cuir qui devait coûter une fortune. Elle songea brièvement aux dégâts possibles, mais chassa cette idée de son esprit. Kerensa avait les yeux écarquillés et respirait péniblement. Polly trouva un torchon.

— Oh, mince, il se passe quoi maintenant ? demanda-t-elle.

— Je n'en sais rien ! répondit Kerensa. (Elle fixa Polly dans les yeux.) Je ne suis allée à aucun des cours de préparation à l'accouchement.

— Comment ça ? Ce n'est pas là que tu étais quand tu n'étais pas chez toi ? À ces cours et dans les boutiques pour bébé ?

Kerensa fit non de la tête.

— Je n'y arrivais pas. Je suis allée à un cours et ça m'a donné la nausée – tous ces maris gagas, tous ces gens qui se la racontaient, prétendaient être plus amoureux que les autres et clamaient que leur accouchement serait le meilleur. Je ne pouvais pas. Reuben ne voulait pas m'accompagner, et je ne pouvais pas supporter ces gens avec leur vie parfaite. C'était impossible.

— Mais qu'est-ce que tu fichais alors ? l'interrogea Polly en attrapant le téléphone fixe.

Une fraction de seconde, Kerensa esquissa un petit sourire.

— Peu importe. Ce n'est pas le moment, de toute façon.

Polly lui adressa un regard suspicieux, mais il y avait plus urgent.

— Alors, qui est-ce que j'appelle ?

— En réalité, affirma Kerensa, je me sens bien. Je ne… Polly, le terme n'est pas avant plusieurs semaines. Ce doit être une erreur.

— Je ne pense pas que la perte des eaux soit une erreur. Mais tout va bien, déclara Polly, qui s'efforçait de rester calme. Ça t'épargne toute cette attente ennuyeuse.

Il y eut un blanc. Puis une pensée fit hoqueter Kerensa.

— C'est parce que le bébé est devenu trop gros, dit-elle, les yeux pleins de larmes. C'est un gigantesque bébé de stripteaseur brésilien.

— Arrête ça. On ne peut plus rien y faire maintenant. Absolument rien. Le bébé arrive. Est-ce que je vais chercher Reuben ?

Kerensa cligna des yeux. Soudain, sa respiration se coupa et elle se plia brusquement en deux.

— Ooohhh ! cria-t-elle, et tout son corps se contracta pendant un moment qui parut durer une éternité aux yeux des deux jeunes femmes.

Kerensa demeura silencieuse un instant, avant de se redresser un peu. Elle regarda Polly.

— Je… Je crois que c'était peut-être une contraction.

— Je suis d'accord. Je ferais mieux d'aller chercher Reuben.

— Dès qu'il sera là, tout va partir en cacahuète, déclara Kerensa, dont la respiration se calmait peu à peu.

Dans la cuisine silencieuse et plongée dans le noir, baignée de l'odeur du pain que Polly avait enfourné pour le petit déjeuner, tout était étrangement calme et intemporel. Kerensa et Polly espérèrent brièvement pouvoir rester là un peu plus longtemps. Le sapin de Noël luisait et scintillait dans le vestibule. Le monde se figea ; fit une pause, dans l'attente du matin de Noël. *Dans l'attente d'un bébé*... pensa Polly.

Kerensa tendit la main, que Polly attrapa et serra.

— Tu sais, tout va bien se passer, la réconforta Polly.

— Vraiment ?

Le visage de Kerensa était empli de crainte.

— Oui. Je suis là. Ça va aller. Tout va bien se terminer.

— Ah bon ?

— Oui. C'est la promesse de Noël. Il faut y croire.

Elles se serrèrent la main. Puis Kerensa se pencha une nouvelle fois en avant.

— D'accord. Il va falloir que tu chronomètres tes contractions.

— Comment tu sais cela ? grommela Kerensa.

— Je regarde *Call the Midwife*, une série sur les sages-femmes. « Ton mari va rentrer de la mine et il n'a aucune envie de voir ça ! »

— Oui, si seulement…

Polly s'assura que Kerensa était confortablement installée.

— Très bien, dit Polly. J'y vais. Je vais le chercher, d'accord ?

Les deux amies échangèrent un regard.

— Tout va changer maintenant, déclara Kerensa.

— Tu sais, la vie est un perpétuel changement.

Polly embrassa tendrement Kerensa sur le front, puis quitta la cuisine silencieuse et parfumée, au moment où le tanker finit par disparaître à l'horizon.

Chapitre 31

En son for intérieur, Polly était convaincue qu'un environnement aussi agité n'était nullement bon pour un nouveau-né. Ils avaient dû dissuader Reuben d'appeler un hélicoptère, au motif que le bébé ne naîtrait sans doute pas avant un jour ou deux et qu'il s'agissait du moment le plus risqué du travail.

Rhonda courait dans tous les sens (après être apparue avec un visage curieusement maquillé au beau milieu de la nuit) et essayait de tout ramener à elle en racontant la naissance de Reuben (une profusion de douleur extraordinaire et d'endurance qui avait failli la tuer ; elle avait perdu cinq litres de sang, mention que personne ne jugeait particulièrement utile en cet instant précis). Reuben avait bien entendu aussitôt ignoré/oublié sa contrariété liée à l'absence de Kerensa à la fête. En temps normal, c'était ce qu'il y avait de plus horripilant chez lui. Mais, cette nuit-là, Kerensa lui en fut profondément reconnaissante, car il aboya des ordres depuis leur cuisine et réveilla son gynécologue aux honoraires faramineux. Celui-ci tenta d'expliquer qu'il ne serait probablement pas utile avant un moment, étant donné que les contractions de Kerensa étaient espacées d'un bon quart d'heure et n'étaient pas encore très débilitantes, donc peut-être vaudrait-il mieux l'appeler dans…

Reuben l'expédia sans ménagement et envoya l'hélicoptère le chercher.

En un éclair, une flotte de voitures noires se présenta à l'entrée. Au moins, Kerensa avait préparé une valise. Reuben en fit deux cependant et le coffre de la voiture fut rapidement rempli.

— Viens, dit Kerensa à Polly.

— Tu es sûre ?

Kerensa jeta un coup d'œil aux autres personnes qui l'entouraient.

— Oui. Pourrais-tu d'abord aller chercher ma mère, s'il te plaît ?

Il fut convenu que Polly récupérerait la mère de Kerensa et qu'elles les retrouveraient à l'hôpital.

— Attends ! cria Reuben au moment où elle partait. Ne prends pas ce van de la mort, tu vas tuer tout le monde.

Et il lui lança les clés de la Range Rover de Kerensa.

***

Polly conduisit à toute allure sur des routes complètement désertées en se délectant de cette voiture automatique qui ne laissait pas passer les courants d'air. Il fallait qu'elle appelle Huckle. C'était son premier réflexe pour tout : lui téléphoner, lui raconter.

Mais elle ne lui avait pas encore tout révélé, n'est-ce pas ? Et si elle lui parlait de ce sujet, eh bien, cela les ramènerait directement à leur conflit.

Reuben appellerait Huckle. Évidemment qu'il le ferait. Elle laisserait Reuben le contacter et puis… bon. Ils improviseraient ensuite.

Jackie, la mère de Kerensa, patientait sur le trottoir, avec sa valise prête. Un mélange de joie, de stress et d'excitation se lisait sur son visage.

— Bébé express ? lança joyeusement Polly en passant la tête par la vitre.

— On ne peut pas rêver meilleur cadeau de Noël ! répondit Jackie.

Polly fut si contente et soulagée de se retrouver en compagnie d'une personne sincèrement ravie par les événements qu'elle aussi se détendit et profita du trajet jusqu'à l'hôpital. Elles traversèrent des villages aux pubs joyeux, où les fêtards avaient passé le réveillon de Noël ; où de vieux amis d'enfance, éloignés par la vie, s'étaient réunis pour la soirée ; des étudiants de retour chez leurs parents pour les vacances. Tout le monde était chez soi pour Noël, auprès de sa famille, comme on était supposé l'être, quand bien même il y aurait des déceptions le lendemain : des piles à plat, des cadeaux qui ne plaisaient pas, des disputes à propos de la politique, des dindes trop cuites et trop d'alcool ingurgité, la mamie dont il fallait s'occuper, d'anciennes rivalités fraternelles qui referaient surface autour de la table, des enfants surexcités qui vomiraient et pleureraient.

Mais tout cela attendrait le lendemain. Ce soir régnait un sentiment agréable d'impatience, presque plus agréable, alors que les lumières dans les maisons et les cottages laissaient entrevoir des enfants sautant sur leur lit, des mères qui tentaient de les calmer ; des gens traînant des formes mystérieuses dans leur garage, avec du houx et du papier cadeau dans les bras ; des guirlandes électriques scintillantes ; des coffres de voiture débordant de gros paquets.

Polly se rappela la légende d'après laquelle, à minuit, le soir du réveillon, tous les animaux se taisaient en souvenir du bébé à naître, depuis les animaux de la crèche jusqu'aux moutons sur les collines. Quand elle était enfant, elle voulait toujours veiller jusqu'à minuit pour voir si le chien des voisins cesserait ses jappements habituels.

Était-ce sa mère qui lui avait raconté cette histoire ? s'interrogea-t-elle. Était-ce de là qu'elle la connaissait ?

Alors qu'elles roulaient à vive allure dans la nuit en direction de Plymouth, Polly jeta un coup d'œil à Jackie.

— Vous allez bien ? lui demanda-t-elle doucement.

Jackie eut un petit sourire.

— C'est très étrange. J'ai l'impression que Kez était un bébé encore hier. Mon bébé. Qui a un bébé. Bon, son père était loin d'être aussi calme que toi lorsqu'il m'a conduite à l'hôpital. Remarque, elle n'avait pas envie d'attendre non plus. Toujours pressée celle-là. J'ai failli accoucher sur le parking. (Jackie sourit.) C'était… C'était l'enfant le plus ensoleillé, Polly. La lumière de notre vie, sans mentir, même quand les garçons sont arrivés ensuite. Il y a vraiment quelque chose de particulier avec le premier enfant. Toujours.

Polly se contenta d'acquiescer d'un signe de tête.

— Et ces derniers temps… je ne sais pas. Je me fais du souci pour elle. C'est comme si cette étincelle en elle avait disparu. Est-ce que tu l'as remarqué ? Est-ce que tu penses la même chose ?

Polly haussa les épaules.

— Je crois… Je crois qu'elle a peut-être eu une grossesse difficile.

— Peut-être, répondit Jackie en fronçant les sourcils. C'est sûr qu'elle est énorme.

— À votre place, j'éviterais de le lui dire.

— Ha ha ! Oui ! (Jackie jeta un coup d'œil à son téléphone.) Rien. Elle sait que nous sommes en chemin, hein ?

— Oui. Mais ils s'agitent tous autour d'elle. Ils ne la laissent sans doute pas faire grand-chose. Les riches doivent avoir une méthode d'accouchement qui soit sans douleur et sans que ce soit la pagaille !

— Hmm, fit Jackie.

Polly songea à un poème de Jon Stallworthy : « Le long du chemin jusqu'à l'hôpital, les lumières étaient vertes comme des dragées à la menthe. » Les routes étaient enfin désertes. Il était temps à présent ; tous les gens étaient, semblait-il, là où on les attendait, chez eux pour Noël – peu importe ce que « chez eux » signifiait à leurs yeux : avec des amis, des proches ou à faire du bénévolat dans un refuge pour sans-abri. L'heure était venue. Tout était prêt. Les étoiles étincelantes de l'univers retenaient leur souffle.

Chapitre 32

Dans l'aile privée, il y avait du remue-ménage, un éclairage doux flatteur et un obstétricien qui paraissait s'ennuyer, sa veste en tweed toujours sur les épaules, et qui attendait manifestement que quelque chose se passe.

Rhonda criait dans son téléphone à leur famille restée aux États-Unis, tandis que Merv faisait les cent pas dans les couloirs, les mains dans le dos. Reuben clamait à grands cris combien sa femme était géniale et qu'elle accoucherait naturellement, sans médicament. Il y eut une réponse voilée de Kerensa, qui semblait désapprouver totalement cette théorie. En somme, la chambre était remplie de beaucoup plus de gens que nécessaire, dont un grand nombre de personnel soignant. Bien évidemment, Jackie débarqua à son tour aussi ; il y eut alors des larmes, des embrassades, et Rhonda recula – disons-le – un peu froidement.

Polly resta à l'écart. Elle chercha à attirer le regard de Kerensa, mais elle paraissait être complètement ailleurs ; dans une autre contrée, où la douleur et un événement très étrange et nouveau se produisaient. Polly se dit qu'ils ne devraient pas être tous là pour une occasion aussi particulière, et certainement pas elle, aussi serra-t-elle la main de Kerensa, lui murmura : « Tu vas y arriver, ma chérie », puis l'embrassa sur son front humide, avant de se retirer en silence et d'arpenter les couloirs de l'hôpital.

Ceux-ci étaient déserts, à l'exception d'un homme qui passait l'une de ces grosses serpillières. Polly ne doutait nullement que lui aussi avait envie de rentrer chez lui, auprès des siens, pour Noël.

Elle sortit son téléphone de sa poche et consulta l'écran. Rien. Quel était le souci avec Huckle ? Où était-il ? C'était Noël. Qu'est-ce que cela signifiait ? Était-ce fini entre eux ? Était-ce terminé ? Certainement pas. Elle l'appela, mais il ne répondit pas. Bien entendu, en Cornouailles, il ne fallait pas nécessairement y prêter un sens. Elle soupira et lui envoya un message.

Joyeux Noël. S'il te plaît, est-ce qu'on pourrait…

Elle effaça la dernière phrase. Elle devrait peut-être laisser les choses se calmer un moment. Rien qu'un petit moment.

Puis elle composa un autre numéro.

— Bonsoir, Maman. Oui, je sais qu'il est tard, mais la chaussée est impraticable et…

***

Polly et Doreen s'assirent autour d'une tasse de thé, sa mère lui ayant fait comprendre assez clairement qu'il n'y aurait plus jamais d'alcool en leur présence mutuelle. Elle avait aussi considéré d'un air triste la Range Rover et murmuré qu'elle avait toujours espéré que Polly ait une jolie voiture ; celle-ci préféra ignorer cette remarque.

— Je me souviens du soir de ta naissance, avança doucement Doreen.

La télévision, omniprésente, retransmettait des chorales de Noël depuis Trafalgar Square, à Londres. Il y avait un petit sapin artificiel, avec des faux paquets à son pied, ce qui attrista fortement Polly. Elle avait apporté tous ses cadeaux qu'elle avait été par chance trop paresseuse de sortir de la voiture, même si elle savait qu'une robe de chambre, une écharpe et un bon pour une manucure que sa mère n'utiliserait jamais étaient loin d'être ce dont elle rêvait. Tout comme le panier sur lequel Polly aperçut son nom. Quand elle était adolescente, elle adorait les produits de The Body Shop et, depuis, Doreen ne manquait jamais de lui en offrir.

— Raconte-moi, l'invita Polly en fixant le radiateur et en regrettant que Neil ne soit pas là.

— Bon. Ton grand-père… Bien sûr, c'était beaucoup trop pour lui. Enfin, ils m'ont beaucoup soutenue et tout et tout. Alors même que j'avais perdu mon travail, que je ne pouvais pas vraiment me montrer, pas avec un ventre rebondi et tous ces hommes qui venaient acheter des chapeaux pour leur épouse… On pourrait croire que cela date d'un millier d'années, mais ce n'est pas le cas.

Polly sourit.

— Et ta grand-mère – paix à son âme –, eh bien, elle n'avait jamais appris à conduire. Alors, nous avons pris un taxi, une vieille Ford Cortina, qui empestait la cigarette. Je ne supportais pas cette odeur. Quand nous sommes arrivées à l'hôpital, elle a rempli ma fiche, et elle m'a laissée. Elle devait rentrer, ou plutôt elle avait le sentiment qu'elle devait rentrer, ou Papa avait besoin de son thé, ou… Bon. Je ne sais pas pourquoi. Je n'ai jamais vraiment su pourquoi. Peut-être était-elle inquiète de tomber sur une connaissance ou quelque chose dans le genre. Tes grands-parents m'ont soutenue, sincèrement. Nous avons vécu avec eux pendant quelques années, jusqu'à ce que je trouve cette maison. Et ils ne m'ont jamais sermonnée. Tu sais, certaines filles se font mettre à la porte par leurs parents. Sont rejetées… Il arrivait aux jeunes filles catholiques des choses à peine croyables. Et ça non plus, ce n'est pas vieux.

Doreen but une grande gorgée de thé.

— Donc bon. Enfin bref. Je devais… J'ai dû accoucher toute seule. Complètement seule. Les infirmières ne s'intéressaient pas trop à moi. Elles étaient trop occupées à discuter avec les maris stressés et les médecins. Elles n'avaient pas beaucoup de temps pour une petite traînée comme moi. L'une d'elles m'a même dit : « Ça te fait mal ? Eh bien, tu aurais dû y réfléchir avant ! »

Les yeux de Doreen s'embuèrent de larmes.

— Je suis désolée, dit Polly.

— Ce n'est pas ta faute.

— Est-ce que ça a été dur ?

Sa mère la regarda.

— Eh bien, oui. Jusqu'à… Jusqu'à ce que je te voie.

Elles se turent toutes les deux. Le crescendo des chants à la télévision se fit plus fort. La chorale chantait *Coventry Carol*. C'était beau.

— Je n'ai même pas pu te tenir très longtemps… À l'époque, ils emmenaient rapidement le bébé. Tu sais, on m'a même conseillé de t'abandonner. C'était parfaitement courant, parfaitement normal.

— Est-ce que tu y as songé ? demanda Polly, qui trouva assez de courage en elle pour poser cette question.

Sa mère fronça les sourcils.

— Bien sûr que non. Évidemment que non. Je dis cela sans aucune offense pour les femmes qui sont obligées de le faire, loin de là. Mais non. Non, j'en étais incapable. Et j'avais mes parents, même s'ils n'étaient pas… Cela a demandé un peu de temps à mon père pour qu'il s'approche de toi…

Polly se raidit. Elle avait de merveilleux souvenirs de son gentil papy, réservé et fumeur de pipe.

— J'ai l'impression que ça a duré cinq longues secondes. (Doreen se sourit à elle-même.) Tu es née avec ces cheveux. Tu ressemblais tellement à ton père, dès ta naissance. Mais je t'ai aimée… Je t'ai profondément aimée. Toute ma vie était devenue un tel désastre, c'était vraiment horrible. Mais toi… tu étais si parfaite. C'est peut-être pour ça que je te couve… Que je m'inquiète autant pour toi.

— Non, tu n'es pas comme ça, la rassura Polly avec gêne.

Sa mère haussa les épaules.

— Tu étais… Tu es…

La fin de sa phrase resta en suspens dans la pièce surchauffée. À présent, la chorale chantait à tue-tête : « Je te salue matin à jamais béni ! Je te salue, aube bienheureuse de la rédemption ! Chantons dans tout Jérusalem ! Le Christ est né à Bethléem », tandis que l'heure tournait et que le matin de Noël était presque arrivé.

— Je suis désolée. J'ai toujours voulu que tu sois à l'abri, et heureuse, expliqua Doreen. Avec un peu d'argent, de liberté et une certaine sécurité. Enfin, c'est ce que veulent tous les parents. Et je n'ai jamais pu te l'offrir.

Polly hocha la tête.

— Alors, quand tu pars acheter un phare, renonces à une carrière confortable, me demandes de venir profiter de l'air de la mer, de me promener dans la campagne et ce genre de choses… je prends peur. Je le reconnais. Je te demande pardon.

— Je comprends.

— Mais ne déçois pas ce charmant garçon, déclara Doreen. Ne laisse personne, même pas moi, se mettre en travers de ton chemin. En aucun cas. Je te le dis. Oublie ce qui m'est arrivé. Épouse-le, fais des enfants et vis au grand air si c'est ce que tu dois faire. Sois heureuse. Je n'ai jamais été assez courageuse pour l'être, pour sortir de là. Mais, toi, tu pourrais l'être. Tu peux être heureuse, Polly. S'il te plaît, je t'en prie, fais-le pour moi.

Polly hocha la tête et s'efforça de ne pas soupirer.

— D'accord.

Doreen et Polly se levèrent pour aller se coucher. À la porte, Doreen s'arrêta.

— Est-ce que… Est-ce qu'en fin de compte tu as vu ton père ?

Polly secoua la tête.

— Non, Maman. C'est toi ma famille.

La gorge de Doreen se serra.

— Je suis trop fière. J'en suis consciente. C'est difficile… Cela fait tellement longtemps. Mais si tu as envie de… Bon. Je ne vois pas ce que cela changerait à présent.

Polly acquiesça d'un signe de tête.

— D'accord. Merci. Et joyeux Noël, Maman.

Les deux femmes s'étreignirent. Polly grimaça un peu en se rendant compte à quel point sa mère était mince. Elle se fit la promesse que, l'an prochain, elle la ferait venir à Mount Polbearne et insisterait, malgré ses protestations, pour qu'elle s'assoie devant la boulangerie, avec une tasse de thé, pour qu'elle se passe de la télévision, profite du soleil et discute avec les passants. Si elle ne voulait pas vivre sa vie, alors elle devrait davantage partager celle de Polly. Voilà le cadeau de Noël que Polly ferait à sa mère.

Chapitre 33

Polly dormit mieux qu'elle ne l'avait fait depuis des semaines, de retour dans son lit d'enfant, sous les posters de Leonardo DiCaprio et de Kevin des Backstreet Boys (Reuben l'avait prévenue par texto qu'ils restaient tous dans les alentours d'Exeter). Sans doute était-ce dû au fait qu'elle soit revenue dans la maison où elle avait grandi, mais aussi qu'elle n'ait pas à se lever et à travailler le lendemain pour des invités américains extrêmement exigeants. En outre, elle avait beau veiller, se poser des questions sur Huckle, cela ne changerait rien à la situation, aussi était-ce inutile de lutter contre le sommeil.

De surcroît, elle était plus qu'épuisée.

Polly fut réveillée, curieusement, par l'odeur du bacon et des œufs. Sa mère cuisinait-elle réellement ? C'était inédit. Polly consulta son téléphone. Rien, à part un bref message de Reuben l'avertissant qu'*il ne se passe pas grand-chose, c'est super ennuyeux et naze, pourrais-tu s'il te plaît faire des beignets et nous les apporter à l'hôpital, et en faire assez aussi pour les infirmières, s'il te plaît ? Et pourrais-tu dire à Huckle de me rappeler parce que je n'ai aucune nouvelle de lui ?*

Polly se mit à s'inquiéter sérieusement à propos de Huckle quand celui-ci lui téléphona.

— Où es-tu ? lui demanda-t-elle avec colère, alors qu'elle s'était réveillée reposée, contente d'avoir fait la paix avec sa mère et entièrement disposée à être douce avec lui et à se réconcilier.

— À Plymouth.

— À Plymouth ? Pourquoi ?

Elle fut soudain prise de panique en imaginant qu'il attendait le train pour Londres, afin de prendre l'avion et de retourner vivre aux États-Unis. Il ne pouvait pas faire ça. Certainement pas. Non, il ne ferait pas ça, hein ?

— Pourquoi ? Est-ce que tu rentres chez toi ?

— Quoi ? De quoi tu parles ? Non !

Il y eut un long silence, puis :

— Polly… Polly, je croyais avoir un chez-moi.

— Moi aussi, concéda-t-elle tristement.

— Non… C'est que… Polly, tu comprends, hein ? Je me sens mal à propos de toute cette histoire. Mal pour Kerensa, pour Reuben. Je… Je suis seulement parti pour travailler un peu ; comme ça, je ne peux pas mettre les pieds dans le plat, dire une bêtise, ou être simplement contrarié… Comme ça, on ne se dispute pas. Tu comprends ?

— Pas vraiment. Qu'est-ce que tu fais ?

— Je te l'ai dit, je travaille.

— C'est Noël. Comment peux-tu travailler ?

— C'est une grande ville, répondit Huckle. C'est une journée complètement normale pour des tas de gens ici. Tu es déconnectée de la réalité depuis trop longtemps. J'ai un rendez-vous avec une entreprise de cosmétique juive.

— D'accord.

— Mais je croyais que, toi aussi, tu bossais aujourd'hui ?

— Apparemment, oui, dit Polly en regardant son téléphone, qui s'allumait à mesure qu'elle recevait de nouvelles commandes. Souhaite-moi bonne chance avec le four de ma mère. Je crois qu'il n'a pas servi depuis le mariage royal. Et je parle de celui de Lady Di !

— Tu es chez ta mère ?

— Oui. Le bébé arrive et je ne veux pas prendre de risque avec les marées.

— Comment ça, le bébé arrive ?

— Regarde tes messages !

— Euh, ouais… Et tu travailles quand même ?

— Reuben veut un service traiteur.

Il y eut un blanc.

— Je ne peux pas venir, indiqua Huckle.

— De toute façon, je crois que la naissance n'est pas pour tout de suite. Il me semble que ça dure une éternité pour le premier.

Un autre silence se fit.

— D'accord, déclara enfin Huckle. Bon, j'imagine que tu es occupée.

Ne me laisse pas être occupée, tenta de lui faire comprendre Polly en silence. *Reviens. Sors-moi de là. Fais que tout soit de nouveau agréable et amusant.*

— J'imagine que, toi aussi, tu es occupé, dit-elle.

— Oh, et comment !

Nouveau silence.

— Comment va Neil ?

— Il n'est pas là, avoua Polly.

— Tu l'as laissé seul le jour de Noël ?

— Oui, je sais. Je me ferai pardonner. Est-ce que les macareux ont le droit de manger du chocolat ?

Chapitre 34

Le SMS triomphant arriva avant que Polly n'ait le temps de faire chauffer la friteuse pour les beignets. Elle proposa à sa mère de l'accompagner, qui refusa gentiment et déclara qu'elle rendrait visite à Kerensa d'ici quelques jours.

Polly parcourut le couloir de l'hôpital, toute nerveuse. L'aile privée huppée était, comme Polly fut légèrement mécontente de le remarquer, plus jolie que la plupart des endroits où elle avait vécu. Dommage… Les décorations de Noël semblaient en revanche un peu exagérées. Quelqu'un avait fabriqué une étoile gigantesque avec des bassins hygiéniques en carton. C'était à la fois dégoûtant et charmant. Les infirmières étaient coiffées de bonnets de père Noël, de même que plusieurs patients, ce qui était plutôt triste.

Polly trouva la chambre de Kerensa sans trop de difficulté, notamment parce qu'elle était décorée d'une centaine de ballons d'hélium bleus ridiculement démesurés, et qu'une rangée de paniers de muffins étaient alignés devant la porte. Les Américains aimaient fêter ce genre d'événements, se rappela Polly.

Elle prit une profonde inspiration et frappa doucement à la porte.

À l'intérieur, c'était le chaos. Kerensa était assise sur le lit, l'air épuisée et anxieuse, mais tendre et étrange tout à la fois. Reuben braillait dans son téléphone près de la fenêtre.

— Ouais ! Ouais ! Il est parfait ! Il est génial ! Franchement, je te le dis, c'est impossible d'avoir un meilleur enfant que celui-ci. Nous envisageons sérieusement de lui trouver un professeur particulier, parce que, tu sais quoi, ce gosse est intelligent. Enfin, plus qu'intelligent, super intelligent…

— Comment tu vas ? articula Polly, qui tenta prudemment d'étreindre Kerensa sans que son sac à main cogne accidentellement la tête du bébé.

Kerensa afficha un sourire las.

— Eh bien, ce fut intéressant.

— Par intéressant, tu veux dire totalement dégoûtant ?

— C'est vraiment, vraiment dégoûtant. Je ne sais pas pourquoi les gens font ça. Franchement. C'est pourri.

La voix de Kerensa trembla un peu et Polly crut qu'elle allait se mettre à pleurer et, si cela arrivait, elle aussi fondrait en larmes.

Polly trouva enfin le courage de regarder le bébé.

C'était… C'était tout simplement un bébé. Des touffes de cheveux bruns sur la tête, les paupières fermement closes. Il ressemblait à un astronaute qui viendrait d'atterrir d'un autre monde, qui aurait retiré son costume, mais porterait encore en lui la faible aura d'un autre univers.

Polly cligna des yeux.

— Ce qu'il est beau, Kerensa.

— Je sais ! répondit-elle en reniflant.

Reuben beuglait toujours dans son téléphone et ne leur prêtait nullement attention. Polly prit la main de Kerensa et la serra très fort. Puis elle tendit son doigt au bébé, qui l'agrippa sans ouvrir les yeux.

— C'est extraordinaire, dit-elle en sentant sa minuscule main.

Sa petite bouche s'agitait, comme si elle cherchait quelque chose.

— Oh, n'aie pas faim, s'il te plaît, le supplia Kerensa. Je vais te confier un truc, Polly, l'allaitement aussi est dégoûtant. Et impossible.

— Il faut que tu persévères.

— Oh, oui. Visiblement, il adore ça. Et puis, d'après Reuben, ça augmente considérablement le QI, et comme, à l'évidence, nous élevons déjà le plus grand génie que cette terre ait porté…

Polly sourit.

— Hé, Polly ! lança Reuben, après avoir mis fin à son appel. Tu fais la connaissance de mon merveilleux fils, hein ! Mon merveilleux fils, qui va conquérir le monde, tout ça, tout ça.

Le visage de Reuben s'adoucit inhabituellement le temps d'un instant, et il lâcha son téléphone, d'ordinaire solidement collé à ses doigts. Il s'écarta de la fenêtre et observa attentivement le visage du bébé. Polly se surprit à retenir son souffle. Reuben posa sa main sur la tête du bébé.

— Hmm, des cheveux bruns, fit-il remarquer. D'habitude, les Finkel ont, tu sais…

Il montra ses boucles rousses.

— Ce n'est qu'un duvet de bébé, rétorqua aussitôt Kerensa. Il va tomber. Ce ne sont pas ses vrais cheveux.

— Non, non, c'est cool, j'aime bien les cheveux bruns, affirma Reuben en admirant le nourrisson. Il est beau, hein, Polly ? Tu ne trouves pas que c'est le plus beau bébé qui soit ? Et super intelligent. Il a cartonné au score d'Apgar. Le premier examen qu'il passe, et il le réussit haut la main !

— Oui. Comment allez-vous l'appeler ?

Kerensa et Reuben échangèrent des regards.

— Ah, fit Kerensa.

— Quoi ? répliqua Reuben. Herschel est un grand prénom dans ma famille.

— Herschel… Herschel Finkel.

— Oh, fit Polly en s'efforçant d'afficher une expression polie. C'est joli.

— Hershy ? Hersch ? Herschou ? tenta Kerensa. Quel est le problème avec Lowin ?

— C'est mignon, affirma Polly.

— Ouais, bon, dit Reuben. C'est le meilleur moyen pour qu'on se moque de lui à l'école.

— Oh, et pas Herschel Finkel ?

— Il n'y a aucun problème avec ce prénom, protesta farouchement Reuben.

— Nous avons le temps de nous décider.

À cet instant précis, Rhonda et Merv firent irruption dans la chambre avec d'énormes sacs de courses, remplis de vêtements et de tonnes et de tonnes de jouets, ce qui, compte tenu que le bébé n'était rien d'autre pour le moment qu'une sorte de poisson mou, paraissait totalement ridicule.

— Le voilà ! Le plus beau garçon au monde ! Mais oui ! Hein que tu es beau ? Tu vas être un vrai Finkel, n'est-ce pas ? Viens voir ta *bubbe* !

Et la jeune grand-mère pencha sa tête crêpée et couvrit le minuscule visage de baisers, laissant des traces de rouge à lèvres roses.

Polly remarqua que Kerensa se retenait de pleurer ; elle était visiblement épuisée, et la lassitude affaissait son joli minois. Rhonda regarda sa belle-fille.

— Est-ce que tu te sens déprimée ? demanda-t-elle dans ce qu'elle considéra manifestement comme un murmure et ne fut par conséquent audible que par les quatre chambres attenantes. Parce que tu sais que tu dois faire attention à cela.

— Je vais bien, répondit Kerensa. Je suis juste fatiguée.

Elle essuya une larme avec colère.

— Là, là, dit Rhonda en lui caressant la joue. Ne t'inquiète pas. Si tu as besoin d'aide, d'un médecin, de n'importe quoi, on s'en chargera. Tu es de la famille maintenant. Tu es ma fille désormais, hein ? Donc bon. Nous ferons tout notre possible pour toi, car tu es la mère du plus beau Finkel que je connaisse.

Incapable de s'exprimer, Kerensa hocha doucement la tête. Rhonda se leva et fit un signe à Merv.

— Viens ! lui brailla-t-elle. Laissons-les tranquilles ! Il est évident qu'ils ont besoin d'un peu de calme et de silence.

Cette remarque paraissait un peu gonflée car Merv fixait silencieusement le bébé avec un sourire radieux. Il se dirigea tout de même vers la porte.

— Nous revenons bientôt, indiqua-t-il.

— Oh oui ! Je ne supporte pas de le quitter. Mon premier petit-enfant ! (Rhonda lui donna un dernier baiser empreint de rouge à lèvres.) Ce beau petit garçon. Ce magnifique petit garçon. Mon petit-fils ! (Son mascara commença à couler légèrement.) Je sais, s'adressa-t-elle à Kerensa, je sais que ce petit bout de chou est tout pour toi. Mais est-ce que je peux dire que pour nous aussi ?… Nous ressentons exactement la même chose. Notre vie continue, notre famille se perpétue, et c'est la sensation la plus merveilleuse au monde.

Merv tendit un grand mouchoir à Rhonda, qui se moucha bruyamment.

— Donc, tu prends soin de toi, hein ? Parce que tu nous as fait un cadeau extraordinaire. Un cadeau merveilleux. Maintenant, Reuben, montre-nous où se trouve le restaurant. Il faut qu'on mange, hein ? Tout le monde doit manger. On revient vite. Laisse ta femme se reposer un peu et arrête de prendre des photos. Tu vas abîmer les yeux de mon parfait petit-fils, je suis sûre que c'est dangereux…

Rhonda embrassa de nouveau le bébé, puis Kerensa et, sans cesser de parler, elle chassa à grands cris son mari et son fils dans le couloir.

***

La chambre fut très calme après leur départ ; on n'entendait plus que les bips doux d'une machine ici ou là au loin. Il y avait tant de fleurs que la pièce avait des allures de serre. Polly s'approcha de la fenêtre et contempla le jardin.

— C'est bizarre, commença Kerensa, d'une voix tout à fait monocorde. Tous ces gens qui se baladent, qui mènent leur vie habituelle, sans se douter le moins du monde que tout ici est juste… eh bien, à la fois merveilleux et atroce.

— Je me demande combien de personnes se font cette réflexion en regardant par ces fenêtres, déclara Polly, le cœur lourd. (Elle se retourna.) Oh, Kez !

— Pourquoi es-tu si triste ? Ce n'est pas toi qui te retrouves avec un bébé brun.

Polly fondit en larmes.

— Quoi ? Que se passe-t-il ? s'inquiéta Kerensa.

— C'est Huckle.

— Eh bien, quoi ? Pourquoi est-ce qu'il n'est pas là ? Qu'est-ce qui lui arrive ? Je pensais qu'il serait le premier à venir voir le bébé de Reuben. Et que, toi, tu serais incapable de le tenir à distance.

Tout en fixant Polly, Kerensa comprit.

— Tu n'as pas…

— Je n'ai pas eu le choix, se défendit Polly. Il a deviné qu'il se passait quelque chose. Il a deviné que je lui cachais un truc. Et ce secret était en train de nous éloigner.

Kerensa était interloquée.

— Et maintenant quoi ? Où est-il ? En train d'appeler Reuben ?

— Je ne crois pas, non. Je pense qu'il se débat avec sa conscience. Il se pourrait aussi qu'il rompe avec moi.

— Mais non. Ce n'est pas possible. Pas vous deux. Pas Polly et Huckle. Qui aurait la garde de Neil ?

— Moi, répondit Polly du tac au tac. Mais là n'est pas la question.

Kerensa secoua la tête.

— Oh, bon sang de bonsoir. Tout… Tout est gâché, c'est épouvantable. Tout est bousillé. Parce que j'ai commis une stupide erreur. Une seule stupide erreur.

— C'est toujours les femmes qui paient les pots cassés. C'est toujours nous. C'est comme ça depuis la nuit des temps.

— Je ne suis pas une bonne du XIXe siècle.

— Tu pourrais très bien l'être, rétorqua amèrement Polly. Tu es une femme déchue. C'est toujours nous qui nous occupons du bébé. Qui subissons les conséquences.

Elle pensa à sa mère.

Kerensa regarda le nouveau-né assoupi.

— Je l'aime. Je l'aime tellement. Tu ne peux pas imaginer. Dès que je l'ai vu, dès qu'ils me l'ont tendu, j'ai pensé : « Je te connais. Je te connais. Je sais tout de toi. Tout ce que tu es. Et j'aime tout cela. Je pense que tout chez toi est parfait et magnifique, et je le penserai jusqu'à la fin de mes jours. Mais je vais devoir payer pour cela. »

— Pas nécessairement. Huckle ne dira peut-être rien.

— Mais le contraire est possible aussi. Peut-être pas aujourd'hui. Mais un jour peut-être. Un jour ou l'autre. Quand quelque chose arrivera. Quand il y aura un problème.

Polly secoua la tête.

— Je le supplierai. Je démentirai. Je… J'irai au tribunal et jurerai que c'est faux.

— Ce n'est pas grave, dit Kerensa. Parce que chaque part de bonheur que me procure mon fils… Chaque mot que prononce Rhonda… Cela me transperce comme un couteau. Qui me poignarde encore et encore. Et je pense que cette sensation ne disparaîtra jamais.

— Un sur dix… Un homme sur dix élève un enfant qui n'est pas le sien. C'est ce qu'on dit, non ?

— Mais ça ne peut pas être vrai. C'est impossible. C'est certain. Ça ne peut pas être juste.

— On ne saura jamais. Personne ne saura jamais. C'est ce que je voulais dire.

Polly posa sa main sur l'épaule de Kerensa et fit courir un doigt sur la joue du bébé. Sa peau était si douce, si pure. Il était parfait. Rien de ce gigantesque bazar n'était sa faute. Polly jura alors, en silence, qu'il ne devrait jamais, oh non, avoir l'impression contraire.

Elle se tourna vers Kerensa.

— Je suis marraine, annonça-t-elle fièrement.

Kerensa hocha la tête.

— Comment vas-tu t'y prendre pour repousser le diable et toutes ses manigances ? Car toi et moi sommes des suppôts de Satan.

Les deux amies observèrent longuement ce parfait petit visage.

— Tu ne vas pas gâcher tout ça, murmura Polly. Moi non plus. Et Huckle non plus. Il va revenir. Nous réglerons cette histoire. On y arrivera. (Elle sourit.) Les amis. Ils ne sont pas là simplement pour les moments agréables. Même si ça, c'est assurément un moment très, très sympa.

Kerensa acquiesça d'un signe de tête, une boule dans la gorge.

— Ouais.

— Ouais, confirma Polly.

Il n'y avait rien d'autre à ajouter. Polly n'avait pas envie de partir, mais elle le devait. Elle étreignit une dernière fois Kerensa et le bébé.

— Je déteste te laisser toute seule.

— Reuben va revenir dans une minute, la rassura Kerensa. Ne t'en fais pas, je suis sûre qu'il réussira à faire la conversation tout seul, comme d'habitude.

— Il est heureux. Ta mère est partie prévenir ses amis. Rhonda et Merv sont heureux. Ce bébé est magnifique. Tout le monde est heureux. Notre mission est de faire en sorte que cela dure, tu ne crois pas ? Qui sait. Peut-être que nous aussi pourrions finir par être heureuses.

Polly songea au joli visage hagard de Huckle. Était-ce possible ? Pourrait-ce l'être un jour ? Comme la vie était impitoyable.

Chapitre 35

Polly quitta l'aile privée profondément secouée et pourtant étrangement heureuse – rencontrer le bébé lui avait procuré une joie immense qu'elle n'avait pas anticipée ; un sentiment pur, joli et merveilleux. Elle s'était attendue à être inquiète à sa naissance – aussi inquiète que Kerensa –, mais en réalité il était si beau qu'elle ne ressentait rien d'autre que de l'espoir. Tout le monde était capable d'aimer suffisamment un bébé, non ? Même si Reuben apprenait tout ? Même si l'enfant était plus grand que lui et avait plus de poils sur le visage à neuf ans ? Il n'abandonnerait pas sa famille, n'est-ce pas ?

Sauf que Polly elle-même avait eu un père qui s'était totalement désintéressé d'elle. Qui n'avait pas souhaité la connaître. C'était possible. Était-ce possible ?

Lorsqu'elle parvint à l'entrée principale, plongée dans ses pensées, elle heurta presque la femme qui se tenait immobile au milieu du hall et la fixait.

— Pardon, marmonna Polly, mais, à sa surprise, la femme leva la main pour l'arrêter.

— Polly.

Polly se concentra, s'extirpa de ses pensées et fut prise au dépourvu.

— Carmel, dit-elle, ses lèvres bougeant, mais ne produisant pratiquement aucun son.

Bien que Carmel soit tout autant stupéfaite, son visage était joyeux et plein d'excitation.

— Polly ! Vous êtes venue !

Il y eut un silence. Polly sentit sa gorge se nouer.

— Euh…

L'expression de Carmel était si radieuse que Polly détesta l'idée de la décevoir. Mais elle ne pouvait pas… Elle ne pouvait tout simplement pas… Elle aurait dû penser à cette éventualité, mais elle ne lui avait pas traversé l'esprit – l'hôpital était gigantesque, et l'aile privée de la maternité était retirée dans un bâtiment agréable qui surplombait les jardins de l'arrière. Mais bien entendu, rien n'était impossible.

— Non, reprit Polly. Je suis venue rendre visite à quelqu'un d'autre.

Le visage de Carmel se décomposa.

— Oh. Oh, je suis désolée. Je croyais… Je croyais que…

— Je n'ai jamais eu de père. Jamais.

Carmel hocha la tête.

— J'en suis consciente. Complètement. Je le sais. J'ai eu tort de vous contacter et je vous demande pardon.

— Merci.

— Je n'aurais pas dû lâcher une bombe dans votre vie de la sorte. Ce n'était pas juste de ma part… J'étais bouleversée. Tout était si horrible et je pensais à lui, à ce qu'il me suppliait de faire, sans penser à vous.

Polly approuva d'un signe de tête.

— Je comprends.

C'était plus fort qu'elle, elle aimait bien Carmel.

Il y eut un silence, et Polly s'apprêta à reprendre son chemin.

— Mais… ajouta Carmel, peut-être pourriez-vous voir cette demande comme une faveur… Une faveur rendue à un inconnu. Quelque chose que vous pourriez faire pour n'importe qui. Pour un homme mourant. Je sais qu'il ne représente rien pour vous. Je pense que si je l'avais laissé, vous auriez pu représenter beaucoup à ses yeux. C'est à moi que vous devez pardonner. J'avais moi-même des enfants. Je ne pouvais pas… Je ne pouvais pas mettre en danger ma famille. Ce n'était pas possible. Je lui ai dit que s'il recontactait votre mère, s'il mettait de nouveau en péril notre famille pour quelqu'un d'autre, je ne répondrais pas de mes actes. J'espère qu'un jour vous comprendrez ce que j'ai fait. Je me serais battue bec et ongles pour que mes enfants aient un père à temps plein. Je suis désolée des répercussions que cela a eues sur vous. Mais je ne m'excuse pas d'avoir gardé ma famille unie.

Carmel eut le regard noir en prononçant ces paroles. Polly n'en voulait pas à Carmel de s'être battue pour sa famille. Elle regretta que sa mère n'ait pas été mieux armée pour défendre la sienne. Mais l'histoire était écrite ainsi.

— D'accord.

— D'accord pour quoi ? demanda Carmel. Pour ce que j'ai fait, ou pour aller le voir ?

Polly y réfléchit longuement. Elle pensa au petit bébé innocent de Kerensa, qui méritait de connaître toutes les personnes susceptibles de l'aimer. Elle regretta l'absence de Huckle. Elle regretta de ne pas pouvoir en parler à sa mère, mais elle lui avait déjà tant demandé.

Polly se sentit extrêmement seule.

— Vos… Vos enfants sont-ils là ?

Carmel secoua la tête.

— Non. Ils viennent cet après-midi.

Polly acquiesça d'un signe de tête. Elle irait le voir, lui dirait bonjour, au revoir et ce serait tout. Elle aurait accompli son devoir, satisfait la dernière requête d'un homme moribond. C'était la bonne chose à faire. Elle appellerait ensuite Huckle et lui demanderait de venir voir le bébé, peu importe ce qui se passerait entre eux deux. Puis elle… Eh bien. Elle ne savait pas. Elle retournerait au travail, supposa-t-elle.

— Bon, d'accord.

***

Le service oncologique des hommes était loin d'être aussi agréable que l'aile privée de la maternité. Il était gris, et il y avait beaucoup de toux, et tellement de tristesse.

Les décorations de Noël paraissaient encore plus déprimantes ici qu'ailleurs. Des hommes livides étaient assis, avec une trachéotomie à la gorge. Las, des enfants se roulaient par terre en mangeant des bonbons et en se plaignant. Par endroits, des rideaux étaient tirés pour isoler des lits – qui savait quels événements mystérieux ils dissimulaient. Régnait une forte odeur d'antibactérien, de thé renversé et d'autre chose que Polly n'avait pas envie de connaître trop intimement.

Elle regarda autour d'elle, peu disposée à laisser ses yeux s'attarder sur des visages. Son cœur battait fortement, trop fortement. Elle sentit ses mains trembler et les fourra dans les poches de son jean.

Au fond du service, un lit était installé sous une fenêtre – c'était l'emplacement le plus agréable et le plus calme de cette chambre de six lits. Instinctivement, Polly comprit que ce lit n'était pas attribué par hasard.

La silhouette allongée était endormie ; longue, très fine. Même si ses cheveux étaient en grande partie gris, Polly remarqua assez clairement des mèches blond vénitien. Elle regretta de ne pas avoir pris une minute pour peigner ses cheveux, même si au moins elle était maquillée (si on n'affichait pas un visage constamment fardé, Rhonda demandait si on était malade ou si on avait baissé les bras).

Polly s'arrêta, nerveuse, indécise. Carmel se pencha au-dessus du lit.

— Tony, murmura-t-elle. Tony chéri.

Il y avait une telle tendresse dans sa voix – la tendresse de toute une vie, songea Polly.

La silhouette sur le matelas remua doucement. Les os de ses hanches étaient visibles à travers les draps fins, suffisants pour la chaleur suffocante de la chambre. Une perfusion était placée au-dessus de sa tête, sans doute de la morphine. Polly espéra que Tony ne souffrait pas. Que ce qui le rongeait de l'intérieur le faisait minutieusement et efficacement ; que sa vie n'était pas prolongée inutilement.

Elle ne ressentit rien d'autre cependant. Elle n'éprouva pas le besoin de se jeter sur le lit et de crier : « Papa ! Mon papa ! » Elle savait à peine en quoi consistait le rôle d'un père. Elle resta là, les mains plongées dans ses poches, s'efforçant de se calmer ; d'afficher sur son visage l'expression idoine : inquiète, sans paraître fausse ou bizarre. Sa bouche se contracta un peu, et Polly se mordit la joue.

— Tony, répéta Carmel.

Celui-ci ouvrit lentement les paupières et cligna des yeux. Ils avaient exactement la même teinte bleu-vert que ceux de Polly.

Polly s'approcha un peu avec réticence, pour entrer dans le champ de vision de Tony. Carmel attrapa délicatement une paire de lunettes d'écaille sur la table de chevet et les posa sur sa tête pâle et étroite. Tony fixa Polly comme s'il était face à une parfaite étrangère.

— Est-ce que c'est l'infirmière ?

Sa voix était un peu chevrotante, mais Polly l'entendait assez bien.

— Non, répondit Carmel en lui prenant la main. Non, Tony. C'est Polly.

Il y eut un long silence.

— Polly ? prononça enfin la voix, qui se brisa légèrement.

— Oui, confirma Carmel.

Tony prit une longue inspiration. Cela dura un moment ; il inspira et expira lentement, difficilement. Ce fut atroce.

— Polly. Pauline ?

Polly acquiesça d'un signe de tête.

— Bonjour, dit-elle.

Elle se contenta d'un simple bonjour, ne sachant pas comment l'appeler.

Ses yeux bleu-vert clignèrent à nouveau. C'était absurde. Évidemment, un enfant n'était rien d'autre qu'un mélange de ses deux parents – une forme d'orteil par-ci, un sourcil par-là… Polly repensa au bébé de Kerensa, puis chassa cette image de son esprit. Ce n'était pas le moment.

— Enchantée de faire votre connaissance, ajouta-t-elle, la voix tremblante.

La main marbrée de Tony, plantée d'un cathéter, s'agita faiblement en l'air, dans la direction de Polly. Cette dernière, plutôt à contrecœur, s'avança et tendit la main. Il l'attrapa avec une force surprenante et elle le sentit l'étreindre. Elle baissa le regard et fut quasiment incapable de contenir sa surprise : les mêmes ongles carrés ; le même index très long. Polly avait les mains de son père.

— C'est troublant, déclara Carmel. Pardon. C'est pour cette raison que je ne pouvais m'empêcher de vous regarder. Désolée.

Polly se tourna vers elle.

— Vous savez, poursuivit Carmel, c'est comme ça, mais aucun de vos… Aucun de nos enfants ne lui ressemble autant.

Polly ne put que hocher la tête.

— Je suis vraiment désolé, s'excusa Tony, d'une voix rauque. Je… C'était…

— Ce n'est pas grave, le rassura Polly. Je comprends.

En prononçant ces mots, elle sentit un poids la quitter ; quelque chose qui avait pesé sur elle toute sa vie et dont elle s'était à peine rendu compte. Lorsqu'elle regarda la silhouette décharnée de l'homme sur le lit, elle prit conscience qu'il n'était pas la figure paternelle parfaite dont elle avait rêvé, qu'elle avait tant désirée. Ce n'était pas non plus le croque-mitaine de l'imagination de sa mère, l'ennemi implacable qu'il fallait détester à jamais. Il s'agissait simplement d'un homme qui avait commis une erreur, exactement comme Kerensa, plus ou moins, et qui avait dû vivre avec le reste de sa vie.

C'était ainsi, rien qu'on puisse changer ou empêcher. Autrefois, peut-être, les choses auraient pu être mieux, mais pas maintenant. Et ce n'était pas grave. Enfin, si, mais il fallait faire avec.

— Est-ce que… Est-ce que tu as une belle vie ? s'enquit Tony d'une voix rocailleuse.

Polly acquiesça d'un signe de tête.

— Oui. (Elle pensa à Huckle et réprima la pensée que les choses pourraient subitement partir à vau-l'eau.) Oui, j'ai une belle vie. Ça n'a pas toujours été le cas. Puis j'ai découvert ce que j'avais vraiment envie de faire…

— Tu es la fille qui fait du pain, c'est ça ? Je t'ai vue dans le journal.

— Oui, je suis la fille qui fait du pain.

— Tu devrais lui apprendre à faire la cuisine alors, elle a toujours été nulle, dit Tony en adressant à Carmel un sourire un peu contrit.

— Tais-toi donc, lui rétorqua son épouse.

Polly remarqua de nouveau cette profonde affection encore plus ou moins vive, qui avait à l'évidence survécu à tous les obstacles de la vie. Connaîtrait-elle un jour cela ?

Polly tenta de sourire à Tony.

— Oui, reprit-elle. J'adore ce que je fais. Cela m'a pris un moment d'en arriver là, et je croule littéralement sous le travail, je suis en permanence épuisée, et je ne gagne pas beaucoup d'argent, mais je suis plus heureuse que jamais.

Tony hocha la tête.

— Bien. C'est très bien, n'est-ce pas, Carmel ?

Carmel sourit.

— Elle a dû avoir une merveilleuse mère, commenta-t-elle doucement, et tous trois gardèrent le silence un moment.

— Est-ce qu'elle… Est-ce que tu veux faire la connaissance de tout le monde ? proposa Tony, plein d'espoir, comme s'il savait déjà qu'il en demandait trop.

— Non, répondit Polly. Non. Je ne crois pas. J'ai ma vie et ils ont la leur. Et puis, je ne voudrais pas compliquer les choses. Compliquer la vie de tout le monde.

— Ça, je m'en suis chargé.

Polly retira sa main et s'écarta du lit.

— Je suis ravie d'avoir fait votre connaissance, dit-elle doucement. Mais je vais y aller maintenant.

— Oui. Oui, d'accord. Bien sûr.

Tony regarda Polly, et ses yeux brillaient de larmes.

— Est-ce que tu me pardonnes ?

Polly acquiesça d'un signe de tête.

— Évidemment.

— Merci. Est-ce que tu as des enfants ?

— Non.

— Dommage. Je sais que ça va paraître déplacé, mais… tu devrais, tu sais. C'est… Avoir une famille… Je ne devrais pas te dire ça, mais… c'est merveilleux. C'est une chose merveilleuse. Fonder sa propre famille.

Cela allait trop loin pour Polly.

— Au revoir.

Carmel se leva d'un bond. Ses yeux étaient emplis de larmes.

— Pardonnez-le, dit-elle en raccompagnant Polly vers la porte.

— Ce n'est pas grave, répondit froidement Polly. Il était sincère. Il vous a choisie. Et ce n'est pas grave. Il a de la chance de vous avoir.

Carmel se mordit la lèvre.

— Merci. Merci de l'avoir fait pour lui. Je sais que vous n'en aviez pas envie. Cela signifie… Cela signifie tellement.

D'instinct, elle jeta ses bras autour de Polly, qui resta immobile, un brin à contrecœur, avant de lui rendre son étreinte.

— Bon. Je vous dis au revoir.

Ce que Polly avait fait devrait suffire. Elle se tourna.

Au bout du couloir, elle entendit un cri. C'était Carmel qui l'appelait. Polly pivota sur elle-même.

— Désolée ! dit Carmel. Désolée. Excusez-moi de vous embêter, je n'arrête pas de vous embêter, pardon. Mais… puis-je vous demander une dernière chose ? Désolée. Je sais que c'est trop. Mais c'est Noël…

Polly cligna des yeux et demeura immobile, sans prononcer un mot.

— Est-ce que je pourrais… Est-ce que je pourrais vous prendre tous les deux en photo ?

Polly accepta d'un signe de tête.

— Bien sûr.

Leur toute première photo. La première photo entre père et fille que Polly aurait de toute sa vie.

Elle s'assit sur le lit et se sentit bizarre et embarrassée, avec un nœud stupide dans la gorge qu'elle ne pouvait chasser. Elle prit la main rabougrie de son père dans la sienne, la serra, les doigts entrelacés, pour la première et la toute dernière fois ; elle la pressa et il l'enserra en retour comme s'ils pouvaient se lier l'un à l'autre là, pour cette unique occasion. Carmel prit la photo et il fut temps pour Polly de partir.

— Si vous avez besoin de moi, à n'importe quel moment, dit Carmel, venez me trouver. Voici mon numéro. Pour n'importe quoi. N'importe quelle question. Venez me voir.

Puis, Polly tourna les talons et sortit lentement de l'hôpital, en direction du parking, sur lequel la première neige de l'année commençait à tomber. Elle tapissait les bâtiments affreux de l'hôpital, recouvrant la douleur et la tristesse, donnant au monde un renouveau blanc, faisant table rase du passé.

Chapitre 36

Polly avait récupéré Nan le van (Reuben avait gentiment demandé à un larbin de le ramener quand elle lui avait expliqué qu'elle n'avait qu'un seul mode de transport et que c'était Nan). Elle s'éloigna lentement de l'hôpital, le monde paraissant différent à ses yeux. Les flocons qui tombaient doucement se transformèrent en bourrasques, puis se mirent à tomber abondamment, silencieusement, pour recouvrir le sol. La lumière de l'après-midi s'évanouissait et Polly tenta de ne pas s'inquiéter concernant la traversée de la chaussée. Elle parviendrait bien à rentrer chez elle, pour retrouver son macareux, son phare, son four ; elle pourrait penser au reste plus tard. Ou peut-être plus tôt.

Parce que le souci, supposa-t-elle, c'était qu'on estimait toujours avoir le temps devant soi – celui de ressouder les relations brisées ; de faire tout ce pour quoi on pensait trouver le temps ; de tout terminer de belle manière.

Or, la vie ne fonctionnait pas du tout ainsi. Les choses suppuraient des années durant. Ce qui devait être oublié ne l'était jamais. L'amertume devenait un trait permanent de la vie des gens. Et Polly le constatait autour d'elle. C'était arrivé à sa mère. Cela pourrait arriver à Kerensa et à ce petit bébé. Elle comprit pourquoi, au final, son père avait cherché à éviter ce sort.

Elle refusait de vivre la même histoire. Huckle et elle étaient si heureux ensemble. Pouvaient-ils retrouver ce bonheur ? Pouvaient-ils arranger la situation ?

Polly alluma la radio qui diffusait de la musique de Noël enjouée, entrecoupée d'avertissements menaçants à propos de la neige et de recommandations de ne voyager qu'en cas d'absolue nécessité. Polly les ignora. La route nationale était correcte, les traces des nombreuses voitures devant elle facilitant la conduite. Elle n'avait pas hâte cependant d'atteindre la sortie. Comme la neige n'avait pas été annoncée, les camions de sablage n'étaient pas passés. Le problème était qu'à moins de trouver un hôtel avant la sortie – ce pour quoi Polly n'avait pas l'argent –, il n'y avait absolument aucune solution de repli jusqu'à Mount Polbearne. Si elle quittait la nationale, elle était foutue.

Ses pensées la menèrent à Huckle. Que faisait-il ? À quoi pensait-il, nom de Dieu ? Peu importait ce qui pouvait arriver, elle devait rentrer à la maison.

Lorsque la sortie se profila, une succession d'événements se produisit très rapidement.

Perdue dans ses pensées, Polly mit son clignotant à la hâte. L'énorme camion qui la suivait la klaxonna d'un air hostile, ce qui l'effraya. De plus, son téléphone sonna à cet instant précis. Alors que le van tournait vers la bretelle de sortie, un petit lapin bondit d'un fourré et traversa devant Polly. Elle aperçut ses empreintes minuscules dans la neige fraîche. Nan lutta pour ne pas perdre l'adhérence. En vain. Le van fit une embardée et dévala la colline, avant de traverser la route en contrebas, qui par chance était déserte. Il s'immobilisa sur une congère en formation sur le bas-côté, à l'abri heureusement des véhicules venant en sens inverse, mais il tangua de manière menaçante.

Polly ne se rendit pas compte qu'elle criait, ni qu'elle avait, dans la panique, appuyé sur le bouton « Répondre » de son téléphone.

— C'est bon, c'est bon, c'est bon ! entendit-elle une voix désespérée prononcer à l'autre bout du fil. C'est bon ! Ça va être…

— Aaaahhhh !

— Polly ! Polly ! Est-ce que tu es là ? Qu'est-ce qu'il y a ?

Polly tenta désespérément de retrouver son souffle, mais elle éclata en sanglots. La voix à l'autre bout du fil devint plus inquiète.

— Polly ? Qu'est-ce qu'il y a, Polly ? Qu'est-ce qui s'est passé ?

Elle retrouva enfin son souffle pour s'exprimer, ce qui sonna comme un grand halètement.

— Hu… Huckle ?

— Oui. Qu'est-ce qui t'est arrivé ? Il y a un problème ? Ce n'est pas à cause de moi, hein ? Tu n'as rien fait de stupide ? Dis-moi s'il te plaît que tu vas bien !

Polly cligna des yeux et regarda autour d'elle. Nan le van semblait s'enfoncer lentement de biais dans la congère.

— Nan… Le van est sorti de la route, murmura-t-elle. Nous avons fait une sortie de route. Nous sommes… Je ne sais pas où…

— Oh, bon sang. Tu vas bien ? Je t'avais pourtant dit de vérifier les pneus.

— Tu m'as dit de vérifier les pneus ?! s'exclama Polly. J'ai failli mourir dans un horrible accident et tu t'assures que je sache que c'est ma faute ?

— Non, non. Pardon. Je suis désolé. Tu m'as filé une telle frayeur… J'ai cru au début que tu étais bouleversée par la nouvelle – Dieu sait que nous le sommes tous ; ça aurait pu être ça, ou n'importe quoi… Mince alors. Tu vas bien ?

— Je crois que oui, répondit Polly en essayant de respirer par le nez comme elle l'avait lu quelque part, même si cela lui semblait bizarre. Je crois que je suis un peu coincée. (Elle marqua une pause pour tenter de reprendre ses esprits.) Tu es où ?

— Tu n'as pas appris la nouvelle ?

— Comme quoi tu es de retour ?

— Non, de l'hôpital.

— Quelle nouvelle ? Qu'est-ce qui se passe ?

— C'est le bébé, expliqua Huckle.

Polly resta muette.

— Quoi ? parvint-elle enfin à demander. Quoi ? Qu'est-ce qui se passe avec le bébé ? Tu n'as pas…

— Bien sûr que non, se fâcha Huckle. Non. Non. Le médecin est venu ausculter le bébé… Je m'apprêtais à partir, je t'appelais pour savoir si tu étais au courant. Apparemment, il y a un souci.

Chapitre 37

C'était comme si une cloche retentissait gravement dans l'esprit de Polly. Tout le reste disparut ; toutes les petites vétilles, tous les soucis, inquiétudes, jalousies et difficultés – tous évanouis, immédiatement, pour être remplacés par ses craintes les plus sombres et les plus profondes.

— Oh ! la la ! dit-elle. Est-ce que tu viens ? Il fait un temps de chien par ici.

La neige tombait plus lourdement que jamais.

— Bien sûr.

— Quel est le problème avec le bébé ?

— Je n'en sais rien. Je crois que Kerensa a essayé de te joindre. Elle avait l'air hystérique.

Polly cligna des yeux. *Oh, bon sang.*

— Est-ce que tu es vraiment coincée ? l'interrogea Huckle.

— Oui. Et il n'y a personne sur la route. Pas un chat.

— Bon, tu vas avoir besoin de moi dans ce cas, non ? Pour sortir le van de là.

— Tu peux faire ça avec la moto ? fit Polly d'un ton sceptique.

— Je te demande pardon ? Ce n'est pas le moment de critiquer la moto alors que tu es dans un fossé !

Polly alluma le chauffage, mais cela ne fit pas une grande différence.

— Dépêche-toi, l'exhorta-t-elle sérieusement. Dépêche-toi. J'ai besoin de toi, Huckle.

***

Plus d'une heure plus tard, Polly était toujours assise, immobile, trop effrayée pour tenter de sortir du van, même quand elle remarqua que la neige s'amoncelait autour d'elle ; trop pétrifiée par la peur. Elle avait essayé d'appeler Kerensa, mais elle ne répondait pas, et le numéro de Reuben renvoyait sur la messagerie.

Pourtant, le bébé paraissait être en parfaite santé. Elle l'avait vu, tenu dans ses bras. Tout allait bien.

Elle y repensa. Les bébés pouvaient faire des crises. Ou les médecins pouvaient avoir mené des tests et être revenus avec un résultat terrifiant. Mucoviscidose, spina-bifida ou l'un de ces terribles mots qui hantaient les pires cauchemars des parents.

Elle était accaparée par une peur désespérée, se réfugiant de plus en plus dans son manteau, se demandant où diable était Huckle – il ne devrait pas mettre autant de temps. Il n'y avait qu'une seule sortie pour Mount Polbearne. Avait-il essayé de franchir la chaussée avec cette foutue moto ? Avait-il dérapé dans l'eau, s'était perdu en mer, comme tant de bateaux sur la côte déchiquetée des Cornouailles, tant d'hommes sous les vagues par grand vent et mauvais temps ?

Quelques paroles d'une vieille chanson évoquant un naufrage lui vinrent à l'esprit : « Nombre de paillasses flottaient sur l'écume / Nombre de fils de seigneur ne rentreraient jamais chez eux… »

Où était-il ? Et, elle, où était-elle ? La route était calme : les phares occasionnels d'un voyageur qui passait doucement dans l'après-midi déclinant et les flocons tourbillonnants, mais personne ne s'arrêta.

Polly se blottit davantage dans son siège. Peut-être tout était terminé à présent, tout était fini, et il n'y avait rien à faire sinon rester là. Tout avait mal tourné et elle avait perdu la seule chose qu'elle ait toujours voulue et…

Toc, toc, toc !

Polly se rendit compte qu'elle s'enfonçait dans un état de stupeur ; qu'elle était à moitié endormie. Elle ne savait pas d'où provenait ce bruit.

Toc, toc, toc !

Elle observa autour d'elle, le regard trouble. Quelque chose ou quelqu'un tapait à la fenêtre. Était-ce un arbre ? Où était-elle ?

Elle se pencha et ouvrit la vitre. Dehors, Neil voltigeait, avec ses petites ailes qui battaient frénétiquement. Il piailla furieusement à l'attention de sa maîtresse.

— Neil ! lança Polly en s'apercevant qu'un sourire stupide s'étendait sur son visage.

Pourquoi se sentait-elle aussi bizarre ?

— Polly ! prononça une voix, et, derrière Neil, apparut un phare, puis le visage de Huckle.

Polly, dans les vapes, le fixa.

— J'ai cru que tu étais mort, dit-elle en lui souriant d'une drôle de façon.

Huckle tira violemment sur la portière et fit sortir Polly en la posant sans manière sur le sol. Le choc de l'air froid fit l'effet à Polly d'un seau d'eau glacée vidé sur sa tête. Elle toussa, penchée au-dessus du talus enneigé.

— La puanteur là-dedans ! Il y a une fuite d'essence ; tu as dû taper dans quelque chose. Polly ! Tu aurais pu t'intoxiquer ! Tu ne peux pas… Je n'en reviens pas… Ce van est un vrai engin de la mort ! Tout le monde te le répète !

Polly secoua la tête.

— Tu ne t'es pas sentie bizarre ? Dans le cirage ?

— Si, répondit Polly en fronçant les sourcils. Je me sentais bien.

— Oh, bon sang, dit Huckle, qui la serra contre lui, avant de la relâcher lorsqu'elle dut soudain vomir dans la neige. (Il lui tendit de l'eau.) Bon sang, Polly. (Il était presque aussi pâle qu'elle.) Bon sang ! Merde. Quand tout a commencé à mal tourner ?

Polly secoua la tête.

— Je ne sais pas, répondit-elle, les larmes aux yeux. Je n'en sais rien. J'aimerais le savoir, pour pouvoir retourner en arrière et arranger les choses.

— Tu n'as rien fait du tout, déclara Huckle en étreignant Polly. Ce n'est pas ta faute, ma chérie. Ce n'est pas ta faute. Tu trembles.

Huckle fit signe à une voiture de s'arrêter et, enfin, une dame très gentille, prénommée Maggie, laissa monter Polly pendant que Huckle accrochait la moto au van pour le dégager de la congère. Il le gara soigneusement sur le bas-côté en laissant toutes les fenêtres ouvertes, puis remercia la femme.

— Où allez-vous ? leur demanda-t-elle.

— Nous devons aller à l'hôpital de Plymouth, lui expliqua Huckle.

— Avec cet engin ? rétorqua-t-elle en montrant la moto. (Cette enseignante très affable avait pour habitude de parler sans ambages.) Ne soyez pas ridicules. Montez dans la voiture. Je vais vous emmener.

— Vous avez une Mini. Je ne suis pas certain que ce soit beaucoup mieux que…

— Montez, insista la femme.

Neil entra dans la voiture et s'assit sur les genoux de Polly. Maggie le fixa un instant.

— Ah, fit Huckle.

— Est-ce qu'il va faire ses besoins dans la voiture ? demanda-t-elle, lorsqu'ils s'engagèrent sur la route nationale sablée et dégagée.

— Je ne peux rien vous garantir, répondit Huckle, avec un sourire en guise d'excuse – par chance, il s'avéra que Maggie avait un faible pour les jeunes hommes souriants.

Chapitre 38

Polly voulut courir directement jusqu'à l'aile privée, mais Huckle la stoppa et la fit boire un café fort au distributeur. Puis il planta ses yeux dans les siens.

— Est-ce que tu vas bien ?

— À part les neuf choses bizarres qui sont arrivées aujourd'hui ? (Polly s'examina rapidement intérieurement.) Je crois que oui. (Elle leva les yeux sur Huckle.) Oh ! la la ! Mes cheveux doivent être en pétard.

— Bon, si tu t'inquiètes pour ça, c'est que tu reprends des forces.

— Ce qui veut dire que j'ai raison, en conclut Polly, qui passa la main dans ses cheveux humides d'un air consterné.

Huckle la prit dans ses bras.

— Oh, Polly Waterford. Tu es toujours jolie à mes yeux.

— Je viens de vomir !

— Bon, d'accord, hormis ce détail. Parce que je crois que tu n'écoutes rien de ce que j'essaie de te dire.

— Que tu ne vas plus me quitter parce que je ne t'ai rien dit pour Kerensa ?

Huckle secoua la tête.

— Je n'ai jamais eu l'intention de te quitter. C'est seulement que… Tu sais. J'ai été trompé par le passé, et ça a été tellement difficile. Ça m'a fait tellement mal. Et puis, je pensais te connaître parfaitement, j'ai paniqué. Mais on ne peut pas… on ne peut jamais connaître l'autre. Pas à cent pour cent. Les gens font ce qu'ils font pour certaines raisons. Et on peut choisir de les aimer pour ce qu'ils sont et, bon, c'est le marché. Ça fonctionne comme ça. Je comprends pourquoi tu as agi de la sorte. J'aurais préféré que tu ne… Non. J'aurais aimé que rien de cette histoire n'arrive.

Polly acquiesça d'un signe de tête.

— Mais je peux vivre avec ça. Je le peux.

Elle posa sa tête sur l'épaule de Huckle et poussa un énorme soupir.

— Je t'aime tellement.

— Nous allons devoir nous aimer mutuellement, ajouta sobrement Huckle. Parce que nous devons être présents pour Reuben et Kerensa. Quand ils auront besoin de nous. Ce qui commence dès maintenant, je crois.

Main dans la main, redoutant ce qu'ils s'apprêtaient à découvrir, mais s'efforçant de ne pas envisager le pire, Huckle et Polly s'avancèrent vers l'ascenseur. Ce beau petit bébé innocent. Qu'il puisse avoir un problème, que quelque chose ait pu arriver… c'était terrifiant. Tellement injuste. Tellement intolérable qu'un enfant puisse naître pour souffrir.

L'ascenseur mit une éternité à monter. Dans les couloirs de l'aile privée, les grands étalages de fleurs d'hiver semblaient se moquer d'eux, tout comme les ballons et paniers garnis devant la porte de Kerensa.

Polly et Huckle se regardèrent, se serrèrent fort la main, puis frappèrent à la porte.

***

Dans la chambre régnait un calme inquiétant. En fait, étant donné que s'y trouvaient Reuben, Kerensa, Jackie, Merv, Rhonda et un nouveau-né, la pièce était curieusement silencieuse.

— Hé, murmura Polly. Nous sommes venus dès que nous avons pu.

— Vous n'avez pas eu de problème sur la route ? demanda Merv en regardant la tempête de neige qui s'abattait sur le jardin.

— Non, répondit Polly, qui décida que ce n'était pas le moment de raconter sa mésaventure.

Elle se tourna vers le lit. Le bébé dormait paisiblement dans son berceau. Pâle, Kerensa ne soutint pas le regard de Polly.

Reuben faisait les cent pas.

— Bon, dit-il en s'adressant à Polly et à Huckle. Vous êtes au courant maintenant.

Polly frissonna.

— Ouais, maintenant, ça se sait. Je vais être la risée du monde entier. Super. Les gens vont se moquer de Reuben Finkel. Peu importe combien d'argent j'ai, ce que j'ai fait dans ma vie, je ne peux pas y couper, n'est-ce pas, Papa ?

Il cracha amèrement ces derniers mots.

— Allons, Reuben, dit Merv, mais Reuben le repoussa.

— C'est ta faute.

— Ce n'est la faute de personne. Sérieusement, mon fils.

Polly était figée sur place. Un mauvais moment s'annonçait.

— Tout ce que je voulais, c'était que mon fils soit parfait. Est-ce trop demander ?

Polly fixa désespérément Kerensa. Tout ne pouvait pas tourner uniquement autour de Reuben, non ? Il ne pouvait pas continuer de la sorte. Il fallait penser au bébé. À sa mère.

Ce fut à cet instant que Kerensa fit une chose des plus surprenantes : elle adressa un clin d'œil à Polly.

Polly pensa dans un premier temps (elle se sentait toujours un peu vaseuse) que son imagination lui jouait des tours. Mais non. C'était bel et bien réel.

Et était-ce un peu de couleur qui réapparaissait sur le visage de son amie ?

Huckle se jeta à l'eau.

— Reuben, qu'est-ce qui se passe ? Quel est le problème avec Herschel ?

— Hum, toussota Kerensa. Je pense que vous apprendrez que ce n'est pas son prénom.

Huckle l'ignora et s'avança.

— Qu'est-ce qu'il y a, mon vieux ?

Reuben le regarda dans les yeux.

— Je n'en reviens pas ! Sérieusement, mon pote. Je n'en reviens pas.

— De quoi ?

Une infirmière entra d'un air affairé.

— Oh, regardez-vous tous, dit-elle. Écoutez, il y a beaucoup de solutions possibles, d'accord ?

— Pouvez-vous… leur montrer ? lui demanda Reuben.

— Reuben, objecta Merv. Est-ce bien nécessaire ?

— Ouais. Oui, ça l'est.

Polly claquait des dents. Bruyamment même.

L'infirmière haussa les épaules et attrapa le bébé comme s'il s'agissait d'un petit ballon de football. Aux yeux de Polly, elle le manipula assez rudement, mais qui était-elle pour juger comment on prenait un nouveau-né dans les bras ? Elle imagina que cette femme savait ce qu'elle faisait.

L'infirmière défit sa gigoteuse, puis sa grenouillère toute neuve en coton biologique. Le bébé n'appréciait pas du tout et commença à brailler vigoureusement. Ses cheveux étaient vraiment très bruns.

Sa couche paraissait ridiculement grande sur sa minuscule silhouette. Polly n'avait jamais vu un nourrisson nu ; elle n'avait jamais pensé qu'ils ressemblaient à des têtards, avec une grosse tête et de petits membres.

— Chut, dit l'infirmière. Et voilà.

Polly agrippait la main de Huckle si fort que celle-ci en devenait blanche. Ils se penchèrent pour observer le bébé : sur ses petites fesses se trouvait une marque rouge vif. Une énorme tache de naissance. Polly porta sa main à la bouche et, le temps d'une seconde, elle craignit affreusement de se mettre à rire.

— C'est une tache de vin ? s'étonna Huckle. Vous nous avez fait venir parce que vous étiez inquiets à cause d'une tache de vin ?

— Ouais, répondit Reuben. Mais ce n'est pas n'importe quelle tache. Une énorme marque tamponnée sur les fesses ! Tout comme mon père en a une, et tout comme moi avant. Merci, Papa !

— Tu aurais dû prévenir Kerensa ! s'énerva Merv, une main dans le dos. J'avais prévenu Rhonda de mon côté !

— C'est faux, Maman l'a découvert ! On ne savait pas les faire disparaître à l'époque. (Reuben se tourna vers Kerensa, qui avait aussi la main plaquée sur sa bouche.) Oh, ma chérie, je suis sincèrement navré. J'ai fait retirer la mienne au laser après mon émancipation. Pour ne pas avoir une peau de lézard comme mon père. Tu es si compréhensive, ajouta-t-il tendrement.

Kerensa ne pouvait rien faire d'autre que d'agiter sa main libre. Elle oscillait entre le sourire et les larmes, de même que Polly.

— Ce n'est rien ! les sermonna l'infirmière. Arrêtez de vous mettre la rate au court-bouillon pour ça. C'est un adorable bébé en parfaite santé.

— Pourquoi ça ne s'est pas vu à l'échographie ? demanda Huckle, d'un ton sans doute plus fâché que son intention.

— Ce n'est pas visible. Et en plus c'est un bébé très remuant. Je me demande de qui il tient ça.

Reuben cessa de tripoter son téléphone et leva le regard.

— Hein ? Ouais, peu importe.

L'infirmière reboutonna savamment la grenouillère du bébé et l'emmaillota si fermement qu'il ne pouvait pas bouger. Polly se dit qu'il devait détester cela, mais, en réalité, son petit corps se détendit. L'infirmière le donna à Kerensa, qui le prit joyeusement et le serra contre sa chemise de nuit, comme si elle était une mère kangourou et lui son petit.

***

Huckle et Polly ne dirent rien dans l'ascenseur. Ils n'échangèrent pas un mot dans le long couloir, calme à présent, car un grand nombre de lits étaient vides, les patients étant partis passer Noël en famille ; de plus, il était tard et les visites n'étaient plus permises à cette heure. Il n'y avait qu'eux.

Ils restèrent muets jusqu'au moment où ils parvinrent enfin au bout du couloir et que les portes automatiques s'ouvrirent en silence sur le paysage féerique tourbillonnant, les flocons teintés par l'orange vif des lumières de l'hôpital. Le parking laid et les bâtiments trapus étaient masqués par un doux manteau blanc. Au-delà, les arbres, faiblement éclairés par la lueur de la ville, s'étaient transformés en un bois enchanté. Sans un mot, Huckle et Polly s'y précipitèrent en courant.

Tous deux crièrent « OOOUUUIIII ! » à pleins poumons, puis s'attrapèrent les mains et se firent tourner gaiement dans la neige jusqu'à ce qu'ils aient les joues roses, les yeux pétillants de bonheur. Huckle pressa Polly contre lui et elle rit. Neil descendit d'un arbre qu'il avait exploré et les observa sauter de joie, avant de se joindre à eux.

Enfin, le froid les poussa à retourner à l'intérieur. Tous deux avaient le sourire aux lèvres. Ils se dirigèrent vers l'accueil afin d'appeler un taxi.

— Où est-ce qu'on va ? demanda Polly.

— Ah, ah !

— Qu'est-ce qu'il y a ?

— Tu verras. Reste là, je vais passer un coup de fil.

Polly attendit, le cœur comblé. Oh, ce soulagement incroyable, immense. Elle sortit son téléphone qui n'avait presque plus de batterie et voulut envoyer un message à Kerensa. Elle ne savait pas quoi dire, alors elle inséra des cœurs et ajouta l'émoticône qui lui sembla la plus appropriée. Cela devrait faire l'affaire.

♥♥♥♥♥Bisouuuuus♥♥♥ 🍷

Polly balaya du regard l'hôpital en se demandant où était parti Huckle.

Ce fut à cet instant qu'elle les aperçut. Un grand groupe de personnes qui s'avançaient dans le couloir, en silence, lentement. Ils se tenaient par le bras, comme s'ils se consolaient les uns les autres. Une femme, d'environ l'âge de Polly, pleurait, et un homme la serrait contre lui. Quelques enfants marchaient d'un air solennel, comme s'ils savaient que quelque chose de grave se passait, sans savoir exactement quoi. Un très jeune enfant, qui dormait à poings fermés, était blotti dans le cou de sa mère.

Et fermant la marche, pleurant à chaudes larmes et soutenue par deux hommes plus âgés – ses frères, visiblement –, se trouvait Carmel.

Polly se recula et, cachée par le distributeur, elle observa ce triste défilé.

Ils paraissaient – eh bien, ils paraissaient normaux. Gentils. Métis. Une famille complètement normale, bien habillée, qui se serrait les coudes.

Polly détourna le regard, au cas où Carmel apercevrait son visage, mais celle-ci avait la tête baissée et était aveuglée par les larmes.

Tony était sans doute mort, pensa Polly. C'était fini. Le père qu'elle n'avait jamais eu n'existait plus. Polly devinait le genre de père qu'il avait dû être dans les visages désemparés de ces hommes et de ces femmes.

Elle resta figée sur place, se sentant incroyablement triste et étrange, tandis que le groupe disparaissait dans la nuit glacée.

***

— Très bien ! lança Huckle, qui réapparut tout à coup. Madame, votre carrosse est avancé. Hé, hé !

Un taxi s'était arrêté à l'extérieur.

— Où est-ce qu'on va ? s'enquit Polly en embrassant le parking du regard, mais la famille de Tony s'était dispersée.

— Contente-toi de monter, lui répondit Huckle en adressant un clin d'œil au chauffeur.

Neil les talonnait de près.

Polly avait éperdument besoin de parler de son père à Huckle, mais elle n'en eut pas l'occasion, car il s'agitait sur son siège et répétait combien c'était génial, combien les choses étaient merveilleuses, combien ils avaient eu de la chance, assurément Kerensa ne referait jamais une bêtise pareille, et désormais ils apprécieraient tous le moindre instant…

Polly le regarda.

— Oui, convint-elle doucement. Oui. Je veux profiter de chaque instant.

À ce moment précis, la voiture quitta la route déserte pour franchir les grilles colossales d'un énorme manoir.

— Où sommes-nous ? demanda Polly avec méfiance.

Huckle lui sourit.

— Ah, ah. Mince, il faut parfois faire ce genre de choses. C'est trop dangereux de rentrer à la maison. C'est l'hôtel le plus proche de l'hôpital.

— Oui, mais c'est…

L'allée en gravier semblait s'étirer sur plus d'un kilomètre. Les arbres ployaient sous le poids de la neige. Une lune d'hiver blanche brillait à travers les nuages.

— Tout à fait.

— Mais on ne peut pas se le permettre !

— Chut, fit Huckle.

— Et je porte une robe salopette !

— Ouais, ouais, c'est vrai.

Polly se redressa, paniquée.

— Qu'est-ce que tu mijotes ?

— Je les ai appelés pour leur expliquer la situation, annonça Huckle. C'était soit ça, soit une nuit aux urgences en prétendant qu'on s'était cassé le poignet.

Un homme en livrée se précipita pour ouvrir la porte du taxi, et Huckle et Polly furent conduits vers un grand vestibule dans le manoir. Il y avait des antiquités et des peintures à l'huile partout, et le papier peint semblait être en tissu. C'était stupéfiant. Polly regarda autour d'elle et tripota nerveusement les boutons de sa robe.

La réceptionniste vint à leur rencontre en souriant.

— Mr Freeman... Nous avons appris que vous étiez coincés à cause de la neige. Pour votre problème de vêtements, si vous avez besoin de quoi que ce soit, faites-le-nous savoir et nous verrons ce que nous pouvons faire. Nous avons aussi pris la liberté de vous surclasser et de vous réserver une suite.

Polly se tourna vers Huckle.

— Qu'est-ce que ça veut dire ?

— Rien ! J'ai seulement dit que nous avions appris une excellente nouvelle et demandé s'ils pouvaient s'occuper de nous.

— Les animaux domestiques sont acceptés, n'est-ce pas ?

Neil fit innocemment mine de lever sa patte pour examiner ses ongles noirs, alors qu'il s'en prenait à une guirlande de Noël.

— Hmm, fit la réceptionniste qui était très gentille et avait désespérément envie de rentrer chez elle. Bien sûr ! Un grand groupe avait réservé pour ce soir, mais ils ont dû annuler à cause de la météo. La chance est de votre côté. Profitez-en. (La femme jeta un coup d'œil à Polly.) J'aime bien l'accent de votre compagnon.

— Moi aussi, lui confia Polly.

***

La chambre était absolument immense. Au centre trônait un lit à baldaquin. La salle de bains, qui était chauffée par le sol et où les attendaient des chaussons et deux peignoirs moelleux, comportait une énorme baignoire à pieds de griffon. Polly faillit pleurer de bonheur.

Huckle afficha un grand sourire. Il savait à quel point Polly adorait les bains et, pendant qu'elle ouvrait les robinets et versait des bains moussants hors de prix, il alla au minibar pour leur servir un très grand verre de gin tonic.

Alors que Polly barbotait dans l'eau brûlante en sirotant son verre, Huckle s'agenouilla près de la baignoire.

— Tu sais, je n'aime pas faire ça très souvent, mais être quelquefois un bourreau de travail comme toi présente des avantages.

— Ton rendez-vous s'est bien déroulé ?

Huckle fronça les sourcils.

— Mieux que ça. Je travaille toujours mieux quand je suis triste. C'est vraiment bizarre.

— Qu'est-ce qui s'est passé ?

— J'ai vendu la nouvelle gamme à toute une chaîne de salons de beauté. De la cire fraîche, locale et biologique.

Polly le dévisagea, avec étonnement.

— Sérieux ?

— Sérieux. La cire classique n'est plus assez bien pour les tendres minous de la région !

— Tu veux dire que tu paies cette chambre grâce à des poils pubiens ?

Huckle afficha un grand sourire.

— Est-ce que cela en vaut le coup ?

Polly sourit jusqu'aux oreilles.

— Oh ! la la ! Oui ! Qu'est-ce que tu es intelligent ! Oui !

— Par contre, ne me demande pas de travailler comme ça toutes les semaines. C'est éreintant !

Après que Polly eut fait trempette suffisamment longtemps, mais avant de s'endormir comme une masse, ils se glissèrent sous les draps et commandèrent un repas bien trop copieux auprès du service de chambre. Polly raconta à Huckle tout ce qui s'était passé avec son père et lui, avec la gentillesse qui le caractérisait, l'écouta simplement ; il écouta attentivement tout ce qu'elle avait sur le cœur, ce qui avait énormément manqué à Polly.

À la fin de son récit, il ne lui demanda pas comment elle se sentait, ni ne prononça rien de stupide sur le fait de tourner la page. Il se contenta d'un « Oh ». Et « Ça a dû être difficile ».

Polly hocha la tête et pensa au curieux équilibre de forces qui existait dans l'univers entre événements tristes et événements prodigieux. Mais on n'était pas toujours destiné à être au cœur de l'histoire ; quelquefois, il n'était simplement pas question de nous ; on n'obtenait pas toujours toutes les réponses.

Et d'autres fois, on se retrouvait allongé dans un lit à baldaquin, avec la personne qu'on aimait plus que tout au monde, à se demander si on avait envie d'un autre club sandwich, si on devrait se pelotonner et regarder un film, en se disant qu'on devrait peut-être aussi prolonger le séjour jusqu'au lendemain car le monde entier semblait bloqué par la neige…

Bon. Parfois, tout cela était bien. Parfois, c'était plus que suffisant. Parfois, cela représentait tout.

Chapitre 39

Polly se réveilla le lendemain de Noël, avec un sentiment à la fois de bonheur et de tristesse, sans trop savoir pourquoi, puis elle cligna des yeux et comprit.

Dehors, les magnifiques jardins de l'hôtel étaient entièrement recouverts d'une épaisse couche de neige. Étonnamment, quelqu'un était entré dans la chambre durant la nuit, avait pris ses vêtements et les avait retournés propres et pliés dans du papier de soie. C'était, pensa-t-elle, aussi insensé que toutes les choses extraordinaires qui s'étaient produites au cours de ces derniers jours.

Huckle et Polly mangèrent un petit déjeuner ridiculement énorme, puis allèrent se promener dans le parc. Ils s'amusèrent à donner des coups de pied dans la neige. Après s'être entretenue avec Jayden, qui essayait toujours de convaincre Flora, Polly se faisait du souci pour les vieilles dames, qui ne parviendraient peut-être pas à descendre la dangereuse rue pavée jusqu'à la boulangerie ou la supérette de Muriel. Il fallait qu'elle rentre bientôt, pour faire des livraisons à ses clients les plus âgés, qui comptaient sur elle. Les habitants de Mount Polbearne faisaient toujours de grandes provisions en prévision des hivers souvent rigoureux, mais ce n'était pas plus mal de s'assurer que tout le monde allait bien.

— Chut, fit Huckle. On est le 26 décembre. Tous les Anglais ont bien plus de nourriture chez eux que ce qu'ils peuvent ingurgiter en une seule vie. Tout le monde ira bien le temps de quelques heures. S'il te plaît. Fais-moi confiance. Détends-toi.

Aussi se promenèrent-ils dans le joli parc ensoleillé et enneigé en discutant de tout et de rien : de la nouvelle gamme d'activité de Huckle, de sa nouvelle organisation, de la nécessité de recruter d'autres personnes, en plus de Dave, son apiculteur habituel ; du prénom que Kerensa et Reuben allaient donner au bébé (Huckle était plutôt certain que Herschel l'emporterait, mais Polly l'accusait d'aimer ce prénom car il ressemblait à Huckle).

Puis il y eut un silence, avant que Polly ne déclare : « Je suis sincèrement désolée », ce à quoi Huckle répondit : « Moi aussi. »

Polly lui demanda :

— Est-ce que ça va aller ?

Huckle envisagea, un bref instant, de rétorquer que l'hôtel pourrait être un bel endroit où se marier, avant de se raviser, jugeant qu'ils avaient traversé assez d'épreuves comme ça pour le moment. Il était tellement soulagé qu'ils se soient réconciliés, qu'ils soient de nouveau « Polly et Huckle », qu'il était déterminé à ne plus jamais semer le trouble à propos de quoi que ce soit, pas même lorsque Neil laissa des traces toutes beurrées sur la table du restaurant chic et que le maître d'hôtel fit une grimace que Polly ignora ostensiblement. Non. Pas même à cette occasion.

Huckle tira sur les tresses de Polly qui dépassaient de son grand bonnet de laine.

— Bien sûr.

Et ils se serrèrent de nouveau la main et se firent la réflexion qu'ils l'avaient échappé belle.

Au bout d'un instant, Huckle posa cette question :

— Penses-tu aller à l'enterrement ?

Polly cligna des yeux.

— Non. J'ai fait sa connaissance. Je comprends mieux… Enfin, je comprends. Ce que les gens font à vingt ans… Ce ne sont pas encore vraiment des adultes. Et au final… Bon. Il a retenu la leçon, non ? Il est retourné s'occuper de sa famille et, de toute évidence, il les aimait sincèrement et a été un père merveilleux. J'ai été son erreur, mais ce n'est pas ma faute. Ma mère aurait peut-être pu gérer la situation un peu différemment, mais ce fut une grande histoire d'amour pour elle, et pas pour lui. Ce n'est la faute de personne non plus. Ce genre de choses ne se commande pas. Mais non. Je ne pense pas avoir besoin d'entendre plein de gens raconter à quel point c'était un homme génial, tu vois ?

Huckle acquiesça du chef.

— Oui, je comprends.

Ils continuèrent leur promenade en silence.

— Et ses enfants ? demanda Huckle.

Polly repensa avec un pincement au cœur au groupe très soudé et élégamment habillé. Comme ce devait être agréable, quand la vie se montrait dure, d'avoir ainsi des gens sur qui compter. Elle ne savait pas ce que c'était d'avoir des frères et sœurs. Le frère de Huckle était un peu une crapule, mais il faisait partie de la famille. Elle aurait aimé connaître ce sentiment.

— Hmm. Ils ont tous… Je suis sûre qu'ils ont tous leur vie. Je suis la dernière chose dont ils ont besoin pour compliquer la situation.

— Oui, bon, attends qu'ils découvrent que tu fais le meilleur pain au monde. Et tu seras accueillie à bras ouverts, plaisanta Huckle.

Polly secoua la tête.

— Oh que non. Et s'ils pensent que je cherche à créer des problèmes, ou que je viens pour réclamer ma part de l'héritage ?

— Tu crois qu'il y a de l'argent ?

Polly haussa les épaules.

— Je n'en sais rien. Et je m'en fiche. (Elle fronça les sourcils.) Je me demande si ma mère va continuer à broyer du noir.

— Elle va peut-être devoir se trouver un travail.

— Huck !

— Quoi ? Elle n'a aucun problème. Ça lui ferait du bien de sortir un peu de chez elle.

— Elle est fragile, la défendit Polly.

— Elle est peut-être comme ça parce que tout le monde prend des pincettes avec elle depuis très longtemps.

— Elle s'est très bien occupée de ses parents.

— C'est vrai, admit Huckle. Elle devrait s'occuper des parents des autres. Pour gagner sa vie.

— Hmm.

Ils avaient fait le tour des jardins et étaient revenus à l'entrée principale de l'hôtel. Polly regardait avec envie l'entrée du spa.

— J’adorerais aller nager.

Et comme par magie, un maillot de bain à sa taille fut trouvé, et Huckle et Polly allèrent nager dans une cascade d’intérieur, se prélassèrent dans le hammam, rigolèrent dans le jacuzzi. Bien qu’ils aient passé moins de douze heures dans ce magnifique hôtel, ce fut l’un des séjours les plus agréables que Polly ait connus de toute sa vie.

Chapitre 40

La neige s'installait, sans doute pour un long moment, mais le soleil était de sortie, les routes étaient dégagées et il n'y avait quasiment pas de circulation : manifestement, les gens restaient à l'intérieur durant les jolis jours brumeux séparant Noël du Nouvel An, avec du chocolat, du vin et un sentiment général de ne devoir aller nulle part et de n'avoir rien à faire, à l'exception d'un puzzle ou d'écouter un livre audio.

Polly et Huckle prirent un taxi pour retrouver Nan le van, qui était toujours bien garé sur le bas-côté. Lorsque Polly mit le contact, étonnamment le moteur ronronna aussitôt. Elle s'installa derrière le volant, tandis que Huckle partait faire démarrer sa moto. Avant de prendre la route, Polly téléphona à Kerensa, qui lui annonça joyeusement qu'elle rentrait à la maison avec Lowin, ce sur quoi Reuben cria « Herschel ! » et une querelle éclata – les Kerensa et Reuben qu'ils connaissaient semblaient de retour !

— Tu es sûre que tu dois déjà rentrer chez toi ? demanda Polly.

— Oh oui, répondit Kerensa, d'un ton pétillant. Je sais que la plupart des femmes sont un peu lessivées après l'accouchement. Mais je me sens étrangement bien.

— Parce que mon bébé est génial, lança Reuben au loin. Le plus génial d'entre tous.

Polly sourit.

— C'est mon filleul !

***

La neige ne cessait de tomber.

Polly prépara tous les matins des fournées de pain qu'elle livrait aux personnes âgées du village, puis en fin de compte, à mesure que les habitants se rendirent compte de ses tournées, à peu près à tout le monde. Elle avait accordé des congés à Jayden (qui paraissait en avoir besoin) et, quand elle avait terminé à la boulangerie, elle retournait au phare, où le poêle fonctionnait jour et nuit, pour une fois, afin que le séjour, au dernier étage, reste chaud et douillet, et que la chambre soit aussi à une température agréable.

Une fois la journée de travail achevée (car Huckle était également très occupé avec le lancement de sa nouvelle activité), ils mangeaient des petits pains, des biscuits salés, du fromage, buvaient du champagne et paressaient au lit, à regarder des films, à admirer la neige tomber, à écouter des reportages déconseillant aux gens de voyager sauf extrême nécessité – et ils faisaient tinter leurs verres avec suffisance parce qu'ils n'avaient aucune envie de voyager.

Reuben et Kerensa étaient, à en juger par les photographies envoyées toutes les heures, en pleine « lune de bébé » : ils se faisaient des câlins, roucoulaient, envoyaient des clichés adorables de leurs trois mains ou pieds, ou de tous les trois blottis dans un lit aussi grand que le salon de la mère de Polly, avec un sourire radieux et joyeux, Reuben ayant réendossé son personnage plein d'entrain de « roi du monde ». Le bébé lui ressemblait davantage de jour en jour.

Kerensa paraissait de toute beauté ; une mère allaitant son enfant, élancée, douce et rayonnante, l'expression crispée ayant disparu de son regard. Cela aidait que le bébé mange et dorme parfaitement bien (au dire de son père) et qu'ils bénéficient de l'aide d'un tas de personnes chez eux, mais malgré tout, Kerensa était métamorphosée. Elle était redevenue la meilleure amie amusante, sûre d'elle et merveilleuse que Polly avait toujours connue, ce dont elle était absolument enchantée.

Polly appelait sa mère tous les jours (ce qui n'était pas dans ses habitudes) et, d'une certaine manière, puisqu'elles avaient vidé leur sac, puisqu'elles avaient parlé de sujets qu'aucune d'elles ne voulait jamais aborder, elle avait enfin le sentiment de comprendre une grande part de sa vie qui était restée jusque-là un mystère. Grâce à ces conversations, c'était comme si les choses étaient devenues plus légères, plus faciles entre sa mère et elle ; comme si Doreen n'érigeait plus de grandes barrières pour tenter désespérément de contrôler ce que Polly savait et ressentait.

Elle pensait de temps en temps à son père, avec une légère mélancolie. Mais c'était ainsi. Personne n'était épargné par la tristesse, pas dans le monde réel. Et pour le moment, en regardant Huckle jouer au football-ping-pong avec Neil devant la cheminée, son long corps étendu, ses cheveux ébouriffés dorés à la lueur des flammes, Polly sentit que, pour de nombreux aspects de sa vie, elle avait tellement de chance qu'elle ne pouvait pas se plaindre. Beaucoup de gens n'avaient pas ce qu'elle avait. Et elle avait tant.

Elle savait qu'à un moment, l'an prochain, ils se marieraient, mais pas avant. Elle pourrait penser à l'organisation, au coût et à tout le reste en temps voulu. Ce serait une jolie cérémonie. Intime. Exactement comme ils le souhaitaient. Elle n'avait plus de raison d'être terrifiée à propos du mariage, ou simplement de se faire du souci à propos de la tournure possible des événements. Ce ne serait rien que Huckle et elle. Elle n'était pas follement impatiente, mais ce serait bien. Vraiment. Le mariage, des bébés ; tous les chapitres à venir. Elle était prête dorénavant.

Polly s'allongea à côté de Huckle et l'aida à souffler sur la balle de ping-pong, ce qui rendait Neil fou. Il piaillait, sautait, se fâchait réellement quand ils arrêtaient de jouer – il poussait la balle vers eux jusqu'à ce qu'ils cèdent et rejouent avec lui.

Polly se pelotonna contre le corps chaud de Huckle sur le tapis, savourant la sensation incroyablement inhabituelle de n'avoir rien – absolument rien, à part le footing du matin – de prévu pour le reste de la semaine. Il y avait trop de neige pour sortir ; il n'y avait pas besoin de faire de sport ou d'organiser quoi que ce soit. Ne les attendaient que des heures de néant absolu, avec rien d'autre à faire que l'amour, regarder des films, manger des bonbons et boire du vin pétillant. Ce qui était parfait.

Chapitre 41

Tôt le jour de la Saint-Sylvestre, après que Polly eut terminé sa tournée et rampé jusqu'au lit, le téléphone résonna dans les entrailles du phare.

— Tue-les, lâcha Huckle. Qui que ce soit. Sérieusement. Hors de question que j'aille répondre.

Polly et Huckle laissèrent sonner le téléphone. Qui continua de retentir durant une éternité. Huckle grommela.

— Non, se plaignit-il. Non. Tout se passait exactement comme je le voulais.

Polly consulta son téléphone, mais, comme d'habitude, elle n'avait aucune réception.

— Ce doit être de la pub. Ne t'en fais pas. J'ai parlé à ma mère aujourd'hui. Ignorons le téléphone, ça va bien s'arrêter.

La sonnerie cessa, et Polly sourit d'un air assoupi, avant de se blottir davantage contre Huckle.

— Tu vois.

— Tu as des pouvoirs magiques, déclara Huckle en embrassant Polly.

Mais le téléphone se remit à sonner. Étrangement, il parut plus insistant que la première fois.

— Raccrochez ! hurla Huckle.

Polly grogna.

— Oh, je ferais mieux de répondre.

— Si c'est Reuben ou Kerensa, peux-tu leur demander de nous exclure de leur vie ridicule ? S'il te plaît ?

— Pourquoi crois-tu que je descends ? dit Polly, qui grimaça lorsqu'elle sentit l'air glacé de la cage d'escalier.

— Parce que tu apprécieras encore plus quand tu reviendras au chaud ! Je vais nous préparer un petit nid douillet.

Polly sourit et descendit doucement pour décrocher le lourd téléphone noir en Bakélite.

— Polly !

— Non.

— Comment cela « non » ? se vexa Reuben.

— Peu importe de quoi il s'agit, je refuse de le faire. Je suis en vacances, ce qui exclut de nourrir tous les habitants de cette ville. Donc non.

— Mais je ne t'appelle peut-être pas pour que tu fasses un truc pour moi.

— D'accord, alors pour quoi tu m'appelles ?

— Euh…

— Non ! s'exclama Polly. Hors de question. Non, je ne ferai rien.

Il y eut un blanc.

— Polly…

— Non !

— Tu te souviens, rusa Reuben, que je devais te payer pour tes plats à Noël ? Et, techniquement parlant, le matin de Noël et ce jour férié que vous, les Anglais, avez le 26…

— Le matin de Noël où tu étais à l'hôpital parce que ta femme accouchait et que je faisais le taxi pour ta belle-mère ?

— Ouais. Tu vois, techniquement, tu n'étais pas là.

— Ce n'est pas ma faute ! protesta Polly. C'est ton bébé qui a décidé d'arriver en avance !

— Ouais, cependant…

— Non !!!

— Tu sais, cette réserve de macareux paraît rudement fauchée…

Il faisait un froid de canard en bas, dans le petit bureau. Des motifs givrés s'étaient formés sur les fenêtres. Huckle avait déneigé les marches en pierre du phare tous les matins, mais la neige ne cessait de s'amonceler. C'était inhabituel d'en voir autant sur l'île ; normalement, le vent et l'air iodé la faisaient fondre rapidement. Mais cette année, ils étaient abondamment servis.

Polly pensa avec une certaine tristesse à la trilogie de *Retour vers le futur* que Huckle et elle s'étaient programmée pour l'après-midi. Puis, elle songea à tous les macareux qui seraient décimés s'ils se retrouvaient livrés à eux-mêmes dans les eaux des Cornouailles. Elle soupira.

— De quoi as-tu besoin ?

— J'ai tous les ingrédients ici, lui répondit Reuben. Ramène seulement tes fesses. Dis bonjour à tout le monde. Herschel meurt d'envie de te voir.

— Ça va se passer comme ça maintenant ? Tu vas te servir du bébé jusqu'à la fin des temps pour me faire culpabiliser chaque fois que tu as envie d'un sandwich ?

— C'est ton unique filleul.

Huckle arriva derrière Polly, la couette enveloppée autour de lui.

— Le boulot ? demanda-t-il avec colère.

— Amène Huckle avec toi, la somma Reuben d'un ton autoritaire.

— Non ! contesta Huckle, mais c'était trop tard : Reuben avait déjà raccroché.

— Oh, flûte ! s'exclama Polly. Sérieux ! Je pense qu'être amis avec ces deux-là n'est pas du tout bon pour nous. Et je ne sais même pas si c'est possible d'aller là-bas.

Huckle regarda par la fenêtre.

— Je crois que la question ne va pas se poser.

Un minuscule point dans le ciel devint de plus en plus grand et finit par apparaître nettement. Le bruit se fit de plus en plus fort.

— Il nous a envoyé son hélicoptère ?! C'est franchement ridicule. Tout ça pour une poignée de gâteaux !

— Les meilleurs qui soient, rétorqua Huckle, et Polly leva les yeux au ciel.

L'hélicoptère se posa prudemment sur le port – Polly était certaine que c'était interdit. La neige avait cessé de tomber ; la journée était claire, très froide – une magnifique journée en réalité. Ce qui ne modifiait en rien le fait que Polly n'avait aucune envie de sortir.

Le pilote leur fit signe de se hâter. Polly enfila un manteau et attrapa son sac à main. Neil s'approcha de l'hélicoptère en bondissant ; il devait le prendre pour un très gros macareux. Polly le laissa monter à bord.

Huckle se montra grincheux, avant d'emboîter le pas à Polly.

— C'est agaçant. Parce que Reuben est à l'évidence un véritable casse-couilles, mais j'ai toujours eu envie de monter dans un hélicoptère.

— Moi aussi, admit Polly.

Ils échangèrent un sourire lorsque le pilote leur tendit à chacun un casque d'écoute et les sangla. Puis ils décollèrent.

Huckle et Polly se tinrent la main tandis que l'hélicoptère gîtait et qu'ils faisaient le tour du phare ; c'était étrange de le voir virer sous eux, paraissant si proche de la mer, dont les vagues écumantes se fracassaient contre les rochers. Très peu de bateaux de pêche étaient de sortie ce jour-là ; même les pêcheurs prenaient un peu de repos afin de passer du temps en famille pour les fêtes.

Du ciel, Mount Polbearne, sous son manteau de neige, ressemblait à une carte postale, avec ses petits cottages biscornus et ses rues pavées très proches les unes des autres, qui menaient toutes vers le port animé. Polly prit quelques photos avec son téléphone.

Elle vit la boutique de Muriel, toujours résolument ouverte bien que le reste du monde fasse une pause. Elle aperçut Patrick promener l'un des chiens errants qu'il semblait tout le temps recueillir (il ne supportait pas l'idée qu'un animal parte à la fourrière ou se fasse piquer, aussi avait-il souvent à ses talons la bande la plus bigarrée qui soit de sacs à puces). Polly remarqua deux des bambins du village, emmitouflés tels de petits bonshommes Michelin, qui faisaient des culbutes sur la plage et jouaient avec des galets, pendant que leurs parents se frottaient vigoureusement les bras et jetaient – apparemment – des regards courroucés à la porte fermée de *La Petite Boulangerie de Beach Street*, alors qu'ils avaient besoin plus que jamais d'un chocolat chaud.

Ensuite, l'hélicoptère changea de cap et survola la mer – Mount Polbearne était une vraie île ce matin-là, complètement coupée des terres, avec son propre petit univers. Polly ressentit, comme souvent, un léger pincement au cœur de la quitter, même si ce n'était que le temps d'une journée.

— J'ai vu pire comme trajet pour aller bosser, dit-elle à Huckle, qui lui sourit en retour, profitant du trajet tout autant qu'elle.

Ils survolèrent les Cornouailles, ses rochers escarpés laissant place à des champs fertiles, parés de rayures et de haies blanches ; des enchevêtrements de bois aussi vieux que les légendes du roi Arthur, sous un manteau de neige ; des animaux cachés dans les fourrés. Une chouette chassant des souris les regarda lorsqu'ils passèrent au-dessus d'elle. Les rares voitures sur les routes ressemblaient à des jouets ; des chevaux en liberté dans leur pré furent un peu effrayés par le bruit de l'hélicoptère, ce qui fit culpabiliser Polly.

Loin des villes côtières, cette belle région s'étalait sous leurs pieds pour leur seul plaisir ; quasiment pas une âme en vue, et cette douce et silencieuse campagne qu'ils affectionnaient tant tous les deux. Huckle serra fort la main de Polly, qui lui retourna son étreinte, lorsque la cloche d'une église parvint à leurs oreilles malgré le bruit du moteur. La pointe nord des Cornouailles apparut à l'horizon, et l'hélicoptère vira vers la grande maison sur la falaise, la demeure de Reuben, avec son énorme H peint au sol. Reuben, Kerensa et le bébé les attendaient devant la maison, en leur faisant de grands signes.

— OK, je suis prête, déclara Polly après qu'ils eurent atterri et remercié le pilote.

Neil fit des bonds en rond d'un air perplexe. Ce vol avait sans doute été un peu plus bruyant que ceux auxquels il était accoutumé.

Reuben et Kerensa paraissaient ravis ; Kerensa avait bien meilleure mine que celle qu'on était en droit d'attendre d'une femme ayant accouché quelques jours plus tôt. Herschel-Lowin dormait paisiblement dans les bras de son père. Rhonda et Merv sortirent également pour saluer Polly et Huckle. Cela paraissait étrange ; Polly s'attendait à être poussée sans ménagement vers la cuisine afin qu'elle se mette au travail.

— Quoi de neuf ? demanda-t-elle.

Tout le monde les regardait avec un grand sourire un peu curieux, surtout Kerensa. Reuben et elle échangèrent des regards. Le personnel aussi était étrangement aligné devant la maison, comme s'il s'agissait d'une visite présidentielle.

— Bon, se lança Kerensa, j'ai essayé de… Nous avons cherché comment vous remercier. Pour votre soutien. Pour tout ce que vous avez fait pour nous pendant toutes ces années. Avec un cadeau de Noël.

— Je peux dire à présent, intervint Reuben, que c'était surtout un moyen pour Kerensa de continuer à faire du shopping, alors que sa grossesse la rendait toute triste.

— La ferme, rétorqua Kerensa en lui souriant gaiement.

— Qu'est-ce qui se passe ? s'enquit Polly, nerveuse.

Kerensa s'approcha et prit la main de Huckle et de Polly.

— Écoutez. Vous n'êtes pas du tout obligés de le faire si vous n'en avez pas envie.

— Faire quoi ? demanda Polly, avec méfiance.

Kerensa lui sourit et l'attira à l'intérieur.

La maison avait subi une nouvelle transformation. Des orchidées et des lis blancs décoraient l'entrée ; leur parfum capiteux se mêlait à l'odeur d'airelle et d'orange qui avait embaumé la maison durant les fêtes de Noël. Des guirlandes de fleurs entouraient la rampe de l'escalier en colimaçon. Plus loin, devant l'énorme véranda, étaient disposées des rangées de sièges blancs, dont le dossier était orné d'un nœud…

Il y eut un long silence.

— Oh, fit Polly, profondément surprise.

C'était impossible. Non, ils ne pouvaient pas…

Kerensa se tourna vers son amie.

— Tu vois… dit-elle, si excitée qu'elle parvenait à peine à s'exprimer. Bon. Je voulais te remercier. Pour… Tu sais… Pour tout. Et beaucoup d'autres gens aussi en avaient envie. Je sais que tu es occupée, que tu ne veux pas te tracasser, que tu n'aimes pas acheter des trucs et que tu n'as pas d'argent…

— Merci.

— Et donc j'ai pensé… Quand tout était vraiment difficile… Je me suis dit : « Pourquoi ne pas le faire à votre place ? » Comme ça, vous serez mariés et vous pourrez mener votre vie.

— Mais je ne peux pas me marier ! Je dois perdre cinq kilos, il faut que je me fasse belle, que je me laisse pousser les ongles et…

Polly ne sut plus quoi dire.

— Tu n'es pas obligée, bien entendu, la rassura Kerensa, qui paraissait un peu inquiète. On attend quelques invités, mais on peut très bien fêter le Nouvel An à la place.

— Qu'est-ce que tu entends par quelques invités ? demanda Polly, paniquée.

— Bah… Forcément, toute la bande de l'école… Tes amis de la fac… Ta mère… Et… Bon, je ne savais pas trop qui inviter du village, alors j'ai invité tout le monde.

— Tout le monde ?

— Euh, oui.

— Tu as invité tous les habitants du village ?

— Ils ne vont pas tous venir, rétorqua timidement Kerensa.

— Mais si. Oh ! la la ! Oh non. Kerensa… Enfin… C'est une idée… amusante et… Je ne sais pas comment tu peux avoir envie de ça une semaine après avoir accouché…

— Parce que j'ai la femme et le bébé les plus merveilleux au monde, affirma Reuben d'un air suffisant. Ils sont capables de tout.

— Ouais, c'est vrai, convint Polly. Mais c'est… c'est tout simplement…

Des fournisseurs arrivèrent avec un énorme cygne de glace. Ils se turent tous pour le regarder passer.

— Vous ne pouvez pas plutôt marier Jayden et Flora ? Ils sont carrément partants pour ça.

Le visage de Kerensa se décomposa.

— Oh. Je suis vraiment désolée. Je pensais… je pensais que ce serait une idée géniale. Je pensais que tu serais absolument ravie. Tu sais, de ne pas devoir te tracasser pour l'organisation, le coût et tout le reste.

— Arrête de nous rappeler que nous sommes fauchés. Écoute, je suis désolée, Kerensa, je sais que tu voulais bien faire, mais je n'ai pas… Enfin, nous n'avons jamais voulu d'un grand mariage… (Polly marqua une pause.) Est-ce que les parents de Huckle sont là ?

Kerensa ne répondit rien. Polly jura, avant de se tourner vers Huckle.

— C'est gênant, hein ? murmura-t-elle. Est-ce qu'on devrait leur dire merci et partir en douce ? Ou rester un peu, peut-être…

Huckle regarda Polly dans le blanc des yeux.

— Ou, continua-t-il doucement, on pourrait tout simplement le faire.

— Tu étais au courant ?

— Non. Mais bon. Maintenant que nous sommes là…

— Je suis en salopette ! Et j'ai une culotte Damart !

— Ah, fit Kerensa. Je peux peut-être t'aider pour ça.

— Et puis, mes jambes et mes sourcils ne sont pas épilés, ma coupe de cheveux est catastrophique et…

— Je te trouve belle, lui rétorqua Huckle.

Soudain, ce fut comme si toutes les angoisses de Polly, toutes ses colères et inquiétudes concernant la boulangerie, le chauffage du phare, le bien-être de ses amis, ses problèmes profondément enfouis… – soudain, ce fut comme si tout ce poids quittait ses épaules, tout disparaissait et le monde semblait plus gai, tandis que le soleil se reflétait sur la neige à l'extérieur et qu'une énorme flambée crépitait joyeusement dans l'âtre. Toutes ses craintes à propos du mariage, à propos de cette étape et du sens qu'elle revêtait – et celui qu'elle avait eu pour sa famille – s'évanouirent devant le joli visage, ouvert et candide de l'homme qu'elle adorait plus que tout…

Tout le reste s'effaça.

— Et j'ai envie de t'épouser, ajouta Huckle.

— Tu es bien certain que tu n'étais pas de mèche ? lui demanda Polly avec méfiance.

— Je te jure que non. (Huckle secoua la tête.) Mais je reconnais que mes parents m'ont parlé d'un soudain changement de programme.

— Donc tu t'en doutais ?

— Allez, Polly ! s'exclama Kerensa. Viens avec moi ! J'ai plein de choses à te montrer. Tu peux rentrer dans tout, contrairement à moi parce qu'il me faudrait un 110F pour mes seins remplis de lait et que j'ai toujours l'air d'être enceinte de huit mois, alors que le bébé est officiellement sorti de là.

Et Kerensa entraîna Polly, prise de tournis, vers sa chambre à l'étage.

Chapitre 42

Polly entra dans la pièce.

— Mince alors ! C'est quoi tout ça ?

Kerensa afficha un sourire radieux.

— Je sais !

L'annexe du dressing, qui regorgeait habituellement de la collection faramineuse de chaussures et de sacs de Kerensa que Reuben insistait pour lui acheter, avait été entièrement transformée en un boudoir blanc. Dans chaque espace disponible était suspendue une robe de mariée d'un style différent : bustier en dentelle et, accrochée à la porte, une robe de princesse ridicule.

— Mais… qu'est-ce que c'est que tout ça ?

Polly était ébahie.

— Choisis-en une.

Assise à une petite table sur le côté, avec un air un peu inquiet, mais sirotant néanmoins une flûte de champagne, se trouvait la mère de Polly.

— Maman ?

Doreen se leva pour étreindre sa fille.

— Tu étais au courant ?

Doreen, élégante dans un tailleur fuchsia – aperçu pour la dernière fois vers 1987, mais qui lui allait toujours bien –, sourit et hocha la tête.

— Kerensa est une très bonne amie pour toi.

— Qu'est-ce que tu… Enfin, est-ce qu'on va vraiment se marier, ou est-ce un faux mariage ?

— Nous avons publié les bans pour vous, répondit Kerensa. Ils sont affichés à l'église depuis six semaines.

— Pourquoi personne ne nous en a parlé ?

— Nous avons fait promettre à tous et à toutes de garder le secret et les avons menacés de ne pas les inviter. Et puis, nous savions qu'il était impossible que deux païens comme vous mettent les pieds à l'église. Vous devrez aller à l'état civil d'ici deux ou trois jours, mais à part cela, c'est un vrai mariage, ma vieille !

Polly secoua la tête.

— C'est ça que tu fabriquais tout le temps ?

Kerensa haussa les épaules.

— Tu sais à quel point j'étais triste. Je détestais penser au bébé, comment j'avais gâché ma vie. Et j'étais inquiète, tu sais. Inquiète pour toi.

— Quoi ? Tu te faisais du souci pour moi ?!

— Oui ! Tu avais ce mec fabuleux à côté de toi et tu étais genre « Oh, je suis trop stressée pour me marier, oh, je ne suis pas prête, bla-bla-bla ».

— Mais il a toujours su que je l'aimais.

— C'est un mec ! rétorqua Kerensa. Les mecs ne comprennent rien à moins de l'écrire en lettres majuscules et de le coller sous leur nez. Tout ce qu'il a dû penser est « Polly pas épouser Huckle. Huckle très triste. Très, très triste. Huckle épouser jeunette vingt ans ».

— Mais non, il n'a pas pensé ça.

— « Huckle très triste et seul » !

— Elle a raison, tu sais, intervint Doreen.

Polly se retint de se retourner et de lui rétorquer : « Mais qu'est-ce que tu en sais, toi ? »

Kerensa souriait à pleines dents.

— Ma mère est ici aussi. D'après elle, j'aurais dû me marier comme ça, au lieu de me déguiser en princesse Leia. Ce qui est encore plus agaçant, c'est qu'elle a raison !

— Comment es-tu venue, Maman ? demanda Polly.

— Ce jeune et gentil Américain m'a envoyé une voiture. Il s'est tellement bien occupé de moi ! Quel garçon adorable.

— Reuben ?

— C'est un ange.

— Vous avez raison, affirma Kerensa en jetant un coup d'œil tendre au berceau où elle avait couché Herschel-Lowin.

Polly regarda autour d'elle.

— Et tu me jures que Huckle ne savait rien de tout cela ?

— Non. D'après Reuben, il aurait piqué une crise et insisté pour que vous fassiez les choses à votre façon. Et nous, de notre côté, nous avons décidé qu'il était temps pour vous de vous lancer.

— Sérieusement ?

— Vous êtes tellement occupés, vous n'auriez jamais trouvé le temps.

Kerensa s'agenouilla.

— Tu n'es pas fâchée, hein ?

Polly balaya de nouveau la pièce du regard. Organiser son mariage n'était pas du tout le genre de choses dont elle avait rêvé, enfant. Tout ce à quoi elle avait aspiré – diriger son entreprise, être indépendante, préparer des pains que les gens auraient envie d'acheter –, toutes ces choses, elle les avait accomplies. Mais dans cette grande, belle et folle maison…

— Qui d'autre sera là ? demanda-t-elle faiblement.

— Tout le monde, répondit Kerensa, avec une lueur malicieuse dans le regard.

En effet, une kyrielle de voitures remontaient déjà l'allée de gravier, déversant des passagers qui s'écriaient et riaient de bon cœur.

— Oh ! la la ! fit Polly.

Une femme patientait près de la porte, avec dans les mains une énorme boîte de maquillage. Polly se tourna vers elle.

— D'accord. Quelles que soient vos compétences, faites tout. Double dose. Et même un peu plus pour me porter chance.

Kerensa leur versa à toutes une coupe de champagne.

— Ne me regarde pas comme ça. Je tire mon lait.

— Je ne mérite vraiment pas cela, déclara Polly. Je ne mérite rien de tout cela. Pas du tout.

— Tu es la meilleure amie au monde, affirma Kerensa d'une voix rauque. Bon, choisis une robe, et je retournerai les autres. Reuben a dévalisé toute la boutique. Et puis, il va falloir une heure à Anita pour qu'elle te fasse les ongles et te pose les extensions.

— Comment ça, des extensions ?

— De nos jours, toutes les mariées portent des extensions, expliqua Kerensa. Bon, plus à certains endroits que d'autres. On peut faire cela aussi.

Polly pensa à Huckle qui lui disait souvent qu'il préférait ses cheveux blond vénitien au naturel et bouclés à la coiffure qu'elle se faisait traditionnellement : lissés et raides.

— En fait... je crois que je vais les laisser comme ça.

— Mais ils sont tout bouclés.

— C'est bien aussi.

— Oh ! la la ! Vos enfants seront de vrais moutons !

Polly sourit à cette pensée.

— Eh bien, je crois que j'en ai pris mon parti.

Polly essaya les robes. Elle ne put s'empêcher de rire devant la meringue de princesse : elle paraissait guindée, bizarre, ne lui ressemblait pas du tout et était extrêmement inconfortable.

— Non. Ce ne sera certainement pas celle-là.

— D'accord, dit Kerensa. J'ai pris beaucoup de jolies photos de toi dans cette robe, donc si tu veux, on pourra l'incruster plus tard sur tes photos de mariage. Reuben sait faire tous ces trucs sur l'ordinateur.

— Hmm, fit Polly.

Ce fut alors qu'elle l'aperçut. Suspendue derrière l'armoire, elle était complètement différente des robes en strass et tape-à-l'œil. En réalité, elle était plutôt simple : *vintage*, avec une encolure bateau en dentelle et un corsage en forme de V. Elle avait une allure un peu médiévale. Elle n'avait ni crinoline, ni cerceau, ni strass, ni volant, ni nœud. Elle ne donnait pas non plus l'impression, comme les robes bustiers, que Polly avait été coupée en deux et que le haut de son corps gambadait nu. Cette robe était élégante, douce, discrète…

Polly fit glisser le jupon en soie frais sur sa tête. La robe tomba sur son corps et lui alla immédiatement à la perfection, comme si elle avait été taillée pour elle. Elle chatoyait sous les mouvements de Polly ; elle n'était pas trop moulante ni trop bouffante ; pas trop chargée ni trop simple. Les minuscules sequins reflétaient la lumière de façon subtile ; la légère couleur crème faisait parfaitement ressortir ses cheveux blond vénitien. Polly se contempla dans le miroir et se reconnut à peine.

— Oh, fit doucement Doreen. Oh. C'est exactement celle que j'aurais choisie. Pour toi, s'empressa-t-elle d'ajouter en essuyant quelques larmes. Oui, c'est la robe que j'aurais choisie pour toi.

Polly étreignit sa mère un long moment, et il y eut d'autres larmes. Puis Anita, la coiffeuse et maquilleuse, ouvrit sa boîte et se mit au travail.

Polly remarqua que des voitures continuaient d'arriver.

— Oh ! la la ! Je commence à être nerveuse. (Polly se tourna vers Kerensa.) Qu'est-ce que vous avez prévu pour la musique ?

— Les trucs habituels, répondit rapidement Kerensa. Ne t'en fais pas.

Polly eut l'air affolée.

— Oh, et les alliances ?

— Nous en avons emprunté quelques-unes pour vous. Il faudra les retourner et vous choisirez celles que vous voulez.

Polly secoua la tête.

— Non, c'est bon. Je crois que j'ai une meilleure idée.

Elle envoya un rapide texto à Huckle.

Après une demi-heure de maquillage, de vernis et de bichonnage (à un moment, jusqu'à trois personnes s'occupèrent simultanément de Polly), Kerensa donna à Polly des sous-vêtements propres et la déclara prête.

— Je reste convaincue que j'aurais dû faire plus attention et ne pas manger tous ces restes de petits-fours à Noël.

— Tais-toi, lui dit Kerensa. Tu es très belle.

Elle ne mentait pas. Polly était de toute beauté, parfaite, superbe dans la douce lumière du soleil d'hiver, qui se reflétait sur la neige et filtrait à travers les immenses fenêtres surplombant la baie. Polly cligna des yeux lorsqu'elle observa l'agitation dans l'allée. Patrick, le vétérinaire, aidait la vieille Mrs Corning à s'extirper d'une grande voiture. Tout le village était là.

— Quoi ? Sérieusement ? Tout le monde est au courant depuis des semaines ?

— Oui ! répondit Kerensa d'un ton suffisant.

Polly secoua la tête, déconcertée.

— C'est de la folie.

— Je pense que c'est l'événement le plus amusant qui se produit à Mount Polbearne depuis une éternité. (Kerensa regarda par la fenêtre.) Oh, ouah.

— Quoi ? demanda Polly.

Elle jeta un coup d'œil. Elle aperçut les parents de Huckle, qui paraissaient joyeux et déboussolés, accompagnés de leur fils à problèmes, Dubose.

— La vache ! Tu as vraiment réussi à faire venir tout le monde.

— Mettons les bijoux sous clé avant d'y aller. Oh ! J'ai failli oublier. J'ai un cadeau pour toi.

— En plus de tout ça ? Kerensa, c'est déjà totalement insensé.

— Chut. Préparer cette fête est à peu près le seul bon moment que j'ai passé cette année. (Elle regarda avec adoration le bébé dans le berceau.) Mais ça en valait la peine.

Kerensa sortit un écrin en velours et le tendit à Polly, qui l'ouvrit. Il renfermait une fine chaîne en platine, avec pour pendentifs une rangée de macareux, sertis chacun d'un petit diamant. On ne distinguait pas le motif à moins de s'approcher ; de loin, cela ressemblait simplement à un joli filigrane.

— Oh ! la la ! s'exclama Polly.

— Ah ! Je savais que ça te plairait.

— J'adore ! renchérit Polly, les larmes aux yeux. Je ne sais pas ce que j'ai fait pour mériter tout ça.

— Tout. Approche. Je leur avais dit pourtant d'utiliser du mascara waterproof.

Les deux amies s'enlacèrent tendrement.

— Je vais me marier, déclara Polly d'un ton incrédule. Je vais vraiment me marier.

— Sauf si tu estimes pouvoir trouver un meilleur mari, plaisanta Kerensa, et toutes deux éclatèrent de rire.

Doreen se leva prudemment, toujours un peu nerveuse. Polly remarqua qu'elle s'était fait faire les ongles et qu'elle était même très légèrement maquillée. Elle avait fait un effort considérable.

— C'est… (Doreen eut la gorge nouée.) C'est tout ce que j'ai toujours voulu pour toi. Non. Je voulais que tu aies tout ce que tu désirais, dit-elle avec une certaine difficulté. Et j'aurais dû mieux… mieux te faire savoir que ce que tu désirais était bien. Et… j'aurais dû…

— Maman. Oublie. Oublie tout cela. C'est bon. Tout va bien. S'il te plaît.

Et les deux femmes se serrèrent dans les bras, au moment où un photographe très branché, chaussé de santiags et avec le crâne dégarni, entra et commença à les prendre en photo avec un appareil qui paraissait inutilement sophistiqué.

— Reportage photo ! siffla Kerensa. Rien de ringard.

— Oui, parce que tout ça n'a rien de ringard, pleura Polly.

Le photographe les ignora complètement et continua ses clichés.

— Un instant, dit Polly. Et la musique ? Et les textes ? Et tous ces trucs ?

— Tu m'as déjà parlé de tout ça, lui répondit Kerensa.

— Qu'est-ce que tu veux dire ? Non, je ne t'ai rien dit. Comment cela ?

— Quand nous étions à l'école. Tu te souviens ? On se faisait nos plans. On avait tout noté dans un cahier. Je m'en suis inspirée.

Polly devint toute pâle.

— Tu n'as pas fait ça…

— Quoi ? demanda Kerensa d'un ton innocent. *I Want It That Way* des Backstreet Boys est une chanson parfaite pour ouvrir la cérémonie. En fait, j'ai parlé à leur manager, ils doivent être en route…

— Non, tu n'as pas osé ?!

Kerensa afficha un grand sourire.

— Mais non.

— Oh, fit Polly, soulagée, mais tout de même un brin dépitée.

— Ah ! Je le savais ! Tu as l'air hyper déçue !

Polly secoua la tête.

— Crois-moi, je deviens tellement dingue avec cette surprise et j'ai tellement la trouille que la déception est ma dernière préoccupation.

— Ne t'en fais pas, la rassura Kerensa en lui serrant la main. On a fait dans le traditionnel.

Elle consulta sa montre. Quatorze heures approchaient.

— Bon. Je pense que c'est bientôt l'heure.

— Oh, bon sang. Je ne suis pas prête. Non, je ne suis pas prête. Où est Neil ?

— Il est avec Huckle. Les témoins restent ensemble. Ne t'en fais pas. Et tu ne seras jamais prête. Oh, et les copains d'université de Huckle sont là aussi. Je suis étonnée que tu n'aies jamais entendu parler d'eux. Reuben a refusé qu'ils dorment ici ; nous avons dû leur trouver un hôtel.

— Parce qu'ils faisaient partie d'une fraternité ?

— Et que Reuben voulait l'intégrer, mais ils ne l'ont jamais accepté. Soi-disant qu'il travaillerait sur une maladie afin de tous les éliminer.

Polly secoua la tête.

— C'est de la folie.

— J'ai beaucoup compensé, affirma Kerensa d'un air grave.

Marta entra, toute souriante et joyeuse, et s'exclama d'admiration devant la métamorphose de Polly. Celle-ci la serra elle aussi dans ses bras.

— Mr Finkel dit que c'est l'heure, indiqua Marta. Il vous demande de venir et de prendre le bébé avec vous.

Kerensa hocha la tête. Elle sauta dans la salle de bains et se glissa dans une robe ample en soie, qui fit immédiatement disparaître tous ses bourrelets et donna l'impression qu'elle n'avait jamais eu de bébé. Elle était superbe, toute sa vivacité, tout son punch retrouvés.

— Demoiselle d'honneur en chef ! clama-t-elle.

Derrière la porte attendaient un petit groupe de fillettes du village, ainsi que la plus jeune sœur de Reuben. Elles formaient une profusion de blanc crème, de fleurs, de ricanements et de beauté et, lorsque Polly sortit de la pièce, elles l'applaudirent instantanément.

— Bonjour à toutes ! dit-elle d'un ton joyeux.

Elle s'avança doucement et jeta un coup d'œil au rez-de-chaussée. Kerensa n'avait pas menti. Tout le monde était là. Absolument tout le monde. Leurs amis d'enfance au complet, ses amis de l'université (de toute évidence, le message était bien passé), tous sur leur trente et un. Polly détestait penser à ce qui se serait produit si elle avait refusé ce mariage. L'organisation était à couper le souffle. Polly se tourna vers le grand escalier, son cœur battant la chamade.

— Est-ce que tu es prête ? lui demanda Kerensa.

— Oui ! Non ! (Polly fit un pas en arrière.) En fait… Maman. Tu as le droit de me dire non, franchement. Complètement le droit. Mais je…

Polly était si confuse et émue qu'elle peinait à s'exprimer.

— Je me demandais si, peut-être…

— Tout ce que tu veux, lui dit Doreen.

— Je me disais que je pourrais… Nous pourrions peut-être appeler Carmel ? C'est que… Enfin, il y a… Euh, j'ai des demi-frères et sœurs que je ne connais pas du tout et bon… Si j'étais… Si j'avais envie de faire leur connaissance. Peut-être. Un jour. Bon.

— Tu veux les inviter ?

— Peut-être seulement Carmel. Pour commencer. Mais si j'étais… si jamais je devais les rencontrer, ce ne serait peut-être pas un mauvais début.

Polly et Doreen se regardèrent.

— Je m'en occupe, déclara Kerensa, qui attrapa le téléphone de Polly dans son sac à main.

— Attends, l'arrêta Polly en levant la main.

Doreen fixa le sol un moment, puis releva les yeux avec une expression résolue.

— Oui. D'accord. S'il y a une famille quelque part pour toi, Polly… Enfin, une vraie famille. Oui. C'est de l'histoire tellement ancienne maintenant… Oui. C'est d'accord.

Polly acquiesça d'un signe de tête.

— Merci.

— Je lui envoie un message tout de suite, indiqua Kerensa.

Elles attendirent en retenant leur souffle. Puis Kerensa leva les yeux.

— Elle sera là en fin d'après-midi.

Elles perçurent derrière elles une certaine agitation et des raclements de gorge impatients.

— Bon, dit Kerensa.

— Bon, on y est.

Et Doreen tendit son bras à Polly pour la conduire jusqu'au pasteur.

Chapitre 43

Polly resta le temps d'une seconde en haut des marches, regardant d'un air hébété se dérouler devant elle toute la vie que Huckle et elle avaient bâtie. Les invités étaient amassés autour de l'escalier, lui souriant, bien habillés, coiffés de chapeaux et perchés de manière chancelante sur des talons aiguilles. Ça alors, Polly n'en revenait pas qu'ils aient tous réussi à garder le secret !

Un chemin s'ouvrit devant elle, laissant apparaître un tapis rouge, bordé de gens ravis et riants. Elle aperçut, une fraction de seconde, le large dos de Huckle, vêtu d'une veste noire. Neil était perché sur son épaule, arborant un nœud papillon. Reuben, une tête de moins que Huckle, était à ses côtés. Polly resta immobile une seconde, un frisson la traversant soudain. Peu à peu, l'assemblée se rendit compte de sa présence, et Reuben se retourna et donna un petit coup de coude à Huckle, qui se tourna à son tour. Tous deux portaient à la boutonnière de la bruyère blanche des Cornouailles. Le cœur de Polly bondit. Le même groupe de swing qu'à Noël – mais il ne paraissait plus du tout aussi snob – joua une chanson que Polly mit un peu de temps à reconnaître.

Huckle l'aperçut et son visage s'illumina ; Polly se souviendrait de cette expression jusqu'à la fin de ses jours.

Huckle lui adressa le plus grand clin d'œil qui soit lorsqu'elle se mit à descendre les marches avec les jolies chaussures à petits talons qu'elle avait choisies. Elle se mordillait la lèvre et croisa les doigts pour ne pas trébucher. Une petite bande de demoiselles d'honneur l'entourait ; l'une d'elles jetait des pétales de rose qui se collaient à sa longue robe et ses nouvelles chaussures qu'elle n'avait pas pu faire à son pied. L'avantage de devoir se concentrer pour ne pas tomber fut que Polly n'eut pas réellement l'occasion de pleurer ou d'angoisser.

Puis, soudain, la présence de tous ces gens, comme si le monde entier semblait avoir été informé de son grand jour avant elle ; le fait qu'elle n'avait absolument aucune idée de ce qui était prévu ou de la réaction qu'elle aurait… Soudain, tout cela s'évapora. Parce que Huckle soutenait le regard de Polly de ses yeux bleus intenses. Et Neil sautillait sur son épaule avec son nœud papillon, et il tenait dans ses pattes deux bagues entrelacées d'algues fraîches, récupérées un peu plus tôt sur la plage.

Le groupe continuait de chanter ce vieux tube de Madness : « *It must be love! Love! Love!* »

***

Polly gardait un souvenir flou du reste de la journée, même si elle avait entendu beaucoup de gens parler de leur mariage. Elle se rappelait les plats délicieux ; Mattie, la femme pasteur, qui avait présidé la cérémonie avec un sourire radieux ; le champagne qui avait coulé à flots ; le fait d'être constamment surprise par des gens qu'elle n'avait pas vus depuis bien trop longtemps, absorbée par son travail et ses soucis. Elle se souvenait du discours de Reuben, qui s'était en quelque sorte transformé en un éloge de son génie ; de celui de Huckle, parce qu'il s'était simplement levé pour déclarer « C'est ça l'amour, et je suis amoureux », avant de se rasseoir ; de l'expression de Huckle quand ses parents l'avaient serré dans leurs bras ; de Merv dansant avec Doreen, et de Jayden soufflant à Flora « Notre mariage pourrait ressembler à ça » et du visage complètement horrifié de celle-ci ; de Bernard qui se jeta sur Polly pour la remercier d'avoir sauvé la réserve (ce qui signifiait que Reuben avait réglé sa facture avant même qu'elle ne lui envoie ; et elle nota dans un coin de sa tête que la transformation de la cafétéria de la réserve serait son projet de l'été, mais avant qu'elle n'ait la chance d'en discuter avec lui, Huckle l'avait entraînée et Selina, absolument sexy en satin rouge, s'était immiscée et avait attrapé Bernard par le coude).

Polly se souvenait également de l'arrivée, plus tard, de Carmel, qui paraissait très nerveuse – seule, mais avec son appareil photo. Elle l'avait serrée dans ses bras, et Carmel avait trinqué à sa santé, une seule fois, avec un sourire qui trahissait son chagrin, avant qu'elles ne soient toutes deux emportées par une grande farandole.

Puis, tard le soir, les voitures avaient commencé à arriver, dont une énorme limousine pour Polly et Huckle – ainsi que Neil. Ils se blottirent sur la banquette arrière, en rigolant de temps en temps, en s'embrassant souvent, en secouant la tête devant la folie et le bonheur de cette journée. Quand ils parvinrent à la chaussée de Mount Polbearne, la mer était basse, et la route éclairée sur toute sa longueur par d'énormes braseros.

Dieu seul savait comment Reuben avait réussi à faire cela, ou comment il avait obtenu l'autorisation. Un chemin sinueux et magique semblait mener à la mer, telle une route dorée secrète, connue d'eux seuls et qui se fermerait aussitôt après leur passage, pour disparaître sous les vagues.

Les voitures des locaux s'engageaient dessus. Mais les voitures du mariage s'arrêtèrent, refusant de s'aventurer sur un territoire dangereux qu'elles ne connaissaient pas.

Ainsi, Polly et Huckle, en queue de convoi, durent sortir de la limousine. Des vaguelettes léchaient déjà leurs orteils. Polly retira ses chaussures ridiculement chères et releva sa robe. Huckle et elle, sur un nuage de champagne et de pur bonheur, ricanèrent de bon cœur et s'élancèrent sur la chaussée, tandis que les vagues se refermaient derrière eux et que les torches flamboyantes s'éteignaient une à une. De la terre ferme, on aurait pu croire que Mount Polbearne n'était qu'un mirage au loin ; un rêve perdu.

Andy ouvrait déjà le *Red Lion*, et les violons se mirent à jouer, mais Huckle prit Polly dans ses bras et la porta sur les marches du phare.

À cet instant, alors que l'ancienne année s'arrêtait avant que ne débute la nouvelle, ce fut comme si le monde entier marquait une pause.

Bien que Polly ne croie pas en la magie, lorsqu'ils franchirent le seuil, elle eut une vision furtive, qui lui parut tellement réelle.

Même si le phare était plongé dans le noir, froid et vide, c'était comme si, soudain, elle entendait son nom être crié ; le bain couler ; Neil piailler ; des enfants monter et descendre les escaliers à toute allure – et tomber de temps à autre –, taper, faire du bruit, courir dans tous les sens. Et tout s'accéléra : le four était allumé, les enfants du village jouaient ensemble, leurs amis venaient leur rendre visite, et il y avait la nouvelle école de Reuben… Et tout s'accéléra encore : la lampe du phare tournait à toute vitesse alors que les bateaux sortaient au gré des marées, les hivers glacés se transformaient en étés ensoleillés, les enfants allaient et venaient, criaient et grandissaient, au milieu d'une odeur de pain, ils rentraient de l'école en courant et dévoraient de grandes tranches de gâteau à la banane, avant de repartir faire trempette dans les mares avec Neil, les cheveux ébouriffés, des épuisettes dans leurs petites mains, réclamant de pouvoir monter dans le side-car, tandis que Herschel-Lowin, avec ses cheveux poil de carotte et ses taches de rousseur, jouait au petit chef…

Polly cligna des yeux et chassa cette vision – *trop de champagne*, pensa-t-elle, *trop d'excitation, de fatigue, d'émotion. Trop de tout cela à la fois*.

— Je t'aime, ma chérie, lui dit Huckle. Mais je vais devoir te reposer. Ta robe est lourde.

— Je sais, répondit-elle, encore un peu perdue dans ses rêves. C'est la robe, c'est sûr.

— Certain. Est-ce que je branche la couverture chauffante ?

— Oui, s'il te plaît.

Après que Huckle eut disparu à l'étage, Polly observa le faisceau du phare balayer le port, le petit village, puis au loin le continent, où les feux d'artifice célébrant la nouvelle année commençaient déjà à exploser. Puis, elle se rendit dans la cuisine avec sa robe de mariée et sortit la levure, la farine et les œufs pour le pain du matin, avant d'embrasser Neil, qui était déjà pelotonné devant le poêle. Elle éteignit la lumière, courut à l'étage, sa robe glissant sur les marches, avec, dans son sillage, un petit nuage de farine.

Quelques recettes…

Un délicieux chocolat chaud

Pour 4 personnes

Remarque : ne mettez pas trop de crème, au risque d'obtenir une sorte de flan. Mais ajoutez des guimauves, même si ces deux phrases se contredisent. Surveillez de près la cuisson de votre chocolat : s'il bout, c'est foutu.

100 g de chocolat au lait (libre à vous de choisir la marque)

50 g de chocolat noir (optez pour le meilleur chocolat possible. Si vous aimez, par exemple, un arôme au piment – aucun jugement de ma part –, il fera parfaitement l'affaire)

Cognac ou Cointreau (facultatif)

75 cl de lait entier

20 cl de crème fraîche liquide

Vanille en poudre, à votre convenance

Gingembre ou cannelle moulus, à votre convenance

2 cuillères à café de sucre (facultatif)

Faites fondre le chocolat *très* lentement tout en remuant, à feu très doux. Si vous avez dans les pattes des enfants qui ronchonnent, peut-être vaudrait-il mieux leur trouver une distraction le temps de préparer cette recette. Sinon, une lichette de cognac ou de Cointreau est de rigueur !

Une fois le chocolat fondu, ajoutez tout au plus 75 cl de lait entier (à vous de juger la consistance que vous souhaitez) et la crème fraîche. Vous devriez obtenir un chocolat épais, mais pas trop.

Ajoutez une pointe de vanille et une toute petite pincée de gingembre ou de cannelle, selon votre goût. Certaines personnes incorporent à ce stade une à deux cuillères à café de sucre – c'est entièrement à votre convenance (personnellement, je sucre).

Si vous possédez un mousseur, utilisez-le ; sinon, fouettez avec précaution et versez votre chocolat dans des tasses.

Vous pouvez ajouter de petites guimauves. Je préfère les toutes petites, car j'ai l'impression d'en manger plus. Ne me regardez pas comme ça !

Dégustez lentement. Pourquoi pas avec ce livre dans les mains ?

Knishs

Les *knishs* sont en quelque sorte la version juive des friands. Que vous fassiez vous-même la pâte ou l'achetiez dans le commerce, elle doit être très fine. Les *knishs* peuvent être fourrés avec de la viande, des pommes de terre et des oignons, ou du fromage frais. Pour ma part, j'aime peu ceux au fromage frais, je vous propose donc une recette classique.

2 kg de pommes de terre

2 gros oignons

3 cuillères à café d'huile végétale

Sel et poivre, à votre convenance

Persil haché

Pour la pâte

800 g de farine

2 œufs

4 cuillères à café d'huile végétale

240 ml d'eau tiède

1 cuillère à café de sel

Faites cuire à l'eau les pommes de terre et faites revenir les oignons émincés dans l'huile. Réduisez le tout en purée avec une bonne dose de sel, de poivre et de persil, puis laissez refroidir.

Pour la pâte, mélangez les œufs, l'huile et l'eau, puis ajoutez progressivement la farine jusqu'à obtenir une pâte suffisamment ferme. Pétrissez-la durant quelques minutes, puis laissez-la reposer au frais.

Abaissez la pâte aussi finement que possible, puis déposez des petits tas de farce. Roulez le tout comme une grande saucisse, mais de sorte à pouvoir « refermer » la pâte autour de la farce lorsque vous découperez des tranches.

Dorez la pâte au jaune d'œuf et faites cuire au four à 190 °C pendant 35 minutes environ. Des bouchées idéales à manger avec les doigts ! Vous pouvez, si vous le souhaitez, les tremper dans une sauce blanche.

Tortillons de Noël

J'adore préparer moi-même mon *mincemeat*, cette farce typiquement anglaise. Il annonce les fêtes de Noël et c'est une bonne occasion de manger sans complexe de la pâte feuilletée.

Mincemeat *(à préparer au moins deux semaines à l'avance)*

275 g de raisins de Corinthe

100 g de raisins secs sultanines

250 g de raisins secs blonds

3 cuillères à soupe de jus de citron

Zeste de citron

300 g de saindoux ou de margarine

300 g de cassonade

100 g de zestes d'agrumes confits

1 pincée de muscade

2 pommes pelées (idéalement, vertes et fermes)

Une bonne dose d'eau-de-vie

Pour les tortillons

1 rouleau de pâte feuilletée prête à l'emploi

Cassonade

1 jaune d'œuf

Réduisez tous les ingrédients en bouillie. Puis partez vaquer à d'autres occupations.

Deux heures plus tard, mettez cette farce dans des pots à confiture stérilisés (je les passe au lave-vaisselle en mode très chaud) et fermez-les hermétiquement en faisant bien le vide d'air (recouvrez les pots d'un tissu vichy), si vous ne voulez pas perdre votre préparation. Conservez vos pots dans un placard pendant deux semaines.

Si j'en ai en trop, je les offre autour de moi. Quand nous vivions en France, j'en donnais à mes amis français, qui me regardaient tous comme si j'étais folle à lier. Je suis certaine que ces pots dorment toujours dans leurs placards !

Pour réaliser les tortillons, découpez des triangles dans la pâte feuilletée. Déposez une cuillerée de *mincemeat* à la base du triangle et roulez la pâte. Peu importe si vos tortillons paraissent un peu ratés, cela fait partie du jeu !

Badigeonnez-les au jaune d'œuf, saupoudrez-les de cassonade et faites-les cuire au four 30 minutes à 200 °C, ou jusqu'à ce qu'ils soient dorés.

Galette des Rois

En France, la coutume veut qu'à Noël on mange une bûche et, le jour de l'Épiphanie, une galette des Rois. Une petite fève est cachée dans le gâteau. Il s'agissait d'anges ou de figures religieuses à l'origine, mais désormais vous pouvez très bien découvrir un scoubidou. Celui qui trouve la fève devient le roi et reçoit la couronne dorée en papier, qui est traditionnellement posée sur la galette. Il lui revient d'offrir la prochaine galette des Rois. Nous avons découvert au fur et à mesure des galettes mangées durant notre séjour en France qu'il est généralement avisé de tendre la part avec la fève aux enfants. Si vous n'avez pas de fève à disposition, une pièce enveloppée de papier sulfurisé devrait avoir le même effet anti-morosité post-Noël.

1 rouleau de pâte feuilletée prête à l'emploi (à moins que vous ne soyez un as de la pâte, auquel cas je vous vénère)

1 œuf, battu en omelette

2 cuillères à soupe de confiture

100 g de beurre mou

100 g de sucre semoule

100 g de poudre d'amandes

1 cuillère à soupe de rhum

Préchauffez le four à 190 °C. Divisez la pâte feuilletée en deux et formez deux cercles. Placez l'un des disques sur une plaque à pâtisserie et tartinez-le de confiture.

Fouettez le beurre et le sucre afin d'obtenir un mélange mousseux. Tout en remuant, incorporez la quasi-totalité de l'œuf. Ajoutez la poudre d'amandes et le rhum.

Étalez ce mélange sur la confiture, glissez-y la fève, puis posez le second disque de pâte. Soudez les bords et dorez à l'œuf. Vous pouvez dessiner un motif à l'aide d'une fourchette si vous le souhaitez.

Faites cuire 25 minutes, ou jusqu'à ce que la galette soit croquante et dorée. Servez tiède ou froid.

Remerciements

Merci à tous ceux qui ont si merveilleusement soutenu Polly, Neil et toute la bande au cours de ces trois dernières années, en particulier : Maddie West, Rebecca Saunders, David Shelley, Charlie King, Manpreet Grewal, Amanda Keats, Jen et l'équipe commerciale, Emma Williams, Stephanie Melrose, Jo Wickham, Kate Agar et toute l'équipe de Little Brown ; Jo Unwin, Isabel Adamakoh Young, le festival de macareux d'Amble (Amble Puffin Festival) et tous nos nombreux et bien-aimés proches et amis qui ont été si indéfectiblement présents pour moi au cours d'une période particulièrement difficile. Je vous embrasse et vous souhaite à tous un très beau Noël.

Composition et mise en pages
Nord Compo à Villeneuve-d'Ascq

Imprimé en Espagne par
Liberdúplex
à Sant Llorenç d'Hortons (Barcelone)
en octobre 2018

N° d'impression : 70714
S29018/01